2nd

치과의원의 전신질환자
치료원리와 실행법

전신질환자
치과진료의
임상길잡이

저 자 | 김 진 · 박원서 · 염안섭
유재하 · 윤정훈 · 정원균 · 최길라

군자출판사

치과의원의 전신질환자 치료원리와 실행법

전신질환자 치과진료의 임상길잡이 2nd

첫째판 1쇄 발행 | 2005년 2월 1일
첫째판 2쇄 발행 | 2007년 4월 15일
둘째판 1쇄 발행 | 2014년 3월 5일

지 은 이 김진, 박원서, 염안섭, 유재하, 윤정훈, 정원균, 최길라
발 행 인 장주연
출 판 기 획 이윤희
편집디자인 오선아
표지디자인 전선아
발 행 처 군자출판사
　　　　　등록 제 4-139호(1991. 6. 24)
　　　　　본사 (110-717) 서울특별시 종로구 창경궁로 117(인의동) 동원회관 BD 6층
　　　　　전화 (02) 762-9194/5　　　팩스 (02) 764-0209
　　　　　홈페이지 | www.koonja.co.kr

ISBN 978-89-6278-863-1
정가 70,000원

집필진 (가나다 순)

김 진

연세대학교 치과대학 졸업(1978)
연세대학교 의과대학 병리학교실 수련 및 석사(1981)
연세대학교 의과대학 대학원 의학박사(1984년)
연세대학교 치과대학 구강병리학교실 교수(1984년~현재)
연세대학교 치과대학 구강종양연구소 소장(1997년~현재)

박원서

연세대학교 치과대학 졸업(1997)
연세대학교 치과대학 구강악안면외과 전공의 과정 수료(2001)
연세대학교 치과대학 대학원(구강악안면외과) 석사(2006), 박사(2013)
연세대학교 치과대학병원 통합진료과 임상조교수, 부교수(2006~현재)
대한치과마취과학회 이사 및 AGD 위원회 위원장(2011~현재)

염안섭

연세대 의학사(2000), 세브란스병원 가정의학과 전공의 수료(2004)
감리교 신학대학원 신학석사(2006), 고려대 의학박사(2012)
하버드의대 완화의료 과정, 영국 웨일즈대 박사 수료(2011)
세브란스병원 가정의학과 Hospice 전문의(2007~2008)
현 수동연세요양병원장, 연세대학교 치과대학 겸임교수 및 대한노인요양병원협회 총무이사

유재하

연세대학교 치과대학 졸업(1980)
연세대학교 치과대학병원 구강악안면외과 전공의 수련 및 석사(1983), 박사(1990)
연세대학교 치과대학 구강악안면외과 및 연세대학교 원주의과대학
원주세브란스기독병원 치과 교수(1986~현재)
대한구강악안면외과학회 교과서 편찬위원 겸 대한치과마취과학회 평생회원(2002~현재)

윤정훈

연세대학교 치과대학 졸업(1985)
연세대학교 치과대학 구강병리학교실 전공의 및 석사(1988)
연세대학교 대학원 치의학박사(1995)
조선대학교 치과대학 구강병리학교실 교수(2000~2012)
원광대학교 치과대학 대전치과병원 구강병리과 과장겸 교수(2012~현재)

정원균

연세대학교 치과대학 졸업(1985)
연세대학교 치과대학 대학원 치의학박사(2002)
21세기치과병원 원장(1999~2001)
연세대학교 원주의과대학 치위생학과 교수, 학과장(2002~현재)
연세대학교 원주세브란스기독병원 치과보존과 교수(2002~현재)

최길라

연세대학교 치과대학 졸업(1986), 예방치과 수련의 및 석사(1989), 박사(1992)
21세기치과 소아 및 장애인치과 원장(1998~2009)
대한치과의사협회 장애인사업팀장(2001~2002)
미국 UCLA 치과대학 소아치과 방문교수(2003~2004)
미국 Children's Dental BD in Cerritos, Associate Dentist(2012~2013)

인체 생리가 인간의 사회 구조와 너무도 흡사하다는 사실에 늘 공감하게 됩니다. 사람 사이의 대화가 깨질 때 사회적 문제들이 발생하는 것처럼, 인체를 구성하는 여러 기관 및 세포 사이의 균형과 상호작용이 손상될 때 질병이 생겨나게 됩니다. 따라서 구강이 인체의 여타 부분과는 별개의 기관으로 존재할 수 없으며, 구강의 질병도 전신의 건강과 분리하여 이해할 수 없습니다.

인체의 전신건강과 구강상태는 서로 밀접한 관련을 가지고 있습니다. 하지만 서구의 산업혁명 이후, 가공식품의 대량섭취와 환경오염, 정신적 스트레스의 증가 등으로 인하여 치아우식증과 치주염 등의 구강질병들이 폭발적으로 증가함으로써 치과 영역의 확대가 필요하게 되었습니다. 이로 인해 전신의 질병을 담당하던 외과에서 치과분야가 분리되었고, 구강진료를 전담할 치과의사의 양성이 별도의 교육과정으로 독립되었습니다. 영역이 분리된 치과교육에서는 전신건강 및 질병에 대한 내용보다는 술기와 기공작업 등의 실기교육을 더 강조하였습니다. 이러한 역사적 배경으로 인하여 치과 교육과정에서 전신질환에 대한 안목을 기를 수 있는 기회가 점차 적어지게 되었습니다. 아울러, 전신질환자의 치과 치료가 자칫 과도한 출혈, 감염, 쇼크 등의 이차적인 합병증으로 이어져 의료분쟁으로 비화되기도 하기 때문에, 치과의사들은 부득이 이를 회피하고 싶어 하는 것이 현실이기도 합니다.

우리나라도 의학의 발달과 사회복지 증가 등으로 점차 고령화 사회로 가고 있습니다. 전신질환이 있을 가능성이 높은 노인 치과환자들이 증가함으로써, 다수의 전신질환자들을 위한 치과진료의 중요성이 더욱 강조되고 있습니다. 그러나 전신질환을 가진 치과환자들이 전문화된 치과대학병원이나 종합병원의 치과로만 편중됨으로써 진료시간이 지체되고, 경우에 따라서는 적절한 진료시기를 놓치게 되는 안타까운 상황들을 경험하게 됩니다. 위중한 전신질환자는 대학병원 등의 대형의료기관으로 전원하는 것이 바람직하겠습니다. 하지만, 그렇지 않은 경미한 전신질환자마저도 기피되는 것은 치과 자원의 낭비일 뿐만 아니라, 그로 인해 환자와 그 가족들이 입는 사회적 손실 또한 적지 않다고 하겠습니다.

구강의 모든 질병이 전신요소와 국소요소가 연합되어 유발되는 만큼 전신질환이 있으면 치아우식증이나 치주질환 등의 구강질환이 발생할 가능성이 더욱 높아집니다. 따라서 이러한 환자일수록 치과의사의 도움이 더욱 절실히 필요합니다. 이런 중요성 때문에 치과대학 학부과정에서 구강내과학 수업시간에 전신질환자, 노인, 장애환자의 치과적 관리에 관한 학문적 이론위주의 교육이 이루어지고 있습니다. 그럼에도 불구하고 전신질환자의 치과적 관리가 용이하지 않은 것은, 전신질환자의 관리가 구강내과학 학부교육을 바탕으로 하지만, 그것만으로는 부족하고, 치과학 분야의 모든 전공과목이 협력해야 되고, 관련 의학과(주로 내과, 가정의학과, 응급의학과 등)와도 긴밀한 협의진료를 통해 임상에서 실무현장 중심으로 교육되어야 할 광범위한 내용이기 때문입니다. 이에 저자 등은 치과대학병원과 종합병원 치과에서, 다양한 전신질환자들의 치과진료 실무 임상적 내용과 전공의 및 학생 교육경험을 토대로, 여러 전공과목(가정의학과, 구강병리학, 구강악안면외과, 치과마취 및 응급치과학, 치과보존과, 예방치과 및 장애자 치과, 통합치과진료과) 전공 교수들의 역량을 모아서, 초판에 이어 개정판을 발행하게 되었습니다. 전체적인 틀은 전신질환자 치과진료의 일반적 원칙, 구강증상에 따른 전신질환의 진단, 흔한 전신질환 및 전신문제 상황의 관리로 되어 있는데, 초판에 비해 구강병리적 내용을 보강했고, 특히 심장질환, 폐질환, 암, 장애자, 장기이식, 골다공증 약문제, 임산부의 치과적 관리 내용을 대폭 보완했습니다.

개정판이지만 전신질환의 범위가 너무 넓기에, 모든 전신질환자를 언급할 수 없어, 부득이 흔한 전신질환과 전신문제 상황들을 중심으로 내용이 정리되어 있는 안타까움이 있습니다. 하지만 모든 전신질환자 치과진료의 원칙은 크게 다르지 않으므로, 흔한 전신질환자 치과진료의 원칙대로 모든 전신질환자의 치과임상에 적용하되, 반드시 환자와 관련이 있는 관련의학과와 치과학의 원활한 협진으로, 정확하고 신속한 진료에 임해 주시길 바랍니다. 다만 정상인과 달리 전신질환자에서는 진료 도중이나 진료후에 의학적 응급상황(실신, 의식소실, 쇼크 등)과 치과적 응급상황(출혈, 감염, 동통 등) 발생의 위험이 있는 만큼, 관련 임상과와 이런 상황에 대처할 준비가 항상 갖추어져 있어야 할 것입니다. 아울러 모든 질병들의 원인과 관리방법들이 계속적인 탐구와 발전이 이루어지기에, 전문가답게 지속적인 질병연구와 임상개발에 동참해 나가야, 보다 만족한 치유의 결과를 얻고, 치과의사로서 본연의 사명에 충실한 보건의료인이 될 것입니다. 더욱이 현대 사회의 기후변화, 자연파괴, 환경오염, 인간적인 스트레스의 증가 등으로 새로운 질병도 많이 생겨나면서 대처법도 점차 복잡해지기에, 이 책의 내용만으로 어려운 상황을 타개해 나가기는 부족한 점이 있지만, 그래도 이 책자가 전신질환자 치과진료에 작은 보탬이 될 수 있는 임상 실무의 길잡이로서, 국민 구강보건 향상에 기여되기를 기원합니다. 계속적인 노력으로 전신질환자의 치과진료를 발전시켜 나갈 것을 다짐하면서, 저자들의 오늘이 있기까지 지켜주신 하나님과 주위의 모든 분들의 사랑에 감사를 드립니다. 특히 학부과정에서부터 전신질환자의 치과 진료에 사명감을 갖도록 가르쳐 주신, 구강내과학 교수님들을 비롯한 여러 스승님들과 고충을 겪은 환자분들께 깊은 감사를 드리고 싶습니다. 아울러 계속적인 출판에 응해주신 군자출판사 장주연 사장님, 실무를 맡아 애쓰신 이윤희 차장님과 오선아님께 고마운 마음을 담아 드립니다.

2014년, 약동의 봄을 기다리며
저자 일동

V

차례

The Guideline of Dental Treatment for Medically Compromised Patients

전신질환자 치과진료의 일반적 원칙

PART 02 구강증상에 따른 전신질환의 진단

PART 03 흔한 전신질환자의 치과진료

차례

The Guideline of Dental Treatment for Medically Compromised Patients

PART 04

전신문제 상황의 치과진료

PART 1

전신질환자 치과진료의 일반적 원칙

전신질환과 구강질환의 관계

| 김 진 |

인체기관(organ)이 건강을 유지하기 위해서는 세포 간의 상호작용이 중요한 역할을 한다. 이와 마찬가지로 인체는 모든 기관의 상호작용이 원활히 이루어질 때에만 건강을 유지할 수 있다. 즉, 치아나 구강을 인체와 따로 떼어서 건강을 생각할 수 없다. 전신적으로 건강이 악화되면 구강에도 질환을 동반하게 되며, 반대로 치아를 포함한 구강조직에 병이 발생하면 전신건강에도 나쁜 영향을 미치게 된다. 인체는 하나의 단위로서, 서로 유기적 연관성을 가지며 균형을 유지할 때 비로소 건강하다고 표현할 수 있다.

01 해부학적 구조

Dental Treatment
for Medically
Compromised Patients

구강조직은 혈관이 매우 풍부하게 발달되어 있다. 또한, 감각신경과 운동신경 및 자율신경(혈관 벽에 분포된 교감신경과 부교감신경)의 분포 밀도가 매우 높으며, 세균의 침입을 방어하는 림프조직과 타액선이 잘 발달되어 있다. 즉, 해부학적으로 구강조직은 동맥, 정맥, 신경, 림프관 등이 거미줄처럼 전신의 기관과 교통하고 있다.

동맥의 분포를 살펴보면, 심장으로부터 대동맥활(aortic arch)이 나와 여기에서 외측 경동맥(external carotid artery)이 분지되고, 외측 경동맥에서 상악동맥(maxillary artery)이 분지된다.

또한, 이곳에서 후, 중, 전상 치조동맥(posterior, middle, anterior superior alveolar artery)이 다시 분지하여 상악 치아에 혈액을 공급하게 된다. 그리고 상악동맥에서 하치조동맥(inferior alveolar artery)이 분지되어 하악 치아에 혈액을 공급한다.

상하악 치아의 정맥은 모두 같은 경로로 심장으로 연결된다. 상하악 치아에 공급되었던 혈액은 모두 익돌정맥총(pterygoid venous plexus)으로 모여 각각 상악정맥(maxillary vein), 심부안면정맥(deep facial vein), 해면정맥동(cavernous sinus)을 거쳐, 내측 경정맥(internal jugular vein) 및 쇄골하정맥(subclavian vein)을 지나 상대정맥(superior vena cava)을 통해 심장으로 유입되게 된다.

상하악 치아에 분포하는 신경은 감각신경으로 다섯 번째 뇌신경(cranial nerve)인 3차 신경(trigeminal nerve)이다. 3차 신경은 뇌간(brain stem)에서 시작하여 세 개의 가지를 분지하게 되는데, 그 중에서 두 번째 가지인 상악신경(maxillary nerve, V2)이 상악 치아에 분포하게 되고, 세 번째 가지인 하악신경(mandibular nerve, V3)이 하악 치아에 분포하게 된다.

02 면역학적 특성

Dental Treatment
for Medically
Compromised Patients

구강 내에는 항상 수많은 세균이 존재하여 1mL의 타액에는 백만개정도의 균이 존재하며, 구강에는 600종 이상의 세균이 상주하고 있다. 하지만 구강이 이에 대해 면역성을 유지하는 것은 구강조직이 다양한 방어기전을 가지고 있기 때문이다. 즉, 구강점막의 보전성(integrity), 타액과 치은열구액(gingival crevicular fluid)을 통한 면역성분의 유출, 체액면역성(humoral immunity), 세포면역성(cellular immunity) 등이 존재함으로써 구강은 건강한 상태를 유지한다(그림 1-1, 2). 특히 타액은 secretory immunoglobulin A(분비 IgA)를 포함한 다양한 항체를 보유하고 있어 면역작용을 가지며, lysozyme, lactoferrin 등 항균작용을 하는 성분을 가지고 있어 인체의 중요 방어기전을 맡고 있다. 치은열구액에도 혈청장에서 유출된 immunoglobulin(Ig) G, M, A가 존재하고, 면역 작용에 중요한 역할을 하는 보체, 중성 백혈구, 림프구 등을 포함하고 있다.

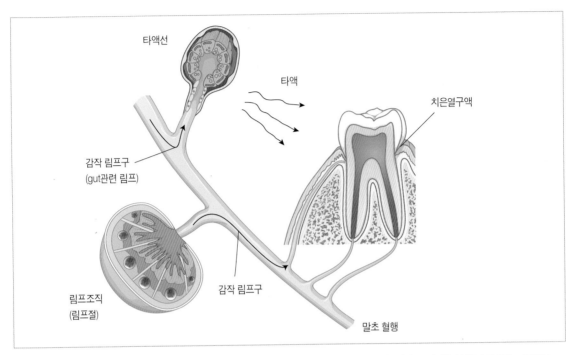

●●● **그림 1-1.** 구강의 면역성에 관련된 요소들로서 혈행, 림프조직, 치은열구액, 타액, 점막 등의 연관성을 보여주는 모식도

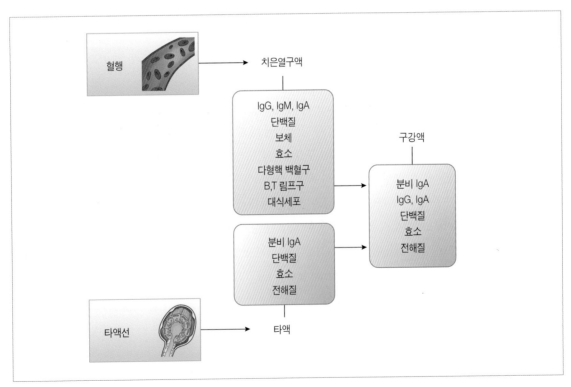

●●● **그림 1-2.** 혈행을 통한 치은열구액과 타액 내에 존재하는 체액 및 세포면역 성분을 나타내는 도식으로써, 구강에는 많은 면역 요소들이 존재한다.

03 전신질환이 구강에 미치는 영향

Dental Treatment
for Medically
Compromised Patients

앞서 설명한 바와 같이 구강은 전신의 일부로서 따로 떼어서 존재할 수 없다. 전신적으로 면역성이 약화되거나 만성질환으로 쇠약해진 경우에 이차적으로 구강조직에 영향을 미칠 수 있으며, 전신질환이 구강에 동반되기도 한다.

첫째, 전신질환이 구강조직에 미치는 영향으로 구강의 2대 질환인 치아우식증과 치주질환의 유발요인으로서의 전신질환을 들 수 있다. 가장 흔한 구강질환의 하나인 치주질환이 전신의 건강상태와 밀접하게 연관되어 발생하는 것이 그 한 예이다(표 1-1). 치아우식증도 국소적인 요인으로 주로 발생하지만, 쇼그렌(Sjögren) 증후군, 방사선 조사 등으로 구강건조증이 온 경우에는 전치부 순면까지 침범하는 심한 치아우식증을 볼 수 있다.

표 1-1. 치주질환의 전신적 요인

1. 영양장애	4. 심혈관계 질환
• 비타민 결핍(A, B복합체, C, D, E, K) • 단백질 및 미네랄 결핍	• 동맥 경화증 • 선천성 심장질환
2. 호르몬 변화 및 내분비계 장애	5. 스트레스와 심신 장애
• 기능항진증, 기능저하증 　(갑상선, 부갑상선, 뇌하수체) • 생식 호르몬(생리, 임신, 갱년기) • 부신피질 스테로이드 호르몬 • 당뇨병	• 심신장애 • 스트레스에 의한 면역 억제
3. 혈액질환 및 면역 결핍	6. 기타 전신 장애
• 백혈병, 빈혈, 혈소판 감소증 • 후천성 면역 결핍증	• 저인산효소증 • 금속 중독 • 소모성 질환

둘째, 전신질환으로 인하여 구강조직에 증상이 유발된다. 전신상태가 구강조직에 영향을 미치는 이유로는 첫째로 구강조직이 다른 조직에 비하여 구강상피 특히 혀의 배면 교체(turnover)가 매우 빠른 조직으로 구성되어 있기 때문에, 면역성이 약화되거나 쇠약해진 환자에서 혀에 위축성 설염을 일으킨다. 즉, 빈혈, 심장질환, 간질환 등 만성질환자에서 위축성 설염은 흔하게 나타난다. 둘째로 구강 내에 상주하는 600종 이상의 균이 있으므로 전신질환으로 면역력이 약화된 경우 감염원으로 작용하게 된다. 즉, 당뇨환자의 경우 심각한 치주질환이 유발되며, 장기 이식으로 면역억제제를 투여받는 환자의 경우 6개월 이내는 기회감염의 가능성이 높기 때문에 치과 영역에서 감염원이 될 소지가 있는 치주염, 치수염 등을 철저히 관리하는 것이 필요하다. 또한 구강은 원발성 혈소판 감소증이나 급성 백혈병 등 혈소판이 감소되어 치은에서 자연 출혈이 일어날 수 있기 때문에 출혈성 전신질환을 치과에서 먼저 발견하기도 한다. 이와 같이 구강상태는 전신질환을 반영하는 거울로서 치과의사뿐 아니라 내과의사, 소아과 의사에게 많은 정보를 제공한다.

셋째, 전신질환이 원발성으로 혹은 이차적으로 구강에 직접 발병하는 경우이다. 이차적으로 발병되는 전신질환에는 대표적으로 백혈병, 임파종, 형질세포종, 랑게르한스 세포조직구증(Langerhan's cell histiocytosis) 등 혈액학적 질환이 있으며, 원발성으로 발생하는 대표적 전신질환으로는 편평태선, 수포를 형성하는 천포창, 유천포창, 다형 홍반 등의 피부질환이 있다. 또한 결핵, 매독 등 특수 세균감염이나, 캔디다증, 국균증(aspergillosis) 등 진균감염, 단순포진(herpes simplex), 대상포진(herpes zoster) 등의 바이러스감염도 원발성 혹은 이차적으로 나타날 수 있다(그림 1-3).

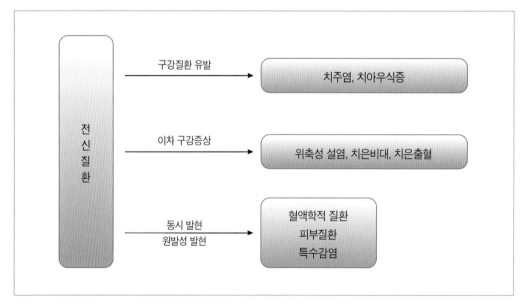

●●● **그림 1-3.** 전신질환이 구강에 미치는 영향

04

Dental Treatment
for Medically
Compromised Patients

구강질환이 전신에 미치는 영향

구강은 소화기계의 일부로 섭취한 음식물을 소화하는 기능의 일부를 담당하고 있다. 따라서 치아 우식증이나 치주질환 등에 의한 치성감염으로 저작장애가 발생하면 영양불량이 초래되고, 이는 곧 생체 방어력을 약화시킴으로써 감염증이 더욱 악화되게 된다. 또한 입안에 상주하는 수많은 세균들이 기도(airway)를 따라 전파되면 편도선염, 인후염, 폐렴 등이 발생할 가능성이 매우 높아진다. 또한 구강질환으로 인한 동통과 기능(저작, 연하, 발성, 심미) 장애는 과도한 정신적 스트레스를 유발함으로써 심혈관계, 호흡기계, 중추신경계, 내분비계, 근골격계, 소화기계 등에 유해한 영향을 미치게 된다(그림 1-4).

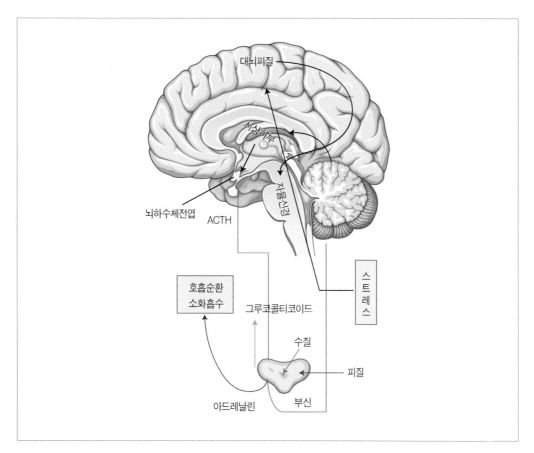

●●● **그림 1-4.** 스트레스 신경계, 호흡 순환계, 내분비계, 소화흡수 등에 미치는 영향을 나타내는 도식

치과의사들은 선천성 또는 류마티스성 심장질환 때문에 심장판막이 손상된 환자들에서 다양한 치과치료동안 발생된 균혈증(bacteremia)과 그 결과로 발생될 수 있는 감염성 심내막염의 관계에 대해 유념해야 한다. 심내막염은 특히 발치 후의 균혈증으로 인해 기존의 심장 판막의 이상 부위에 세균성 증식물(vegetation)이 형성되어 발생되는 전신질환으로, 발치하기 전에 자세한 병력 문진과 항생제 투여로 예방할 수 있다. 감염성 심내막염 예방을 위하여 치과치료 전 항생제 투여가 매우 중요시되어 왔으나, 미국 심장학회에서는 2007년도 항생제 예방 처치에 대한 기준을 다시 발표하였다. 그 이유로는 균혈증은 일상적인 생활에서도 매우 자주 나타는 현상이나, 이에 비해 감염성 심내막염 빈도는 극히 낮으며, 오히려 항생제 처방으로 인한 위험성이 높아졌기 때문이다. 그럼에도 불구하고 표 1-2와 같은 치과치료가 필요한 경우는 항생제 처방을 권하고 있으며, 항생제를 처방할 경우라도 항생제로 인한 위험성을 반드시 환자에게 설명함과 동시에 구강위생을 철저히 할 것을 권장하고 있다.

표 1-2에서는 심내막염을 유발할 수 있는 치과치료의 범위를 나타냈으며, 표 1-3에서는 심내막염의 우려가 있는 심장질환의 상태를 열거하였다. 표 1-4에서는 항생제 처방에 관한 설명을 하였다. 그러나 이 표의 처방은 미국 심장학회의 기준이지 국내 모든 병원의 관련 의학과(주로 심장내과, 소아과 등) 환자들에게 똑같이 적용되는 것은 아니므로, 이 원칙을 준수하되 반드시 관련 의학과와 상의해서 항생제 처방을 적절히 시행함이 중요하다.

표 1-2. 심내막염 예방처치가 필요한 치과 환자

치은이나, 치근단 부위를 포함하는 치과진료, 또한 구강점막 손상 관련 치과 처치에 항상 심내막염의 예방 처치가 필요함.

*다음과 같은 치과 처치에는 예외로 함 : 감염이 아닌 부위의 치과 마취, 방사선 촬영, 의치 장착, 교정장치 장착, 유치 발치, 입술이나 구강점막의 경미한 외상으로 출혈이 거의 없는 경우

표 1-3. 심내막염의 우려가 있는 심장질환 및 상태

1. 인공판막

2. 감염성 심내막염의 기왕력

3. 복합성 청색증성 선천성 심질환(증상 완화를 위한 단락술 포함)

4. 수술 후 6개월 이내의 수술적으로 완전하게 교정된 선천성 심질환

5. 수술 적으로 불완전하게 교정되어 인공물질 주위에 결함이 남은 선천성 심질환

6. 심장 이식술 후에 발생한 판막질환

표 1-4. 심내막염 예방을 위한 처방

	약제	처치 30~60분 전 1회 투여	
		성인	어린이
경구 투여	Amoxicillin	2g	50mg/kg
구강 투여가 어려운 환자	Amoxicillin 혹은 Cefazolin, ceftriaxone	2g 근육주사 혹은 혈관주사 1g 근육주사 혹은 혈관주사	50mg/kg 근육주사 혹은 혈관주사 50mg/kg 근육주사 혹은 혈관주사
Penicillin, Ampicillin에 알러지가 있는 환자 경구투여	Cephalexin 혹은 Clindamycin 혹은 Azithromycin, clarithromycin	2g 600mg 500mg	50mg/kg 20mg/kg 15mg/kg
Penicillin, Ampicillin에 알러지가 있고 경구투여가 어려운 환자	Cefazolin, ceftriaxone 혹은 Clindamycin	1g 근육주사 혹은 혈관주사 600mg 근육주사 혹은 혈관주사	50mg/kg 근육주사 혹은 혈관주사 20mg/kg 근육주사 혹은 혈관주사

▓▓▓▓ **참고문헌**

1. 전국치주과학교수협의회 : 치주과학, 5th ed. 군자출판사, p.215-235.

2. Netter FH : Atlas of human anatomy. CIVA collection of medical illustrations, 1989, p.35, 64, 116.

3. Roitt IM, Lehner T : Immunology of oral diseases, 3rd ed. Blackwell Scientific Publications, 1992, 18-27.

4. McKenna SJ : Immunocompromised host and infection. In Oral and maxillofacial infections edited by Topazian RG, Goldberg MH, Hupp JR, 4th ed. WB Saunders, 2002, p.456.

5. Burne RA : General microbiology. In Oral microbiology and immunology edited by Lamont RJ, Burne RA, Lantz MS, Leblanc DJ. ASM press, 2006, p.3.

6. Wilson W, Taubert KA, Gewitz M, Lockhart PB, Baddour LM, Levison M, Bolger A, Cabell CH, Takahashi M, Baltimore RS, Newburger JW, Strom BL, Tani LY, Gerber M, Bonow RO, Pallasch T, Shulman ST, Rowley AH, Burns JC, Ferrieri P, Gardner T, Goff D, Durack DT : Prevention of infective endocarditis: guidelines from the American Heart Association. Circulation, 2007; 116(15): 1736-1754.

7. Burton MJ, Geraci SA : Infective endocarditis prevention: update on 2007 guidelines. Am J Med, 2008; 121: 484-486.

The Guideline of Dental Treatment for Medically Compromised Patients

전신질환자 치과진료의 기본방침

| 염안섭·유재하 |

전신질환자의 치과진료 방침을 이해하기 위해서는 먼저 전신질환의 분류와 질환상태별 신체분류를 숙지하여야 한다. 또한, 치과진료가 전신에 미치는 영향과 치과진료의 내용에 따른 스트레스 정도를 이해하여 원칙에 충실한 진료(주로, stress reduction protocol)에 임해야 한다.

미국 마취과학회(American Society of Anesthesiologist; ASA)에서 규정한 신체상태 분류법(physical status classification)이 전신질환의 상태별 분류로 가장 많이 이용된다. 이 분류 등급이 치과진료 방법을 변형하는 기준으로 활용된다(표 2-1).

표 2-1에 언급된 바와 같이, 치과진료가 전신에 미치는 영향을 이해하여 진료 시의 스트레스 감소법(stress reduction protocol)에 가장 유념하여야 한다. 또한, 전신질환 상태에 대한 의학과와의 협진(medical consult), 응급 치통관리, 응급상황 대비책 등에 대한 체계적인 이해가 필요하다.

표 2-1. ASA 신체상태 분류별 치과진료 변형방식

ASA 신체상태 분류	치료변형
Ⅰ. 전신적으로 건강한 사람	정상진료
Ⅱ. 경도의 전신질환자	가능한 스트레스 감소법 적용
Ⅲ. 활동성은 제한되나 무기력하지는 않은 중등도 이상의 전신질환자	우선, 의학과와의 협진 엄격한 스트레스 감소법
Ⅳ. 생명의 위협이 있는 고도의 전신질환자	의학과와의 협진이 시급하고, 입원 하에 최소의 치과 응급처치만 시행
Ⅴ. 24시간 이내에 사망이 가능한 전신질환자	치과진료는 금기이고, 중환자이므로 심폐소생술만 시행

ASA 분류체계는 치료위험의 결정에 도움이 될 뿐만 아니라 이용하기에 용이하다. 이 분류의 할당은 어떤 환자가 건강하거나(ASA I) 쇠약하거나(ASA IV), 각 범주 사례들에서 처럼 하나의 분리된 의학적 문제를 가진 때는 특히 적용이 쉽다. 그러나 수 많은 환자들은 여러개의 질병들로 고충을 겪고 있어 그 경우에는 적절한 ASA 분류의 결정이 다소 어려울 지도 모른다. 이런 경우들에서는 치과의사는 각 질환의 중요성에 가중치를 더해서 적절한 범주를 선택해야 한다. ASA 분류에 대한 대부분의 논쟁은 어떤 환자가 ASA II이냐 ASA III냐를 결정할 때 일어난다. 비록 열띤 논쟁이 있을 지라도 사실은 ① 치과의사가 환자(ASA I 환자는 아님)의 관리에 포함된 증가된 위험의 정도가 있는지, ② 환자가 치료를 받을 수 있는지(ASA IV 환자는 아님) ③ 치료의 변형(treatment modification)이 고려되어야 하는지를 인식하는 것에 달려 있다. 그러나 모든 증례들에서 치료하는 의사는 치료를 시행할 것인가 또는 치료를 연기할 것인가를 궁극적으로 결정해야 한다. 한 환자의 건강과 안전에 대한 궁극적인 책임은 오로지 치료하는 치과의사의 손에 달려 있기 때문이다.

참고로 의학과에서 고려하는 ASA 등급별 내용을 치과의사도 이해해야 되기에 정리한다.

01 ASA 등급별 고려사항

Dental Treatment for Medically Compromised Patients

1) ASA I

ASA I 환자들은 정상적이고 건강한 환자로 고려된다. 그들의 의학적 병력, 신체평가, 또다른 평가 매개 변수들은 어떤 비정상도 나타내지 않는다. 주요장기와 기관계인 심장, 폐, 간, 신장, 중추신경계가 양호한 건강으로 보인다. ASA I 환자들은 한층의 계단들을 불편감(불편감의 증상들은 숨이 참, 과도한 피로, 흉통 모두를 포함)없이 걸어 올라갈 수 있다. 생리적으로 ASA I환자들은 치과치료에 관련된 스트레스를 심각한 합병증의 부가적 위험없이 견딜 수 있다. 정신적으로 이들은 계획된 치료 수행에 어려움이 거의 없다. 불안이 거의 없는 건강한 환자들은 ASA I으로 분류된다. ASA I 환자에 대해서는 치료의 변형이 흔히 요구되지 않는다.

2) ASA II

ASA II 환자는 경도의 전신질환을 가지고 있거나 치과 환경에서 과도한 불안과 공포를 나타내는 건강한(ASA I) 환자이다. ASA II 환자들은 고통이 그들의 걸음을 멈추게 하기전에 한층의 계단들을 걸어 오를 수 있다. 이들 환자들은 ASA I 환자들보다 일반적으로 스트레스를 덜 견디는 정도여서 아직은 치과치료 동안에 약간의 위험들을 나타낸다.

통상적인 치료진료는 가능한 변형에 대한 고려가 주어지고, 환자의 안정적 상태가 보장될 가능성이 있으면 허용된다. 그러한 고려점이나 변형들의 사례는 예방적 항생제나 진정방법의 사용, 치료기간에 제한, 가능한 한 의학과 자문을 포함하고 있다. 선택적인 치과진료는 치료기간 동안 환자에게 위험에서 최소로 정당화되고 있다. 치료의 변형들 역시 고려되어야 한다.

일반적으로 ASA Ⅱ 환자들은 고통(예를 들면 과도한 피곤, 호흡곤란, 전흉부 통증)을 경험하지 않고 정상적인 활동들을 수행할 수 있다. ASA Ⅱ 환자들의 사례들은 다음과 같다.

- 제 2형 당뇨병(잘 조절되는 상태)
- 간질(잘 조절되는 상태)
- 천식(잘 조절되는 상태)
- 갑상선 기능항진 또는 기능저하병(잘 조절되는 상태)으로, 환자가 의사의 관리를 받고있고 현재는 정상 갑상선기능(정상갑상선으로 고려됨)을 보이는 상태
- 상부 호흡계 감염을 가진 ASA I환자
- 건강한(ASA I) 임신 여성
- 알레르기, 특히 약제들에 알레르기를 가진 건강한 환자
- 과도한 치과 공포들을 가진 건강한 환자
- 60세 이상의 건강한 환자
- 수축기 혈압 140~159mmHg, 이완기 혈압 90~94mmHg의 성인환자

---

3) ASA Ⅲ

ASA Ⅲ 환자들은 활동성은 제한되나 무기력하지는 않는 과도한 전신질환을 가지고 있다. ASA Ⅲ 환자들은 고통의 증상과 징후를 나타내지 않는다. 그러나 그 환자가 생리적 또는 정신적 스트레스를 경험할 때는 고통이 표출된다. 예를 들어 협심증 환자는 대기실에서는 정상(흉통이 없음)일지도 모르나 치과의자에 앉았을 때는 흉통을 일으킨다. ASA Ⅲ 환자들은 한층의 계단들을 걸어오를 수 있지만 일단 협심증 발병동안에는 도중에 멈추거나 쉬게될 것이다. 선택적인 치과진료는 금기증은 아니지만 치료동안 환자의 위험은 증가된다. 치료 변형들의 가능한 사용에 심각한 고려가 주어져야 한다.

ASA Ⅲ 환자는 흔히 고통(예를들면 심한 피곤, 호흡곤란, 전흉부 통증)을 경험함이 없이 정상 활동을 수행할 수 있지만, 만약 이 환자들이 고통스럽게 된다면 어떤 활동기간 동안 활동을 멈추거나 휴식을 필요로 할 것이다.

ASA Ⅲ 환자들의 사례들은 다음과 같다.

- 협심증(안정상태)
- 심근경색증 발생 후에 치과치료 전 6개월 이상 심각한 잔여 증상이나 징후 없이 지낸 상태
- 뇌졸중 발생 후에 치과치료 전 6개월 이상 잔여 증상이나 징후 없이 지낸 상태
- 제 1형 당뇨병(잘 조절된 상태)
- 기좌호흡과 발목부종을 가진 심부전
- 만성 폐쇄성 폐질환 : 폐기종 또는 만성 기관지염

- 운동-유인성 천식
- 간질(잘 조절되지 않은 상태)
- 갑상선 기능항진 또는 기능저하증(환자가 증상이 있음)
- 수축기 160~199mmHg, 이완기 95~114mmHg 혈압을 가진 성인

4) ASA Ⅳ

ASA Ⅳ 환자들은 생명에 위협이 있는 무기력한 전신질환을 가지고 있다. 이들 환자들은 계획된 치과치료 보다도 그들 건강에 더 큰 의미가 있는 과도한 의학적 문제들을 가지고 있다. 가능하다면 선택적 치과진료는 환자의 의학적 상태가 적어도 ASA Ⅲ 분류까지 개선될 때까지 연기되어야 한다.

ASA Ⅳ 환자들은 한층의 계단들도 걸어오를 수 없다. 휴식시에 조차도 고통이 존재한다. 이들 환자들은 치과 진료실에서도 그 질환의 임상적 증상과 징후들을 표출한다. ASA Ⅳ 분류 환자는 치료에 관련된 위험이 너무 커서 선택적인 관리도 허용할 수 없다. 치성 감염과 통증같은 치과적 응급상황의 관리도 환자의 상태가 개선될 때까지 치과 진료실에서는 가능한 한 보존적으로 치료되어야 한다. 치과치료는 가능한 한 비침습적이어야 하는데, 통증에 대해서는 진통제, 감염에 대해서는 항생제 같은 약제들 처방을 포함한다. 즉각적인 치료가 필요한 것으로 생각되는 경우들(예를들면 절개와 배농술, 발치, 발수)에서는 환자는 가능하다면 급성관리 설비의 한계 내에서(즉, 종합병원에서) 관리를 받아야 한다.

ASA Ⅳ 환자들의 예들은 다음과 같다.

- 불안정한 협신증(심근경색전 협심증)
- 지난 6개월 이내의 심근경색증
- 지난 6개월 이내의 뇌졸중
- 200mmHg 또는 115mmHg 이상되는 성인 고혈압
- (산소의 보충을 요구하거나 휠체어에 한정된 생활을 하는) 과도한 울혈성 심부전 또는 만성 폐쇄성 폐질환
- 조절되지 않은 간질(입원 병력을 가짐)
- 조절되지 않은 제 1형 당뇨병(입원 병력을 가짐)

5) ASA V

ASA V 환자들은 다 죽어가고, 계획된 수술을 하거나 수술없이 24시간 이상 생존을 기대할 수 없다. ASA V 환자들은 거의 항상 입원(병원내 거주, 요양원 간호, 호스피스 시설내 거주를 의미함)이 필요한 말기의 질병 환자들이다. 그들은 심폐소생술을 시도하지 않는 환자로 지칭되기도 한다. 만약 환자가 호흡 또는 심정지로 고통을 받을 때 조차도 소생노력이 설정되지 않게 된다. 선택적인 치과치료는 확실히 금기되지만 완화치료(palliative treatment)의 범위(즉 통증경감)에서 응급진료는 필요할 지도 모른다.

ASA V 환자들의 예들은 다음을 포함한다.

- 말기 신장질환
- 말기 악성 종양
- 말기 심혈관 질환
- 말기 간질환
- 말기 감염성 질환
- 말기 호흡기 질환

02

Dental Treatment
for Medically
Compromised Patients

치과진료가 전신에 미치는 영향

치아우식증이나 치주염 등을 포함한 모든 구강악안면 영역의 질환들은 그 자체로도 환자에게 스트레스를 주지만, 이를 치료하기 위한 의료 행위(마취주사, 조직절제, 치질 삭제, 출혈, 이차적인 감염증, 시술 시의 불안 및 공포 반응 등) 역시도 환자에게 큰 충격을 야기한다. 이러한 스트레스는 신경내분비 반응(neuroendocrine response)을 초래하여 전신 장기에 영향을 미치게 된다. 즉, 치통이나 수술에 의한 스트레스는 교감신경계를 자극하여 부신수질에 영향을 미쳐서 부신수질에서는 에피네프린(epinephrine), 교감신경 말단에서는 노어에피네프린(norepinephrine) 등의 호르몬이 분비되어, 자율신경과 내분비계의 통합중추인 시상하부(hypothalamus)로 자극이 전달된다. 그리하여 시상하부에서는 CRF(corticotropin releasing factor)를 분비하게 되고, 이는 뇌하수체 전엽을 자극하여 ACTH(adreno-corticotrophic hormone)를 방출시키며, ACTH는 부신피질을 자극하여 코티솔(cortisol) 등을 분비하게 한다(그림 2-1). 인체는 코티솔과 같은 호르몬의 작용에 의해 feedback 억제작용이 일어남으로써 일정한 적응력을 갖게 된다. 그러나 감염증이나 동통, 진료 스트레스 등이 너무 심할 경우에는 과환기, 빈맥, 과혈당증, 내장 허혈, 항이뇨 작용, 지방과 단백질 분해에 따른 영양장애 등의 현상이 나타나게 된다(그림 2-2).

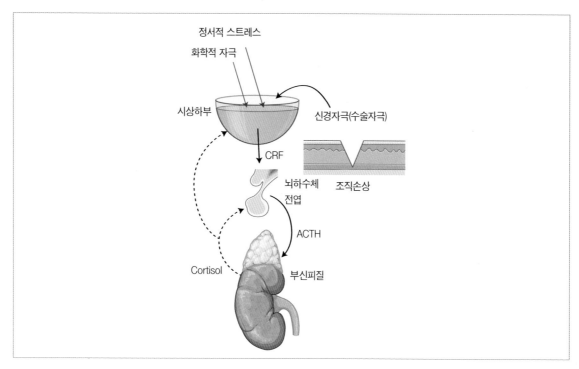

●●● **그림 2-1.** 조직손상과 정서적 스트레스 등에 의한 ACTH와 코티솔 분비 기전으로서, 점선 화살표는 feed-back에 의한 억제작용을 의미한다.

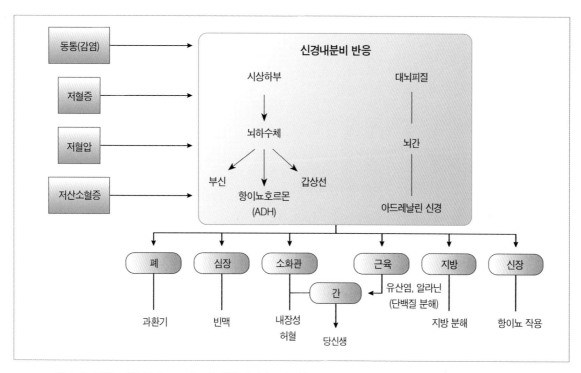

●●● **그림 2-2.** 동통, 감염 등의 스트레스에 대한 신경내분비 반응의 양상

특히 전신질환자에서는 이러한 신경내분비 반응이 매우 위험하며(표 2-2), 그 대부분이 동통과 연관되어 나타난다(그림 2-3). 따라서 전신질환자에게 치과진료를 시행할 경우에는 치과질환 그 자체로 인한 스트레스 반응도 중요하지만, 치과치료 행위로 인한 인위적 스트레스에 대해서도 적극적인 고려가 필요하다. 그러므로 스트레스의 개념을 우리가 생활환경에서 부딪히는 다양하고 포괄적인 문제로서 통합적으로 이해하는 것이 바람직하다(표 2-3). 인체는 삶의 과정에서 다양한 스트레스를 경험하면서 항상성 반응(homeostatic response)에 의해 적응력을 갖게 된다. 그러나 치과진료가 그 동안 접하지 않았던 또 다른 스트레스(외상, 약물사용, 세균감염, 음식물 섭취장애에 따른 공복, 불안과 공포, 비싼 진료비 등)를 초래하기 때문에, 전신질환자에게 치과진료를 시행할 경우에는 이러한 스트레스를 경감시킬 수 있도록 각별히 유의해야 한다. 특히, 대부분의 치과진료는 국소마취 하에서 시행하게 되므로 국소마취제(주로, 2% lidocaine HCl with 1 : 80,000 epinephrine)의 전신적 영향(표 2-4)에 주의를 기울여야 하며, 국소마취에 따른 중추신경계, 심장순환계, 호흡계 등의 합병증 발생에 대한 대책을 늘 준비하고 있어야 한다.

표 2-2. 치과진료로 인해 전신질환의 상태가 특히 악화되는 경우
1. 심장과 혈관에 압박감(고혈압 → 뇌졸중, 협심증 → 심근경색증)
2. 스트레스성 기관지 천식의 발작
3. 간질 환자의 유발인자
4. 갑상선 기능항진의 악화
5. 당뇨병 악화 → 창상의 치유 불량
6. 항응고제 투여환자 → 출혈경향
7. 투석(신장, 혈액) → 창상감염
8. 손상된 심장판막 → 아급성 심내막염
9. 부갑상선 기능항진증 → 골절 가능

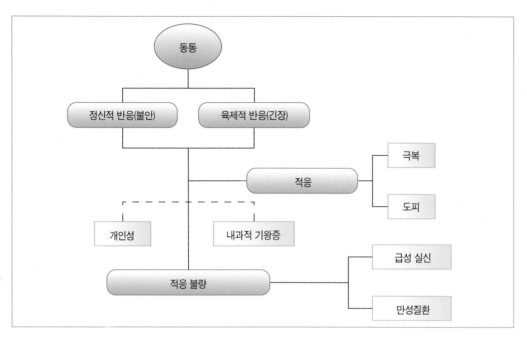

●●● **그림 2-3.** 동통, 불안, 긴장의 상관관계와 적응 및 적응 불량 도식

표 2-3. 인간이 받는 스트레스 종류	
1. 물리적 스트레스	기온, 기압, 속도, 외상
2. 화학적 스트레스	약물, 가스, 공해
3. 생물학적 스트레스	바이러스, 박테리아
4. 생리적 스트레스	공복, 갈증, 불면, 피로, 시차
5. 정서적 스트레스	긴장, 고민, 공포, 불안
6. 사회적 스트레스	경제위기, 정치불안, 사회혼란(전쟁 등)

표 2-4. 국소마취제가 전신에 미치는 영향	
1. 중추신경계	혈중농도가 높으면 처음에는 자극증상, 나중에는 억제 소견
2. 심장순환계	심근에 억제작용, 자극전도성, 수축력 저하
3. 호흡계	호흡수가 처음에는 증가, 그 후는 감소, 기관지 평활근의 확장
4. 간	마취약제 대사(분해)되나, 간기능 변화 적음
5. 신장	마취약제 배설되나, 기능은 별 문제 없음
6. 내분비계	별 영향 없고, 자율신경절 차단작용 없음

03 스트레스 감소법

Dental Treatment
for Medically
Compromised Patients

전신질환자의 스트레스 감소법은 이론적으로는 표 2-5와 같이 열거할 수 있다. 그러나 실제 임상에서는 이 정도의 고려만으로는 미흡하다. 왜냐하면, 전신질환자의 치과진료는 그 술식 자체가 매우 다양할 뿐 아니라 술식의 종류와 치과의사의 숙련도에 따라서 스트레스의 정도가 서로 달라서 일률적인 기준을 정하기가 어렵기 때문이다.

표 2-5. 치과진료 시의 스트레스 감소법

건강하지만 불안해하는 환자	전신질환의 위험성이 있는 남자
1. 환자의 불안을 인식	1. 환자의 전신적 위험성을 인식
2. 치과진료 약속 전날 밤에 사전 투약	2. 치과진료 전에 의학과의 협진
3. 치과진료 60분 전에 사전 투약	3. 아침에 치료 약속
4. 아침에 치료 약속	4. 치료 전·중·후에 활력 측정
5. 대기시간 최소화	5. 진료 중에 정신안정을 시킴
6. 치료 중에 정신안정(psychosedation)	6. 치료 시간을 짧게 함
7. 치료 중에 동통을 적절히 조절	7. 술 후 동통 및 불안 조절
8. 술 후 동통 및 불안 조절	8. 가능한 한 출혈이 적은 치과진료 시행

다만, 표 2-6에서처럼 치과진료의 영역을 비외과적 치료와 외과적 치료로 구분하고 그 등급별로 시행 가능한 진료술식의 지침을 임상에 적절히 참고할 수는 있다. 즉, 초기 단계에서는 가능한 한 근관치료 등의 비외과적 처치를 먼저 시행하고, 외과적 처치는 환자가 치과진료에 익숙해지고 전신질환도 어느 정도 개선된 연후에 시행하는 것이 기본적인 원칙이다. 특히 치과치료의 첫 관문인 국소마취를 시행할 때부터 의원성 안정법(iatrosedation)에 유의하여 표 2-7의 국소마취 방법을 적절히 적용하는 것이 매우 중요하다.

표 2-6. 치과진료 술식의 유형

	비외과적 술식
I형	검진 및 방사선사진 촬영, 구강위생교육, 진단모형 인상채득
II형	간단한 보존치료, 치면세마(치은연상)
III형	복잡한 보존치료, 치석제거 및 치근활택술(치은연하), 근관치료
	외과적 술식
IV형	단순발치, 소파술 및 치은성형술
V형	여러 치아의 발치, 치주판막 수술 또는 치은절제술, 하나의 매복치발치, 치근단절제술, 하나의 임플란트 식립
VI형	전악 치아의 발치 또는 전악의 치주판막 수술, 여러 개의 매복치 발치, 악교정 수술, 여러 개의 임플란트 식립

표 2-7. 침윤마취시 의원성 안정법

1. 자입 부위를 건조시키고, 도포마취제 도포 후에 면봉으로 조직을 문지름

2. 입술이나 빰을 당겨서 점막을 팽팽하게 만들어 주사침 주입

3. 손가락 지지(finger rest)를 확실하게 설정하여 주사 중에 안정성 도모

4. 팽팽해진 점막에 주사침 bevel의 깊이(1~2mm) 만큼만 삽입하고, 서서히 주입함

5. 잠시 후, 1~2mm 더 삽입시켜 주입하면서, 골막에 접근함

국소마취가 안정적으로 시행되어 근관치료, 치주치료, 발치 등을 원활히 시술할 수 있는 상태가 되었다 하더라도 대부분의 치과진료에는 짧지 않은 시간이 소요된다. 또한, 치료가 종료된 후에도 치료 스트레스에 의한 신경내분비 반응이 수 시간 이상 지속된다. 따라서 환자의 전신상태(특히 중추신경계, 심장순환계, 호흡기계 등)에 대한 지속적인 감시(monitoring)가 중요하다(표 2-8). 즉, 치과진료를 진행하는 과정에서 전신질환자의 생리적 기능이 적정한지의 여부를 시진, 촉진, 청진 등의 방법으로 지속적으로 감시하여 이상 상태를 조기에 발견하고 이에 대비하도록 하는 것이 중요하다. 환자와의 대화를 통한 중추신경계 기능의 평가와 호흡 양상 및 혈압, 맥박의 측정 등으로 심폐기능의 적정 여부를 지속적으로 평가해야 한다.

표 2-8. 환자의 적접 관찰에 의한 감시 내용

1. 중추신경계(의식상태)

① 중추신경계
- 눈썹의 반사작용
- 동공수축과 확장(뇌의 산소공급 반영)

② 자극에 대한 근육활성도

③ 연하반사

2. 호흡계

① 흉부 및 복부 운동의 관찰
- 호기와 흡기의 비율, 리듬, 크기 관찰

② 비정상적인 소리
- 목을 가시는 소리(gargling sound, 기도 내의 점액 또는 혈액)
- 코고는 소리(snoring sound, 혀의 후방 전위로 기도가 폐돼된 소리)
- 씨근거리는 소리(wheezing sound, 기관지 수축으로 후두 폐쇄)

3. 심장혈관계

① 맥박, 혈압

② 점막 색조

③ 수술 부위의 혈액색조 관찰
- 밝은 적색 : 충분한 산소
- 암적색 : 산소 감소

    특히 치료 중에 급사(sudden death)가 발생할 수 있는 전신질환자에 대해서는 매우 각별한 감시가 필요하다. 급사에는 진료환경과 정서에 관련된 요소가 크게 작용하기 때문이다(표 2-9).

    전신질환자를 치료하는 치과의사의 행동과 정서상태가 환자에게 큰 영향을 미친다(그림 2-4). 따라서 치과의사와 보조자는 자신의 감정을 안정적으로 조절하도록 늘 노력하여야 한다. 의료진의 정직과 진지함이 그 무엇보다 중요하다. 이에 관한 임상심리학적 권고에 주목할 필요가 있다(표 2-10).

표 2-9. 급사가 가능한 전신질환과 관련 요소들

전신질환	관련 요소
1. 심장혈관계(심근경색증, 심부전)	1. 유전 요소
2. 중추신경계(뇌혈관질환, 감염, 간질, 종양)	2. 환경 요소
3. 호흡기계(폐전색증, 천식, 감염)	3. 정서 요소
4. 소화기계(지방간, 위장관 출혈, 간경화)	4. 고령화
5. 내분비계(당뇨병, 갑상선, 부신부전)	5. 개인 성향의 차이
6. 혈액 및 조혈계(백혈병, 악성빈혈)	
7. 이차적 장애(패혈증, 혈액응고장애, 성인호흡장애 증후군)	

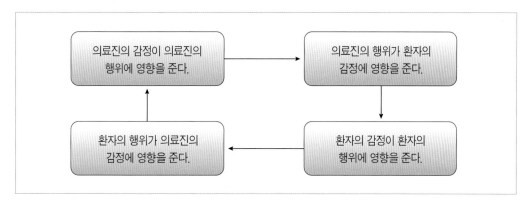

●●● **그림 2-4.** 의료진과 환자의 교감관계

표 2-10. 임상심리학에서 사람을 돕는 의료인에게 요구되는 인간관계의 필수 준칙들

1. 진실한 관계에서 전문기술 적용
   - 일관성과 약속을 잘 지키는 것이 신뢰를 줌
2. 분명한 의사소통 능력
   - 각자 선입관이 있으므로 의사소통 방해
   - 구체적인 의사소통, 환자가 제대로 인식했는지 확인해가며 대화함
   - 공감하는 역량, 관찰력, 치료자의 정신적 소화능력 필요
3. 술자 자신의 자존심, 사랑의 욕구도 충족되어야 함
   - 의·식·주, 가정화목, 경제안정 등
4. 정서적인 성숙을 위한 노력
   - 현실적인 상황인식, 인류사회 공동체 의식, 보편적인 가치와 인권 존중, 강인한 정신력, 독서삼매경, 친숙한 대인관계, 신앙생활, 예술활동 등에 참여

의학과와의 협진

전신질환자의 치과진료는 ASA 신체상태 등급이 Ⅲ급인 환자부터는 의학과와의 협진이 필요하다. 하지만, 치과의원에서 근무하는 임상치과의사가 이러한 ASA 등급을 정확히 설정하기 어려울 수 있다. 따라서 필자의 의견으로는, 전신질환의 병력이 있는 환자는 치과진료에 앞서서 관련 의학과와 협진하여 ASA 등급을 확인하고 치과진료의 가능 여부(dental operability)를 문의하는 것이 바람직하다고 생각한다. 전신질환자의 신체상태는 그 질환의 정도에 따라 항상 변화할 수 있기 때문에 급하지 않다면 전신상태가 개선된 후에 치과진료를 하는 것이 좋으며, 심한 치과질환으로 부득이 치과진료를 시행해야 되는 경우라면 반드시 의학과에 협진을 의뢰하고 만약의 합병증 발생에 대비해 의학과의 협조를 받을 수 있는 진료시간과 장소를 선택해야 한다.

그러나 의학과와 협진을 했더라도 치과진료와 관련한 일차적인 책임은 치과의사에게 있는 만큼, 치과의사 스스로도 전신질환에 대한 이해를 넓혀 관련의사와의 대화에 친숙해야 한다. 전신질환의 종류에 따라 치과치료 시에 발생할 수 있는 잠재적인 문제점, 전신질환 합병증의 예방책, 치료계획의 변경, 구강영역의 합병증, 응급치과치료의 내용 등이 체계적으로 정리되어 있는 관련 서적을 늘 가까이 두고 참고하는 것이 도움이 된다. 그러나 의학적 내용이 변할 수 있으므로 책에 언급된 내과적 내용이 현재는 임상에서 적용하지 않는 과거의 것일 가능성도 있다. 따라서 치과의사가 의학적인 내용을 다소 알고 있다고 하더라도 가능한 한 관련 의학과와 협진하는 것이 더 안전하다.

현재 종합병원 치과에서는 의학과로 협진을 요청할 때 협진노트(consultation request note) 양식을 사용한다(그림 2-5). 치과의원에서도 이러한 별도의 서식을 작성해 사용하는 것이 협진에 편리하다. 다만 의료인 사이의 협진에서는 상호 예의를 존중하는 자세가 필수적인 만큼, 협진을 요하는 환자의 생징후와 주요 문제점들을 구체적으로 표시하거나 전화상으로 정확한 설명을 통해 상호 협진의 내용을 분명히 해두는 것이 중요하다. 특히 환자의 생징후 측정은 환자의 전신상태 평가 시에 ASA 등급 결정에도 참고가 되므로, 치과위생사가 정확하게 측정할 수 있도록 평상시에 훈련을 시켜두는 것이 매우 중요하다(표 2-11).

전신질환자의 치과진료에서 관련의학과(내과, 소아과, 외과 등)와의 협진 및 치과관련 임상과(구강내과, 구강악안면외과, 보존과, 치주과 등) 사이의 협진이 원활히 이루어지는 것이 환자와 술자 및 사회적 공익을 위해 필수적임에도 불구하고 현실은 그렇지 못한 경우가 있다. 협진에 임하는 의료진들은(표 2-12)의 내용을 숙지할 필요가 있다.

CONSULTATION REQUEST

To Dr. 심장 (순환기) 내과 선생님

Transportation of pt.
Ambnlatory of pt.
Please examine this patient with special reference
of 고혈압 관리 및 발치 가능여부

| Ward | Room | Bed |

and to suggest _____ 본 60 세 남 환은 Imp) 하악골수염 및 협부
간증 농양의 과도 _____ 로 가료중입니다.

상기분야에 대한 선생님의 고진선처 부탁드립니다. 감사합니다.

200 3 M. 2 D. 1 _____ Signature _____ Y.J.H / S.K.Han.

REPORT OF CONSULTATION   200 3 M. 2 D. 2

< Cardiology Note >

For Hypertension (evaluation & proper Tx.).

EKG ; LVH.
CXR ; not enlarged heart
PHx ; Regular heart beat without murmur
Smoking Hx ; 1갑/일 X 25년 (2개월전 stop) ≒ 25 py

Ans) 현재 혈압은 hypertension, stage 2 에 해당하며,
target organ damage 에 대한 evaluation 위해
외과 conscultation 필요하였습니다.
현재는 secondary hypertension 에 대한
evaluation은 recommand 되지 않으며 (기본 lab이상없으므로)
medication이 잘 조절되지 않을 때 추후 고려해 볼수
있겠습니다.
감사합니다.

현외래에서 ○○○ , M.D.

●●● **그림 2-5.** 종합병원 치과에서 흔히 이용되는 임상과 사이의 협진노트의 견본과 그 일례

표 2–11. 생징후에 따른 ASA 등급

1. 혈압(mmHg)	• Class Ⅰ : 140/90 이하 • Class Ⅱ : 140~160/90~95 • Class Ⅲ : 160~200/95~115 • Class Ⅳ : 200/115 이상
2. 맥박(회/분)	• 서맥 : 60 이하, 40 이하(의식상실) • 빈맥 : 100 이상 • 불규칙한 맥박 : 의학과 협진
3. 체온(℃)	• Class Ⅱ : 정상~38(선택진료 연기) • Class Ⅲ : 38~40(의학과 협진) • Class Ⅳ : 40 이상(의학적 응급)

표 2–12. 관련 의료진들 사이에 불협화음이나 갈등이 생기는 원인들

1. 의료인의 피곤과 불량한 태도

2. 대화 기술의 부족

3. 언쟁(예의와 상호존중 필요)

4. 의뢰내용에 대한 준비부족

5. 상대 의료진의 조언을 호의로 받아들이지 못함

참고문헌

1. 김규식, 김명진 외 28인 : 치과 국소마취학, 제 2판. 지성출판사, 2000, p.141-186.

2. 정성창, 이승우, 김영구 : 구강내과학. 고문사, 1987, p.11-229.

3. 황준식 외(31)인(대한 신심 스트레스학회) : 스트레스 과학의 이해. 신광출판사, 1997, p.11-67, p.149-406

4. Little JW, Falace DA, Miller CS and Rhodus NL : Dental management of the medically compromised patients, 6th ed. CV Mosby, 2002, DM 1-87, p.1-20.

5. Rutkauskas JS : Practical considerations in special patient care. The Dental Clinic North America, 1994; 30(3): 447-536.

6. Sonis ST, Fazio RC, Fang L : Principles and practice of oral medicine. WB Saunders, 1995, p.35-335.

7. Thornton JB and Wright JT : Special and medically compromised patients in dentistry. Year Book Medical Publishers, 1989, p.10-241.

Chapter 03

의학적 응급상황의 예방과 전원방법

| 염안섭·유재하 |

전신질환자의 치과진료가 기피되는 가장 큰 이유는 치과진료 과정이나 술 후에 응급상황(쇼크, 실신, 의식 저하, 출혈 과다 등)이 발생할 가능성이 높고(표 3-1), 또한 응급상황의 관리가 용이하지 않아 심각한 합병증이 발생하면 의료 분쟁으로 이어질 우려가 있기 때문이다. 하지만, 전신질환자는 전신 면역성이 저하되어 구강질환의 발생 빈도가 더 높기 때문에 일반인에 비해 치과의사의 도움을 더욱 필요로 한다. 따라서 치과의사는 전신질환자의 신체 상태를 정확히 진단(diagnosis)하지는 않는다 하더라도 이에 대한 평가(evaluation)는 적절히 수행할 수 있어야 하며, 응급상황이 발생할 경우에 대비하여 관련 의학과와 공동으로 대처하는 능력을 배양할 필요가 있다. 이미 발생한 응급상황의 처리보다는 미연에 방지하는 노력이 더욱 가치가 있기 때문이다.

대부분의 응급상황은 스트레스를 유발하는 것(예를 들면 통증, 공포와 불안)에 관련되거나 스트레스 환경에 환자가 처해질 때 악화되는 기존 전신상태를 포함한다. 스트레스에 기인된 응급상황은 혈관운동 억제성 실신과 과환기증인 반면, 스트레스에 의해 악화될 수 있는 기존의 의학적 상태는 대부분의 급성 심혈관 응급상황, 기관지 경련(천식)과 발작들을 포함한다. 따라서 치과 진료실에서는 통증과 불안의 효과적인 관리가 잠재적인 재난상황을 방지하고 최소화하는데 필수적이다.

표 3-1. 치과 진료실에서 가능한 의학적 응급상황(medical emergency) 사례들

• 실신	• 협심증	• 알레르기 증상	• 심근경색증
• 아나필락시스	• 급성 심부전	• 과환기	• 갑상선 위기
• 저혈당	• 급성 부신부전	• 이물 흡인	• 기립성 저혈압
• 간질 발작	• 뇌혈관 발작(뇌졸중)	• 천식 발작	• 심폐기능 정지

표 3-2. 치과진료동안 위험성을 증가시키는 요인들	
1. 노인환자들의 숫자 증가	
2. 의학적 진보들	• 약물요법 • 외과적 기술들
3. 치과진료 약속기간 증가	
4. 약물사용의 증가	• 국소마취제 • 진정제 • 진통제 • 항생제

약물과 관련된 불운한 반응들도 치과의사들이 예상하는 것보다 더 자주 생명을 위협하는 또 다른 범주를 만든다. 표 3-2는 치과진료시 응급상황 위험의 증가요인들에는 노인증가, 의학적 진보, 약물(진통제, 항생제 등) 사용의 증가 등이 있다.

이 장에서는 응급상황의 예방법과 관련하여, 병력청취, 시진 신체검사와 생징후 측정, 심폐기능 간략시험법, 임상병리검사, 치주염의 평가와 수술 후 예후를 통한 전신질환 예측법, 적절한 환자 체위와 구강환경 설정 등에 관해 언급하고자 한다. 또한 치과의원에서 대학 및 종합병원으로 중환자를 전원(refer)할 때 요구되는 유의사항들에 대해서도 함께 기술하고자 한다.

01 병력청취

Dental Treatment
for Medically
Compromised Patients

전신질환의 존재 유무를 가장 간편하게 확인하는 방법으로는, 표 3-3과 같은 간략한 양식을 준비하여 치과의사나 치과위생사가 질문을 통해 병력을 청취하여 기록하는 것이다. 그러나 환자(또는, 보호자)에 따라서는 자신의 전신질환(특히, 혐오감을 유발할 수 있는 간질, 성병, 에이즈 등)을 숨기고 싶어 하는 사람도 있기 때문에 치과의사는 병력청취 시에 환자와 정서적 교감을 갖도록 노력해야 하며, 성의 있고 진지한 자세가 중요하다. 특히, 고령의 환자들은 정신사회적 장애로 인하여 자신의

표 3-3. 치과에서 간편히 사용하는 병력청취 양식	
1. 지난 2년 간의 입원 경력	(예, 아니오)
2. 지난 2년 간의 약물의 장기 복용	(예, 아니오)
3. 페니실린 등의 약물 알레르기	(예, 아니오)
4. 과거의 과도한 출혈 경험	(예, 아니오)
5. 임신	(예, 아니오)
6. 다음 중 경험한 질환이 있으면 표시하시오.	심장 이상, 황달, 관절염, 선천성 심장병, 천식, 기침, 간질, 고혈압, 당뇨병, 비염이나 축농증, 류머티스 열, 빈혈, 매독, 신장질환, 암(악성종양)

과거 질병을 망각하거나 병력청취가 자신의 치과진료와는 관련이 없다고 오해하여 비협조적으로 대답할 가능성이 더 높기 때문에 따뜻한 관심을 가지고 병력청취와 진료에 임해야 한다. 아울러 필요한 경우에는 노인들이 오랫동안 다닌 병·의원의 진료기록을 해당 의사의 협조를 통해 참고하는 것도 바람직하다. 전신질환자의 치과진료는 진료시간이 많이 걸릴수록 그만큼 스트레스를 더 주게 되기 때문에 너무 상세한 질문 등으로 인해 병력청취에 시간을 너무 지체하지 않도록 해야 한다.

02 시진, 신체검사와 생징후 측정

Dental Treatment
for Medically
Compromised Patients

전신질환자의 신체검사는 원칙적으로 의학과(주로 내과)의 전신 신체검사(physical examination)를 시행하는 것이 바람직하다. 의학과와의 협진으로 전신상태에 대한 내과적인 평가가 이미 이루어진 상태라면, 치과 외래에서는 두경부나 손과 같은 노출된 신체 부위를 시진(inspection)을 통해 신속하게 신체검사를 시행한다(표 3-4). 더불어 치과시술 전·중·후에 수시로 생징후(vital signs)를 측정하면서 의식 상태에 따라 중추신경계의 기능을 파악하는 것이 좋다.

측정된 생징후의 판독은 생징후에 따른 ASA 등급과 참고내용(표 2-12)을 고려하여 시행하며, 치과시술 시의 지속적인 중추신경계, 호흡기계, 심장혈관계의 감시 방법은(표 2-11)의 내용을 참고하면 된다.

표 3-4. 시진을 통한 전신질환의 존재 예측

시진 부위	소견	의심되는 전신질환
피부색	청색증 창백 홍조(flushing) 황달	심장질환, 적혈구 증가증 빈혈, 공포, 실신 발열, 아트로핀 과다투여, 불안, 갑상선 기능항진증 간질환
눈	안구 돌출증	갑상선 기능항진증
결막	창백 황달	빈혈 간질환
손	떨림(tremor)	갑상선 기능항진증, 불안, 히스테리, 마비, 간질 다발성 경화증, 노화
손가락	곤봉모양(clubbing) 손톱의 청색증	심폐질환(cardiopulmonary disease) 심폐질환
목	경정맥 팽만 (jugular vein distention)	우심 부전(right heart failure)
관절	부종	정맥류, 우심 부전, 신장질환

03 심폐기능 간략시험법

Dental Treatment
for Medically
Compromised Patients

심폐기능의 통상적인 확인은 생징후의 측정, 청진, 흉부 방사선사진 검사, 심전도 검사, 폐기능 검사 등을 통하여 이루어지게 된다. 가능하다면 인근 병원의 시설과 장비를 이용하여 심폐기능의 정확한 이상 여부를 의학과와 협진하여 파악할 수 있다. 하지만, 치과의원의 경우에는 이러한 검사 시행이 대부분 어려울 뿐 아니라 환자(또는, 보호자)에게도 별도의 시간과 비용이 부담되는 만큼, 위중하지 않은 전신질환자에서는 다음의 두 가지 방법을 적용하여 간략히 심폐기능을 시험하는 것이 현실적인 도움이 된다.

1) 앤더슨의 숨참기 시험(Anderson breath-holding test)

심폐기능의 적정여부를 확인하는 방법이다. 환자가 깊게 숨을 들이마시고 콧구멍과 입을 막은 상태에서 얼마나 오랫동안 제 정신으로 참을 수 있는가를 측정한다. 그리하여 20초 이상을 참으면 심폐기능을 정상으로 평가하고, 15초까지도 못 참으면 치과치료에 주의를 요하는 심폐기능으로 간주한다. 또한, 10초도 못 참으면 심폐기능에 큰 문제가 있는 것으로 간주하여 치과진료 자체를 연기하도록 한다.

2) 성냥불 시험(match test)

폐기능만을 시험하는 간편한 방식이다. 환자가 입을 크게 벌리고서 6inch(=15.24cm) 앞에 놓여진 성냥불을 불어서 끌 수 있으면 호흡계가 정상 기능인 것으로 평가하고, 불을 끌 수 없으면 호흡기계에 이상이 있는 것으로 판단한다.

04 임상병리검사

Dental Treatment
for Medically
Compromised Patients

임상병리검사는 전신질환자의 신체 상태를 가장 객관적으로 나타내는 방법이다. 하지만, 환자에게 별도의 비용이 부담되고 치과의원에는 임상병리검사 시설이 설치되어 있지 않기 때문에 인근 종합병원이나 의원을 이용해야 되는 번거로움이 있다. 그러나 치과진료에 필요한 임상검사는 표 3-5처럼 그 종류가 많지 않을 뿐 아니라 모두가 의료보험 급여대상에 포함된 검사이므로, 전신상태가 위

표 3-5. 일반적인 임상병리검사의 종류와 목적
1. 일반 혈액검사(complete blood count) : 적혈구, 백혈구(감별), 혈소판 검사
2. 뇨 검사(urinalysis) : 신장기능 평가
3. 간기능 검사(liver function test) : 간 효소치 등 평가
4. P.T. / P.P.T. / I.N.R. : 혈액응고 평가
5. 전해질 검사(serum electrolyte) : 체액 전해질 분포
6. 동맥혈 가스분석(arterial blood gas) : 혈액 내 O_2와 CO_2 포화도, 산염기 평형
7. 심전도(electrocardiogram) : 심장 전기전도 평가
8. 흉부 방사선사진 검사(chest PA) : 폐질환 평가
* P.T. = Prothrombin time 　P.T.T. = Partial thromboplastin time 　I.N.R. = International normalized ratio

험하다고 판단되는 전신질환자에 한해서는 치료목적에 부합된 임상병리검사를 선별적으로 인근 병의원을 이용해 시행하는 것이 바람직하다.

05 치주염의 평가와 예후를 통한 전신질환의 예측법

Dental Treatment
for Medically
Compromised Patients

구강소견을 통하여 예측할 수 있는 전신질환의 내용은 앞장에서 설명하였다. 특히 치주질환이 구강질환들 가운데서도 전신질환의 존재 여부를 가장 잘 반영하는 측면이 있으므로(치아와 치은이 접하는 치주조직은 구강내 세균의 침착에 취약하고 혈행이 많아서 전신 면역성과 연관이 많이 됨), 구강검사 시에 치주염의 상태를 파악하는 것이 큰 도움이 된다. 왜냐하면, 전신적인 원인에 의한 치주염은 한 두 치아 주위에 국한하여 염증 반응을 야기하기보다는 전체 치은부에 염증 반응, 치조골 흡수 및 치은출혈의 경향을 보이며, 치주염의 증상도 분명한 국소적 원인이 없이도 급작스럽게 증상이 악화되는 소견을 나타내는 특성이 있기 때문이다.

또한 전신질환의 존재를 사전에 파악하지 못하고 치과시술(특히, 출혈이 동반되는 치주수술이나 발치 등의 구강외과적 시술)을 시행한 후 창상의 치유상태가 불량(치유지연, 술 후 감염과 출혈, 재발 소견 등)한 경우라면, 이는 국소적인 원인보다는 전신질환의 존재와 관련이 있을 가능성이 높으므로 반드시 이에 대한 파악이 필요하다.

06 적절한 환자 체위(chair position)와 구강환경 설정

Dental Treatment
for Medically
Compromised Patients

전신질환으로 쇠약해진 환자는 국소마취나 진료 중에 실신(syncope)할 우려가 높으므로 환자의 체위는 앉은 자세(sitting position)보다는 뇌로 혈류가 증가되는 누운 자세(supine position)로 유지하는 것이 바람직하다. 그러나 구강과 기관 및 인후부의 분비물이 많이 발생하는 호흡기 질환(천식, 만성 폐쇄성 호흡기 질환 등) 환자에서는 가래 등의 분비물을 쉽게 뱉어낼 수 있도록 상반신을 곧추 세우는 자세(upright position)가 중요하며, 같은 이유로 보존치료 시에 러버댐(rubber dam) 사용을 피하는 것이 안전하다. 아울러, 진료 중에 구강내 이물질(치아 파절편, 각종 치과재료 파편 등)이 기도나 식도로 흡인되지 않도록 주의해야 하며, 피 묻은 거즈나 수술기구 등은 환자에게 보이지 않도록 하는 배려도 필요하다. 또한 출혈이 과도한 치료(외과적 처치)를 시행한 당일에는 상반신을 세워서(sitting or semisitting position) 구강으로 전달되는 혈행을 감소시키려는 노력도 필요하다.

07 진료시 불안인식

Dental Treatment
for Medically
Compromised Patients

치과에 대한 불안과 공포가 높아지면 합심증, 발작, 천식 같은 의학적 문제들과 과환기와 혈관운동억제성 실신 같은 스트레스 관련 문제들의 급성 악화를 초래할 수 있다. 환자평가에서 목표들의 하나는 환자가 계획된 치과치료와 관련된 스트레스를 정신적으로 견딜 수 있는지 여부를 결정하는 것이다. 따라서 치과의사는 우선 환자의 상태를 잘 관찰해서 환자가 어느정도 불안한 반응을 나타내고 있는지를 미리 인식해서 환자의 스트레스 정도를 알고 이에 대비해야 한다.

환자가 일단 치과의자에 앉게되면 치과의사와 보조 인력들은 주의깊게 환자를 보고 그의 말을 경청해야 한다. 근심많은 환자들은 예민하고 항상 "경계상태"에 있다. 이들은 치과 의자의 모서리에 앉고, 진료실 주위를 눈으로 두리번거리며, 모든 물체들을 붙잡는다. 이들은 놀랄까봐 두려워하고, 자세는 부자연스럽게 뻣뻣해 보이며 팔과 다리들은 긴장상태에 있다. 이들은 초조하게 손수건이나 종이를 만지작거리며, 그런 행동들은 때로는 자각하지 못하고, 손으로 치과의자의 팔걸이를 꽉 잡아서 손가락 관절이 하얗게 변화되는 흰색의 손가락 관절 증후군을 나타낼 지도 모른다. 이 환자는 손바닥이나 이마의 발한(땀흘림)을 설명하려고 "아이고 깜짝이야, 여기가 뜨겁네"라고 큰 소리로 외칠 지도 모른다.

중등도의 근심증 환자는 자주 치과의사에게 지나치게 호의를 베풀려고 한다. 행동들은 생각함이 없이 재빨리 수행된다. 이런 환자들은 의사의 질문들에 재빨리, 흔히 너무 빨리 대답한다. 또한 생징후에서 혈압과 맥박의 증가, 떨림, 과도한 땀흘림, 동공확장의 소견도 불안과 공포의 증상이므로 이를 잘 관찰해야 한다.

이상의 내용을 종합할 때 치과 임상에서 생명을 위협할 수 있는 의학적 응급상황을 예방하기 위해서는 환자의 전신상태에 대한 정확한 이해와 철저한 검사가 긴요하다고 하겠으며, 치과진료 시에는 환자의 불안인식과 진료 스트레스를 감소시킬 수 있는 방법에 역점을 두어야 하겠다.

08 종합병원으로 전원할 때 유의할 사항

치과의원에서 전신질환자의 치과진료를 시행하다가 응급상황으로 인하여 생명이 위험할 정도의 중환자가 발생하면, 기본적인 응급처치만 시행하고서 빨리 종합병원으로 환자를 전원시켜야 한다. 환자의 의식 상태가 불량하면 전원 도중에 또 다른 사고의 위험성이 있으며, 중환자인 경우에 전원에 많은 시간을 소비하면 전신상태가 갑자기 악화될 우려가 크므로, 전원에 관한 과정을 평소에 철저히 대비해 두어야 한다. 매우 위급한 경우에는 인근의 병·의원에서 전문의사(MD)를 초빙할 수도 있다. 그러나 치과 진료실에 응급 상황에 사용할 장비나 약품(emergency set, drug)을 구비해 두고(표 3-6, 7, 그림 3-1~4), 그 시효 등을 평상시에 계속 점검한 상태가 아니라면 의사가 치과에 온다고 하더라도 적절한 처치를 하기 어렵다. 설령 장비나 약품을 준비했어도 응급처치가 복잡하고 난해한 경우는 예후가 나빠서 의료분쟁 가능성이 높다. 따라서 가장 빠르고 확실한 방법은 119 구급대(또는, 응급구조단)에 연락을 취해 종합병원 응급실로 빨리 전원시키는 것이다. 하지만 종합병원 응급실로 환자가 이송되었다고 응급사태가 종료된 것은 아니다. 대부분의 종합병원 응급실은 이미 기존의 응급환자들로 분주한 경우가 많기 때문에, 치과의원에서 보낸 응급환자를 우선적으로 진료할 여건이 못 되고 있다. 그러므로 치과의원에서 종합병원 응급실로 환자를 전원시킬 때에는 가능한 한 종합병원 치과(구강악안면외과)에 근무하는 치과의사(야간이면 당직 치과의사)에게 전화나 다른 보조자를 통해 미리 연락을 하고 환자를 보내는 것이 큰 도움이 된다. 그렇게 되면, 종합병원의 치과의사는 환자 상태에 대한 사전 정보를 알고 마음의 준비를 한 상태에서 환자를 진료해, 보다 신속 정확한 관리를 할 수

표 3-6. 치과 외래에 비치할 최소 응급 장비와 기구들
1. 산소투여 장비 세트(이동형 간편 장비)
2. 구강인두 기도기(oropharyngeal airway)(그림 3-1)
3. 앰부 백(ambu-bag), 호흡기 마스크(그림 3-2)
4. 윤상갑상연골 절개술 세트(cricothyroidotomy set), 또는 13, 14 게이지 주사침(그림 3-3)
5. 정맥주사 수액(5% D/S, 10% D/W, H/S 수액제, 생리식염수 수액제)
6. 주사침(25 게이지, butterfly needle, angiocatheter)
7. 주사기(1cc, 5cc, 10cc, 30cc)
8. 청진기, 혈압계 등

있다. 또한, 의학과(응급의학과, 내과, 소아과 등)의 문제가 동반될 경우에는 같은 종합병원의 의사들에게 보다 신속하고 정확하게 도움을 요청할 수 있어 예후에 도움이 된다.

이런 점에서, 치과의원의 치과의사는 전신질환자의 안정적인 치과진료를 위하여 평소에 종합병원의 치과의사(주로 구강악안면외과의)와 원활한 관계를 가질 필요가 있다. 아울러 지역사회의 응급의료 봉사기관(119 구급대, 종합병원 응급실 등) 종사자들과 평소에 협조적 관계를 갖는 것도 유사시에 큰 도움을 받을 수 있다. 왜냐하면 중증 응급환자의 1차 관리는 심폐소생술 이외의 처치인 경우 시설, 장비, 인력이 미흡한 의료기관에서 처치를 시행함보다, 제대로 된 응급 의료기관으로 환자를 신속히 전원시켜 진료함이 보다 더 예후가 좋다고 관련 응급의학회에서 권장하기 때문이다. 다행히 국내에서도 대한치과마취학회가 탄생되어, 치과의사들의 응급처치(특히 medical emergency)에 대한 지속적인 교육 훈련이 있는 만큼, 전신질환자 치과진료에 임하는 치과의사는 의학적 응급문제에 항상 대비해야 할 것이다.

표 3-7. 치과 진료실에 구비할 최소 응급 약품
1. Adalat tablet(5mg, 10mg)
2. Diazepam(valium) 주사약과 경구약
3. Avil(diphenhydramine) (ampule & tablet)
4. Epinephrine(1:1,000) (ampule)
5. 증류수(희석용)
6. Steroids 주사액(dexamethasone, Solu-cortef 등)
7. Sodium bicarbonate(bivon 주사액)
8. Vitamin K 주사액
9. Tridol or Tarasyn(근육주사제)
10. Gentamicin(근육주사제)
11. Atropine 주사액
12. Nitroglycerin tablet

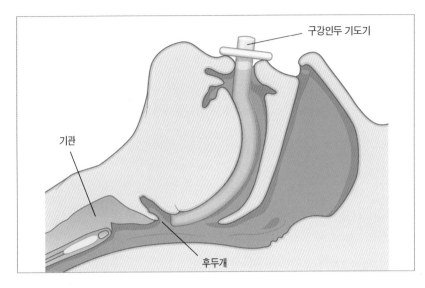

●●● **그림 3-1. 구강인두 기도기**
의식저하 시에 혀의 후하방 전위로 인한
기도 폐쇄를 방지하기 위한 기구

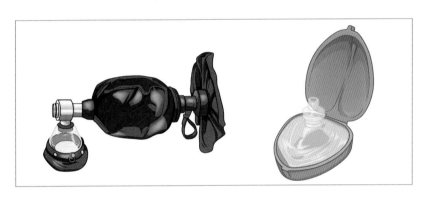

●●● **그림 3-2.** 앰부 백(왼쪽)과 호흡기
마스크(오른쪽). 심폐소생술에 대비해 폐
환기와 산소 투여를 보다 원활하게 하는
이동 가능한 자가 팽창의 백–밸브–마스크
기구

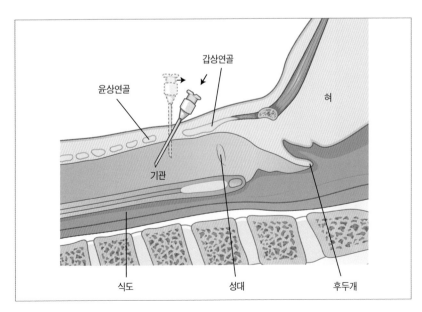

●●● **그림 3-3.** 구강내 토물 등으로 상
기도 폐쇄가 발생하였을 경우에 가장 안전
하고 간편하게 시행할 수 있는 윤상갑상연
골 절개(또는 천자)를 위해 주사침(13, 14 게
이지)을 위치시킨 모습

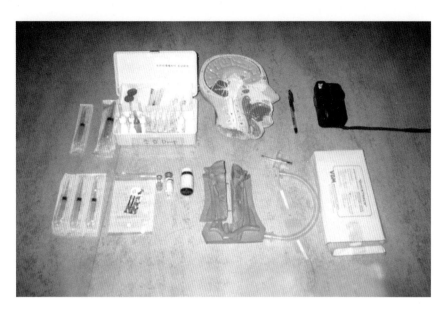

●●● **그림 3-4.** 응급처치에 흔히 사용되는 약품과 응급교육용 기구들

▨▨▨▨ **참고문헌**

1. 김수남, 염광원 외 3인 : 치과 진료실에서의 응급처치, 제 2판. 지성출판사, 1998, p.14-110.

2. 대한치과마취과학회 : 치과 진료실에서의 응급처치, 제 6판. 대한나래출판사, 2009, p.3-100.

3. 대한치과마취과학회, 대한치위생학과교수협의회 : 질환별 치과응급처치가이드. 군자출판사, 2010, p.1-79

4. 연세대학교 원주의과대학 응급의학교실 : 응급구조와 응급처치, 제 6판. 군자출판사, 2013, p.61-199.

5. 의학교육연수원 편 : 증보판 응급처치, 서울대학교 출판부, 1987, p.3-30.

6. Bennett CR : Monheim's local anesthesia and pain control in dental practice, 7th ed. CV Mosby, 1984, p.184-266.

7. Falace DA : Emergency dental care, diagnosis and management of urgent dental problems. Williams & Wilkins, 1995, p.360-372.

6. Malamed SF : Medical emergencies in dental office, 4th ed. CV Mosby, 1993, p.1-101.

7. McCarthy FM : Medical emergencies in dentistry, 3rd ed. WB Saunders, 1982, p.15-129.

PART 2

구강증상에 따른 전신질환의 진단

Chapter 04

구강소견에서
어떤 전신질환을 알 수 있나요

| 윤정훈 |

01 문제 제기

Dental Treatment
for Medically
Compromised Patients

대부분의 구강질환은 치아우식증이나 치주질환처럼 구강조직에 국한된 단일 또는 단독성 질환이지만, 우리 몸의 다양한 질환이 잘 반영되는 곳 또한 구강조직이다. 우리 몸 어느 부위도 구강조직처럼 많은 질환을 보이는 장기는 거의 없다. '입안은 전신의 거울이다'라는 말을 우리는 흔히 하고 있다. 구강조직은 전신질환의 증상이 나타나기 이전에 구강내 변화를 흔히 동반하기 때문에 구강검사는 모든 임상검사에서 필수적인 요소라고 할 수 있다.

입안을 자주 관찰하는 치과의사는 일반의사에 비해 더 자주 전신질환을 조기에 발견할 수 있는 위치에 있다. 그러나 치과의사들은 매일 구강을 들여다보면서도 전신질환의 구강증상을 간과하는 경우가 많다. 물론 구강에 나타나는 전신질환은 그 원인이 다양하고, 또한 각 질환의 특징이 비슷하고 진행시기에 따라 다양한 증상을 나타내기 때문에 구분하기가 어려운 것이 사실이다. 따라서 이 글에서는 전신질환에서 흔히 나타나는 구강악안면 증상을 그 증후에 따라 간략히 열거하여 의료인이 전신질환을 조기에 파악하는데 도움을 주고자 한다.

02 기본적 이해와 치과적 대처

Dental Treatment
for Medically
Compromised Patients

전신질환의 소견이 구강조직에 발현되는 내용을 이해하기 위해서는 구강내 각 부위별로 전신질환의 증상을 관련짓는 노력이 필요하다. 따라서 이 단원에서는 ① 치아에 나타나는 전신질환의 증상 ② 치주조직에 나타나는 전신질환의 증상 ③ 구강점막에 나타나는 전신질환의 증상 ④ 타액선에 나타나는 전신질환의 증상 ⑤ 악골과 턱관절에 나타나는 전신질환의 증상 ⑥ 전신질환의 증상으로서의 구강악안면 감각과 운동 변화 등에 관련된 내용을 증례를 포함해 기술한다.

1) 치아에 나타나는 전신질환의 증상

(1) 치아동요와 조기탈락(loosening and premature loss of teeth)

치아의 동요와 조기탈락은 외상, 치아우식증 또는 진행성 치주질환에 의해 흔히 발생한다. 그러나 백혈구 감소증(leukopenia)이나 백혈구 부착 결함(leukocyte adhesion deficiency)과 같은 혈액질환이나 다운증후군과 같은 선천성 질환 또는 당뇨, 에이즈를 포함한 면역결핍을 초래하는 후천성 질환이 치조골 파괴를 동반한 치주질환을 초래하여, 치아동요와 치아 조기탈락이 발생할 수 있다(표 4-1).

표 4-1. 치아동요 및 조기탈락의 원인		
1. 국소 요인		
① 치주염	② 외상	③ 종양
2. 전신 요인		

① 조기발병 치주염
• 다운증후군
• 당뇨병
• 백혈구 감소증 또는
  백혈구 결함
• AIDS관련 질환
• 급속 진행성 치주염
• 유년형 치주염
	② 유전적 증후군
	• 저인산효소증
	  (Hypophosphatasia)
	• Papillon–Lefevre 증후군
	• Ehlers–Danlos 증후군
		③ 종양
		• 랑거한스세포 육아종
		  (호산성 육아종)

드물게는 대상포진(herpes zoster)의 합병증으로 성인에서 치아의 자연탈락을 볼 수 있다(증례 1, 그림 4-1).

증례 1 ┃ 72세, 남자

주소
상악 우측 대구치의 심한 동요와 자연 탈락

병력
우측 안면부에 통증이 있어 개인 치과의원에서 소염진통제를 처방받았으나, 해소되지 않고 상악 우측 대구치에 경미한 치아 동요가 관찰되었다. 그 후 환자의 상악 우측 견치의 간헐적 통증으로 근관치료를 시행하였다. 이후 우측 구각부(mouth corner)와 안면의 피부가 짓무르고 발적 증상

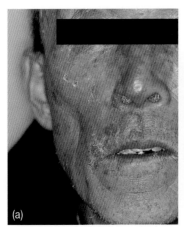 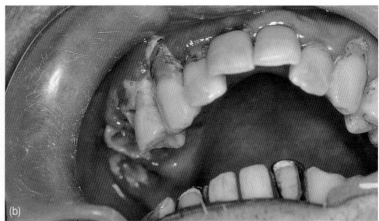

●●● **그림 4-1. 대상포진(Herper zoster)**
(a) 우측 구각부와 얼굴 피부에 발적과 수포형성을 보인다. 삼차신경 상악분지를 침범한 경우이다. (b) 상악 견치와 소구치의 심한 동요와 대구치의 치아탈락 소견을 보인다.

이 나타나서, 피부과에 의뢰하여 2주간에 걸쳐 치료하였다. 그러나 피부과 치료를 받는 동안에 상악 우측 치아가 전반적으로 동요도가 매우 증가하면서 대구치의 자연 탈락으로 다시 치과에 내원하였다. 자연 탈락된 대구치에는 치아우식증이나 진행성 치주염 등의 소견은 없었다. 피부과에서 대상포진으로 입원하여 치료받던 중 치아의 심한 동요와 치조골 노출로 구강악안면외과에 의뢰되었다.

구강소견

우측 대구치의 자연 탈락된 치조골 부위에 황색의 괴사된 골과 농이 배출되었다. 잔존치아는 심한 동요를 보이고 타진에 민감하였고, 주위 치은은 종창과 발적, 촉진 시 통증, 우측 구각부와 얼굴에 피부 발적과 황색의 수포가 관찰되었다(그림 4-1).

문제점 검토

대상포진이 삼차 신경절을 침범하면, 편측성으로 안면 및 구강 병소가 눈, 상악, 하악지 신경을 따라 나타난다. 구강점막 표면의 병소는 신경분포를 따라 매우 뚜렷한 편측성 발현을 보인다. 점막병소는 쉽게 파열되는 수포가 발생하며 보통은 분화구상의 궤양들로 나타나는데, 2~3주간 지속되며 1개월 이내에 치유된다.

병소는 피부나 구강점막 모두에서 통증을 야기한다. 수포의 발현 수일 전부터 환자는 감염된 피부 분절에서 통증과 지각둔화, 이상감각 등을 느끼게 된다. 병소가 나타나면 환자는 심하게 찔린 듯한 통증을 호소한다. 나이든 환자의 경우는 병소가 치유된 후에도 한 달 이상 동통이 지속된다. 이러한 상태를 포진후신경통(postherpetic neuralgia)이라 하는데 작열감과 심한 동통이 특징이다. 치유되고 난 후에도 병소부위는 수개월에서 수년까지 과민상태로 있는 경우가 많다. 노년층에서 뚜렷한 국소적인 원인이 없이 치통을 호소하면서 치아가 자연 탈락하는 경우에, 대상포진의 가능성을 고려해야 한다. 아울러 노인층에서 대상포진이 발생하는 경우에는 내재된 전신질환으로, 진단되지 않은 당뇨나 악성종양이 있는 경우가 흔하므로, 대상포진 병변이 소실된 후에 내과에 의뢰하여 전신질환이 있는지를 검진하도록 권유할 필요가 있다.

또한 랑거한스세포 조직구증(Langerhans cell histocytosis)이나 저인산효소증(Hypophos-phatasia)과 같은 전신질환에 의해, 소아에서 치아의 조기탈락이 일어난다(증례 2, 그림 4-2).

증례 2 | 7세, 여자

주소
이가 일찍 빠짐.

구강소견
상하악 유견치는 모두 조기 상실된 상태였고, 잔존하는 유구치는 다소의 법랑질형성 부전증을 보였다(그림 4-2a).

파노라마 사진
유전치, 유견치 모두 상실된 상태를 보였다. 또한 유치열의 치조골 소실과 유구치의 치수강의 확장된 소견을 보였다(그림 4-2b). 두부계측 방사선 소견에서 두개관 안에 'gyral marking'이라 불리는 다수의 확장된 방사선 투과상이 관찰되었다.

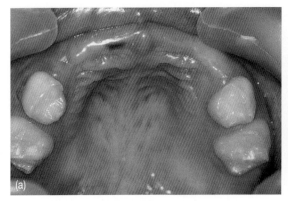
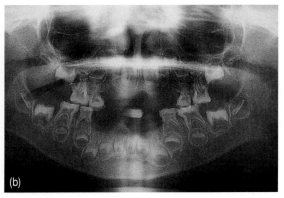

●●● 그림 4-2. 저인산효소증(Hypophosphatasia)
(a) 상악 유전치와 견치의 조기탈락 소견을 보인다. (b) 상하악 유전치 및 견치의 조기 치아탈락과 치수강의 확장이 관찰된다.

➕ 문제점 검토

저인산효소증은 혈청과 조직에 알칼리 인산분해효소(alkaline phosphatase)의 부족으로 인해, 골의 무기질 침착의 이상이 오는 유전성 질환으로 임상적으로 발현양상이 다양하다. 이 질환은 소아에서는 구루병(rickets)과 비슷한 골 변화를 보이며, 성인에서는 골연화증(osteomalacia)을 특징적으로 보인다. 저인산효소증의 구강소견으로는 치아 형성과 맹출 지연, 유치의 조기상실, 영구치의 자발적인 상실을 특징적으로 볼 수 있다. 유아형에서 유치(특히 유전치)의 조기 상실은 백악질의 미형성과 연관되어 있다.

구강 방사선소견에서 이러한 환자의 치아는 확장된 치수강과 근관을 보이며, 대개 법랑질은 정상이다. 이 환자의 경우에는 임상 발현양상이 경미한 상태로서 병원에 내원하지 않아 이상소견으로 받아들이지 않았을 가능성이 많고, 또한 부모나 형제들은 이상 소견이 없어 진단을 놓치는 경우가 있다.

(2) 치아의 맹출 지연(delayed eruption of teeth)

뇌하수체 기능저하증(hypopituitarism), 갑상선 기능저하증(hypothyroidism)(그림 4-3), 다운증후군, 쇄골두개 이형성증(cleidocranial dysplasia), 항암화학 요법이나 방사선 치료 등으로 치아맹출이 지연될 수 있다. 그러나 국소적인 원인이 대부분이다.

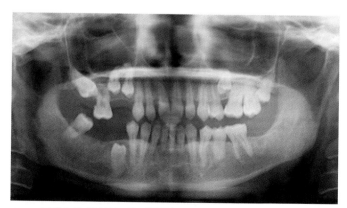

●●● **그림 4-3. 갑상선 기능저하증(Hypothyroidism)**
선천성 갑상선 기능저하증인 크레틴병(cretinism)을 앓고 있는 50세 여성으로, 파노라마 사진에 다수의 영구치가 맹출하지 못하고 매복되어 있다.

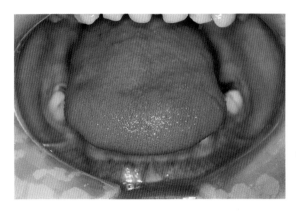

●●● 그림 4-4. 외배엽 이형성증(Ectodermal dysplasia)
다수의 하악치아의 결손을 보이며, 치조제의 위축 소견이
동반되어 있다.

(3) 치아형성 부전증(dental aplasia)

유전적인 변이로 사랑니, 제 2소구치 그리고 상악 측절치들이 흔히 결손된다. 그러나 다수 치아의
형성 부전은 외배엽 이형성증(ectodermal dysplasia)에서 볼 수 있다(그림 4-4). 그러나 대개의 경우
원인을 알 수 없는 경우가 많다. 후천적으로 치아형성 부전이 발생하는 대표적인 원인은 항암 화학요
법이나 방사선 치료이다.

(4) 과잉치(supernumerary teeth)

과잉치의 원인은 잘 알려져 있지 않지만, 전신적으로 쇄골두개 이형성증이나 가드너 증후군에서
흔히 볼 수 있다.

(5) 기형 및 변색치(malformed and discolored teeth)

국소적인 감염이나 외상 또는 특발성으로 하나 또는 몇 개 치아에 기형을 초래할 수 있다. 유치 감
염으로 하악 소구치가 영향을 받은 저형성 영구치를 터너 치아(Turner's teeth)라고 한다. 유전치에
외상을 받으면 상악 전치들에 저형성이 나타난다. 방사선 치료나 항암치료제도 마찬가지로 저형성을
초래할 수 있다. 법랑질 저형성증은 선천성 홍역이나 거대세포 바이러스에 감염된 어린이나, 비타민
결핍 또는 부갑상선 기능저하증(hypoparathyroidism)에서 나타날 수 있다.

선천 매독의 전형적인 허친슨 전치(Hutchinson's incisors)와 상실 구치(mulberry molar)는 드
물지만 간혹 볼 수 있다. 법랑질 저형성증은 수포성 표피박리증(epidermolysis bullosa)에서 볼 수
있고, 쥐 모양의 치아는 외배엽 이형성증에서 볼 수 있다.

치아의 침식은 산성 음료의 섭취 또는 식욕항진(bulimia)이나 신경성 식욕불량(anorexia ner-
vosa)에서 위 내용물 토출의 특징으로서 나타날 수 있다.

표 4-2. 치아 착색의 원인

1. 외인성 착색

- 불량한 구강위생
- 흡연
- 음료 및 음식

- 약물(철, 클로르헥시딘)
- 흑색 착색
- 녹색 착색

2. 내인성 착색

- 외상
- 치아우식증
- 수복물(아말감)
- 치아 내흡수(pink spot)

- 약물(주로, 테트라사이클린)
- 불소중독증
- 선천성 질환 : 선천성 황달, 법랑질 및 상아질형성 부전증, 포르피린증(porphyria)

대부분의 치아의 변색 또는 착색은 국소적인 원인으로 나타나며, 음식과 차나 음료, 클로르헥시딘과 같은 약물이나 불량한 구강위생에 의해서 일어날 수 있다(표 4-2). 임산부나 수유모에 투여한 테트라사이클린은 어린이의 치아를 변색시킬 수 있으며, 특히 8세 이하의 어린이에게 투여하면 심한 갈색 내인성 착색을 일으킬 수 있다. 2ppm 이상 고농도의 불소는 임상적으로 중요한 불소 중독증(dental fluorosis)을 초래할 수 있다. 담관폐쇄(biliary atresia)나 선천성 간염(congenital hepatitis)과 같이 황달을 초래하는 질환에서 녹색치(chlordontia)가 관찰된다.

상아질형성 부전증은 골형성 부전증 환자에서 동반되기도 하지만 단독으로 발생하기도 한다(그림 4-5a). 그러나 법랑질형성 부전증은 대개 전신질환과 동반되지 않는다(그림 4-5b).

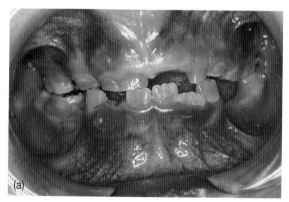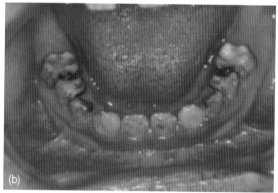

●●● **그림 4-5.** (a) 상아질형성 부전증(Detinogenesis imperfecta) (b) 법랑질형성 부전증(Amelogenesis imperfecta)에 의한 전체 치아의 황갈색 변색이 보인다.

2) 치주조직에 나타나는 전신질환의 증상

(1) 치은종창(gingival swelling)

치은종창은 염증성 치주질환에서 볼 수 있는 대표적인 증상이지만, 항간질제(Phenytoin), 면역억제제(Cyclosporine)(증례 3, 그림 4-6), 칼슘 통로 차단제와 같은 항고혈압제(Nifedipine), 항협심증 약물(Diltiazem)과 같은 약물이나 여러 전신질환에 의해서 나타날 수 있다(표 4-3).

표 4-3. 치은종창의 원인

	전체성 종창	국소 종창
국소 요인	치은염, 구호흡에 의한 증식성 치은염	
전신 요인	유전성 치은 섬유종증, 약물(Phenytoin, Cyclosporin Nifedifin, Diltiazem), 임신, 유육종증 및 크론병, 백혈병, 웨그너 육아종증, 괴혈병, 유전분증, 대사장애(점액다당류증)	임신, 유육종증 웨그너 육아종증 유전분증 종양

증례 3 ┃ 29세, 남자

주소

3~4개월 동안의 전반적인 치은종창

병력

5년 전에 신장이식수술을 받아 현재 Sandimmun(cyclosporine제제), 스테로이드의 면역억제제와 Norvasc(칼슘통로 차단제)의 고혈압 약물을 복용 중이다.

구강소견

전반적으로 협설과 구개측 치간유두의 심한 종창과 치석 침착이 관찰되었다. 특히, 상악 전치부 치간유두 사이의 잇몸은 밝은 선홍색의 딸기 모양으로 부어 있었다(그림 4-6). 잇몸 종창으로 치관은 반쯤 덮여 있었다.

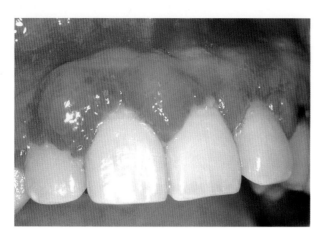

●●● 그림 4-6. 면역억제제와 고혈압약물 복용에 의한 치은증식증
상하악 전체 순협면에 전반적인 치은증식 종창을 보인다.

진단
면역억제제와 칼슘통로 차단제에 의한 치은증식증

치료 및 경과
여러 번에 나누어서 치은판막 수술을 시행하고 현재까지 추적 관찰하고 있다.

문제점 검토
사이클로스포린은 주로 장기이식 환자의 거부반응을 감소시키기 위해서 사용하며, 자가 면역질환에서도 사용된다. 신독성과 간독성 때문에 약을 복용하는 환자의 혈중농도를 항상 지켜봐야 한다. 구강에서 자주 나타나는 부작용은 전반적인 치은증식과 구강주위 감각저하이다. 치은증식은 환자의 50%에서 발견되고, 20세 이하에서의 환자는 100%에 가까이 나타난다.

사이클로스포린 투여시작 1~3개월이면 나타나고, 약 1년 후에 최대가 되기도 한다. 사이클로스포린에 의한 치은증식의 이상적인 치료는 투약을 중지하는 것이다. 그렇지만 이것은 거의 불가능하기 때문에 세심한 구강청결로 최소화 할 수 있다. 주기적으로 저작에 장애가 되는 증식은 외과적 절제가 필요하다.

치은종창은 또한 포진성 구내염, 임신, 웨그너 육아종, 백혈병(증례 4, 그림 4-7), 크론병, 괴혈병, 유육종증(sarcoidosis), 유전분증(amyloidosis), 점액다당류증(mucopolysaccharidosis)에서 볼 수 있으며, 다양한 국소 종창이나 치은 종물의 형태로 전이성 암을 포함한 전신질환이 나타날 수도 있다(증례 5, 그림 4-8).

증례 4 ㅣ 63세, 여자

주소
전체 잇몸이 부으며 입 냄새가 심하게 나고, 아무 것도 먹을 수가 없었다.

병력
과거력 상 10년 전부터 고혈압으로 Nifedipine과 Celiprolol HCL(Selectol)을 복용 중이었다. 2개월 전부터 잇몸이 심하게 부어서 개인 치과의원에서 4차례에 걸쳐 치은절제술을 시행하였으나 잇몸증식이 계속되었다고 한다. 피부에 홍반성 발진이 동반되었다.

구강소견
전악에 걸쳐 협, 설측으로 치은증식을 보였다. 증식된 잇몸은 치관의 1/3 가량을 덮고 있으며, 표면은 부드러운 느낌이었다(그림 4-7).

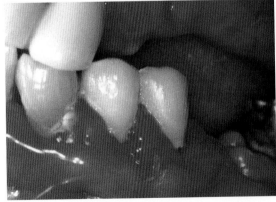 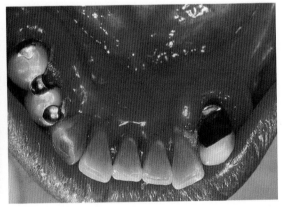

●●● 그림 4-7. 급성 골수구성 백혈병(Acute myelogenous leukemia)
잔존하는 상하악 전치부 및 소구치부 협설측으로 전반적인 치은비대 소견을 보인다.

방사선 소견

전반적으로 중등도 내지 고도의 치조골 소실이 관찰되며, #31, 32, 41, 47 치아의 치주인대 강이 다소 확장되어 있었다.

치료 및 경과

하악 전치부의 치은절제술을 시행하면서 생검 시행하여 확진 후 항암 화학요법을 시행하였다.

병리학적 진단

급성 골수구성 백혈병(Acute myelogenous leukemia)

문제점 검토

급성과 만성 백혈병 모두 치료받지 않은 환자의 10%에서 치은비대가 일어난다. 가장 흔히 치은비대를 초래하는 유형이 급성 골수구성 백혈병이다. 그러므로 임상적으로 전반적인 치은비대로 나타나는 질환들을 감별해야 한다. 또한 백혈병성 백혈구(leukemic leukocyte)는 정상적인 기능을 수행하지 못하므로, 모든 백혈병 환자는 면역기능이 저하되어 있어, 다양한 감염성 질환에 쉽게 이환된다. 치과치료에서 중요한 것은 혈소판 감소에 따른 출혈경향을 유의해야 한다. 이 증례에서는 여러 차례의 치은절제에도 불구하고 잇몸의 증식이 계속되었던 점, 피부 발진이 동반하였던 점을 간과하였던 것을 문제점으로 지적할 수 있다. 이러한 점을 고려하여 치과처치 전에 기본 혈액학적 검사를 시행했더라면 급성 백혈병의 조기진단을 지연시키지 않았을 뿐만 아니라, 치과의사를 당황스럽게 하지 않았을 것으로 생각된다. 참고로 술 후 시행한 혈액검사 결과는 적혈구(2.49×10^6), Hg(7.7), Hct(22.7), platelet count(100,000), WBC(6,648 with blast form 51%)이었다.

증례 5 | 53세, 남자

주소

약 20일 전부터 하악 우측 구치부에 궤양을 동반한 치은종창

병력

10년 전부터 당뇨로 치료받고 있었다.

🔍 구강소견

하악 우측 구치부에 궤양을 동반한 3×2cm 크기의 적갈색 종양이 관찰되었고, 출혈 양상은 없으나 촉진 시에 통증을 유발하였다. 같은 쪽의 하악 제 2소구치, 제 1대구치는 타진에 양성이었고 제 1대구치 및 제 2대구치는 심한 동요도를 보였다. 그러나 주위 연조직의 감각소실이나 악하 림프절의 증대는 없었다(그림 4-8a).

🦴 방사선 소견

전반적인 치조골의 수평 골흡수(horizontal bone loss)가 있고 하악 좌측 및 우측 제 1대구치, 제 2소구치 및 정중부에 골파괴 양상을 보였고, 인접 치아는 떠 있는 상태(floating state)였다(그림 4-8b). 전산화 단층촬영에서 다발성의 경부 림프절 증대가 관찰되었고, 흉부 방사선사진 소견에서 우측 폐 유문부에 종괴가 관찰되었다(그림 4-8c).

🩺 병리학적 진단

폐에서 치은으로 전이한 소세포암종(small cell carcinoma)

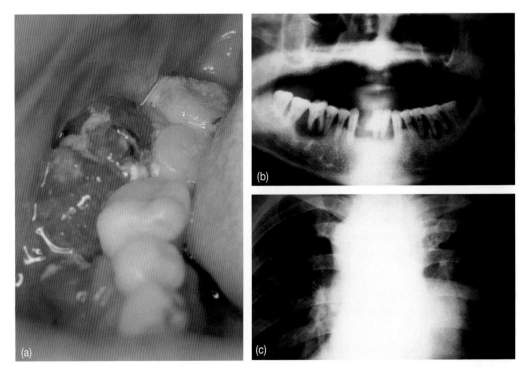

●●● **그림 4-8. 전이성 암종(Metastatic carcinoma)**
(a) 하악 우측 구치부 치은에 출혈성의 딸기모양의 종양이 관찰된다. (b) 치근단 사진에 제 1대구치 치근단흡수상을 보인다. (c) 흉부방사선사진에 우측 폐에 하얀색의 종양침습이 관찰된다.

➕ **문제점 검토**

구강 연조직에 나타나는 전이성 암종은 매우 드물지만, 가장 흔한 부위가 치은이다. 특히, 치은에 발생하는 경우 자극에 의한 연조직의 과증식처럼 보여 마치 화농성 육아종(pyogenic gran-uloma)과 비슷하게 보이는 경우가 많다. 따라서 치과의사들이 단순한 염증성 조직증식으로 오인하여 절제한 후에 생검조직을 의뢰하지 않는 경우가 있어서, 나중에 의료소송에 휘말리는 경우가 있다. 따라서 단순한 치은 연조직 증식이라 하더라도 반드시 생검을 의뢰하여, 병리학적으로 확진을 받는 것이 중요하다.

(2) 치은출혈(gingival bleeding)

치은변연에서의 출혈은 매우 흔하고 대부분 치은염의 결과로 나타난다. 치은염은 경구용 피임약을 복용하는 일부 환자와 임산부 특히 제 2기에서 증가한다. 그러나 치은출혈은 혈소판이나 기타 혈관질환의 초기에 나타나는 것이 특징이며, 혈소판 감소성 자반증(idiopathic thrombocytopenic purpura), 백혈병, 재생불량성 빈혈(aplastic anemia)이나 간질환에서 흔히 나타난다(그림 4-9). 또한 와파린이나 아스피린과 같은 항응고제를 장기복용하고 있는 환자에서 치은출혈이 중요한 치과적 문제가 된다(표 4-4).

표 4-4. 치은출혈의 원인

1. 국소 요인	2. 전신 요인
• 만성 치은염 • 만성 치주염 • 급성 괴사성 궤양성 치은염	• 치은염을 악화시키는 상태(임신 등) • 백혈병 • 혈소판 감소성 자반 • 응고결함 • 약물(항응고제)

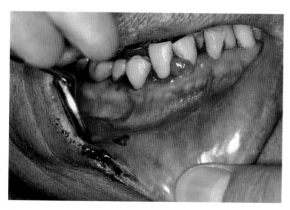

●●● **그림 4-9. 급성 림프구성 백혈병(Acute lymphocytic leukemia)** 하악 전치부 순측 치간유두에 국소적인 치은증식과 치은열구에서 출혈이 보인다.

(3) 치은착색(gingival pigmentation)

치은착색은 일부 인종에서 흔히 볼 수 있고, 심지어 흑인이 아닌 사람들에서도 관찰된다. 애디슨병 (Addison's disease)과 악성 흑색종이 가장 중요한 후천적인 갈색 착색의 원인이다(증례 6, 그림 4-10).

증례 6 ㅣ 43세, 여자

주소

6개월 전부터 점차 커지는 좌측 경부의 림프절 증대를 주소로 일반외과에 내원하였다.

병력

타 병원에서 시행한 림프절 생검 결과, 유두상 분화를 보이는 전이성 미분화 선암종으로 진단받았다. 이후 경부의 종괴가 계속 성장하여 일반외과에 입원하였다.

이학적 검사

좌측 경부에 1.5cm 크기의 과거의 수술 반흔이 있었고, 장경 약 4cm 크기의 구형의 종양

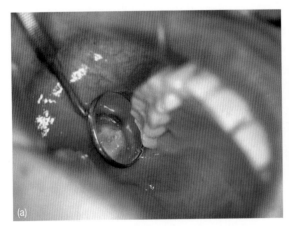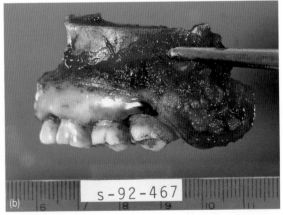

● ● ● 그림 4-10. 악성 흑색종(Malignant melanoma)

(a) 상악 좌측치은에 협설측으로 검은색 또는 갈색 변색이 관찰된다. (b) 병소는 인접한 조직을 포함하여 상악골 부분 절제로 제거하였다.

이 촉진되었다. 종양의 경계는 잘 지어졌으나 주변조직에 고착(fixed)된 상태이다. 경부 전산화 단층 사진에 다수의 림프절에 전이된 종양을 보였다.

치료 및 경과

이 환자의 다른 병원 조직을 판독하니 림프절에 전이한 악성 흑색종이었다. 악성 흑색종의 원발부위를 찾기 위해 피부를 포함한 전 장기를 진찰하였으나 흑색병소나 모반은 발견하지 못하였다. 또한 안과, 이비인후과와의 협의진료를 통해 환자의 구강, 인두, 후두, 비강, 외이도, 귀 및 눈 등에 대한 검진을 시행했으나, 좌측 경부의 종양 이외에는 특이한 병소를 발견하지 못하였다. 원발 부위는 미확인된 채 좌측 경부 림프절로 전이한 악성 흑색종으로 생각하고, 좌측 경부 곽청술을 시행하였다. 방사선 치료에 앞서 구강검진을 위해 구강악안면외과에 내원하여, 구강검사에서 상악 좌측 제 2대구치 협측 및 구개측 변연치은에 길이가 약 1cm 정도 되는 흑색의 착색병소가 관찰되었고(그림 4-10a), 표면 궤양이나 출혈소견은 없었다. 환자의 병력에 대해 다시 문진한 결과, 상악 좌측 제 2대구치 부위에 종창과 과민반응이 있었고, 경부 림프절 증대가 있기 전에 물집 같은 것이 생겨 스스로 터트리고 치과에 내원하였는데, 더 큰 병원으로 갈 것을 권유받았다고 한다. 이후 흑색병소가 발생하였으나 통증이 없어 지금까지 치료를 받지 않고 있었다고 하였다. 상악 좌측 치은에 발생한 원발성 악성 흑색종으로 진단하여, 좌측 상악골 부분절제술을 시행하였다(그림 4-10b).

문제점 검토

대부분의 구강 흑색종은 경구개와 상악 치은에 발생한다. 구강에 발생되는 악성 흑색종은 유사한 기본적인 특징이 있다. 악성 흑색종은 암갈색, 청흑색 또는 흑색을 보인다. 때로 갈색 또는 흑색이 아닌 색소 침착이 없는 흑색종(amelanotic melanoma)이 관찰된다. 대부분은 초기에 반점 형태를 가지다가 점점 구진 또는 결절로 변화한다. 악성 흑색종의 성장은 초기에 방사상 성장 단계를 거친 후 수직 성장한다. 방사상 성장시에는 종양세포가 측방으로 퍼져 나가지만 표면 상피내에 한정된다. 수직 성장 단계에는 종양세포가 결합조직으로 침윤해 들어가 분포하게 된다.

악성 흑색종 치료에 대한 열쇠는 방사상 성장 단계일 때 조기 진단하여 즉각적으로 외과적 완전 절제를 시행하는 것이다. 즉, 대부분의 세포가 상피내에 또는 인접한 부위에만 있으므로 비교적 쉽게 치료할 수 있다. 이 경우에는 전이를 잘 하지 않아, 대부분 치료가 가능하다. 수직 성장시에는 종양이 깊숙이 침윤하며 초기에 전이되는 경향이 있다. 국소 림프절 또는 원거리 부위에 전이되는 악성 흑색종은 예후가 매우 나쁘다. 따라서 구강점막에 갈색병소의 감별진단을 통해, 구강 악성 흑색종의 조기 발견이 예후에 매우 중요하다 할 수 있다.

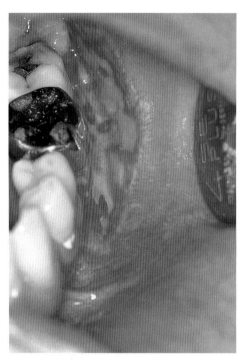

(4) 치은발적(gingival redness)

치은발적은 치은종창과 대개 동반하여 나타난다. 치은염은 치은발적의 가장 일반적인 원인으로서, 대개 치은변연과 치간유두에 국한되어 있다. 광범위한 치은발적은 특히 작열감과 동반하는 경우는 편평태선(그림 4-11)이나 유천포창(증례 7, 그림 4-12), 드물게는 천포창에 의한 박리성 치은염(desquamative gingivitis)에 의해 나타나기도 한다. 또한 적색으로 보이는 병변으로는 홍반증(erythroplasia)이나 편평세포암종, 웨그너 육아종증 또는 카포시 육종이 있다. 방사선 치료에 의해 적색의 작열감이 있는 치은의 발적을 일으킨다. 결핵감염이 잇몸을 침범하면 치은발적을 초래한다.

●●● **그림 4-11. 미란형 편평태선(Erosive lichen planus)**
하악 치은이 발적되고 벗겨져 있다.

증례 7 | 57세, 남자

주소
잇몸의 표층탈락과 잇몸의 발적

구강소견
전악 치은의 상피탈락 및 치은발적을 보였다. 하악 우측 제 1, 2소구치부위 협설측으로 작은 수포가 관찰되어 마치 백색병소처럼 보였다(그림 4-12).

병력
개인 치과의원에서 상기 주소로 치석제거술 및 치주치료를 시행하였으나 증상이 완화되지 않았다.

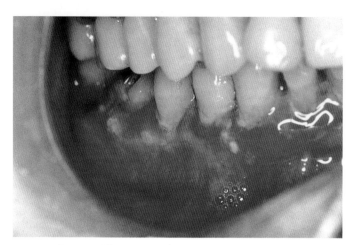

●●● 그림 4-12. 반흔성 유천포창(Cicatricial pemphigoid)
전악 치은의 상피탈락 및 치은발적을 보인다.

임상 진단
미란성 편평태선, 반흔성 유천포창, 수포성 유천포창, 심상성 천포창

병리학적 진단
반흔성 유천포창(cicatricial pemphigoid)

치료 및 경과
잇솔질 교육 및 치석제거, 치은연하 소파술. PA(prednisolone ampicillin) gargle 양치액으로 함수토록 하였고, 부신피질 호르몬제를 2주간 투여하여 증상의 호전을 보였다.

문제점 검토
반흔성 유천포창은 조기 진단과 치료가 필요하다. 초기에 치료가 이루어지지 않으면, 병소는 계속 진행하여 협점막, 구개, 구강저에 이르게 된다. 비인두, 후두, 식도까지의 확장도 관찰된다. 상기병소는 증례의 25%에서 나타난다. 좀 더 흔하고, 심한 형태로는 눈의 결막에 침범하는 것이다. 이 부위에서 수포, 미란, 전반적인 홍반이 발생해 반흔이 남을 수 있고, 검구유착(symblepharon)이라 불리는 눈꺼풀에서 공막에 이르는 부착성 조직 띠가 형성된다. 치료되지 않는 눈의 병소는 심한 시력 상실을 가져올 수 있다. 환자에게 전신과 국소 스테로이드를 혼합해 처방한다. 특히 이 증례에서처럼 질병의 진행을 막고, 극심한 눈 침범을 예방하기 위해, 치은의 일부 부위에 한정될 때 치과의사의 조기 진단과 치료는 매우 중요한 의미를 갖는다.

(5) 치은궤양(gingival ulcer)

급성 괴사성 궤양성 치은염(ANUG) 또는 이와 비슷한 궤양성 병변이 에이즈, 호중구 감소증이나 백혈병의 합병증으로 나타나며(증례 8, 그림 4-13), 영양결핍이나 여러 면역억제 환자에서 협점막까지 확산될 수 있다. 때로는 아프타나 기타 구강궤양의 여러 원인들이 잇몸을 침범한다. 간혹 정신적으로 방해받거나 정신장애를 가진 환자에서 인공 손상으로 치은궤양이 발생하기도 한다(표 4-5).

표 4-5. 전신질환과 연관하여 발생하는 구강궤양의 주요 원인	
1. 미생물 질환	• 포진성 구내염, 수두 및 대상포진, 수족구병, 포진성 구협염, 전염성 단핵구증, • 급성 괴사성 궤양성 치은염 • 결핵, 매독, AIDS • 진균감염 : 캔디다증, 모균증 및 국균증
2. 악성 종양	
3. 피부질환	미란성 편평태선, 천포창, 유천포창, 다형홍반
4. 혈액질환	빈혈, 백혈병, 호중구 감소증
5. 위장관 질환	Coeliac(배의) 병, 크론 병, 궤양성 대장염
6. 결합조직 질환	전신 홍반성 루프스(홍반성 낭창)
7. 약물	세포독성 약물
8. 기타	베체트 병, 라이터 증후군

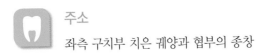

증례 8 ┃ 63세, 여자

주소
좌측 구치부 치은 궤양과 협부의 종창

병력
혈액내과에서 급성 골수구성 백혈병(AML, M2)으로 진단받고 항암치료를 받았다. 그 후 통원 치료를 하던 중, 기침과 열과 함께 비출혈과 좌측 협부의 종창이 심해져서 입원하였다.

구강소견

좌측 협부의 종창 부위는 촉진 시에 중등도의 경결감이 있었다. 구강검사에서 하악 제 3 대구치 부위의 치은과 협점막에 농 배출과 함께 광범위하게 괴사된 조직이 관찰되었다(그림 4-13). 혀와 구강저에서도 다수의 둥근 궤양성 병소가 관찰되었다.

문제점 검토

이 병소는 모균증(mucormycosis)의 특징적인 소견과 혈관에 침범한 캔디다증(Candi-diasis)까지 혼합 진균감염이다. 모균증은 당뇨, 백혈구 감소증, 림프종이나 백혈병 등의 악성 혈액질환이 있는 경우에 감염이 잘된다고 알려져 있다. 이 질환의 경우 주로 상악이나 구개에 호발하지만, 하악에서 발생하는 예도 있다. 이 예처럼 내재된 악성 혈액질환이 있는 경우는 광범위하고도 심한 치은 및 협점막 궤양을 초래할 수 있는 점을 항상 고려할 필요가 있다. 모균증은 두경부 병소에 나타나는 경우 70% 정도가 전신질환이 있는 것으로 알려져 있고, 특히 백혈병과 동반된 경우는 생존율이 20% 정도로 적은 것으로 보고되어 있어, 생존율을 높이기 위해서는 광범위한 외과적 절제, 전신질환을 조절해 주는 것이 중요한 요소이다.

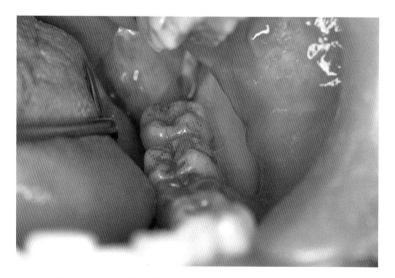

●●● 그림 4-13. 심부 진균감염(Deep mycosis)에 의해 발생한 좌측 제 3대구치 부위의 치은궤양
치은과 협점막 연조직이 탈락되고 뼈가 노출되어 있다.

3) 구강점막에 나타나는 전신질환의 증상

(1) 수포(blisters)

구강점막을 침범하는 가장 중요한 수포성 질환은 천포창과 유천포창이다. 천포창은 수포가 빠르게 파열되어 궤양을 형성한다(증례 9, 그림 4-14). 반흔성 유천포창(cicatricial pemphigoid)의 수포는 혈액으로 차 있거나 있지 않을 수도 있는데, 혈액으로 차 있는 수포는 국소적인 구강 자반(Angina bullosa haemorrhagica)으로 나타날 수 있다.

증례 9 ㅣ 46세, 여자

주소
인후통이 심하고 잇몸과 입안 전체가 헐어서 아프다.

병력
인후통 및 연하곤란으로 1주일 간 이비인후과에서 처치 및 약을 복용하였으나 호전되지 않아 의뢰되었다.

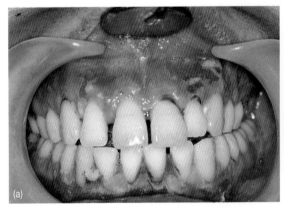 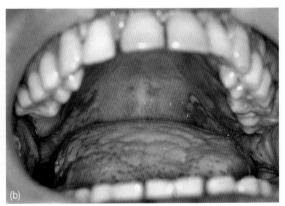

●●● 그림 4-14. 심상성 천포창(Pemphigus vulgaris)
(a) 상하악 전체 치은의 발적과 함께 잇몸이 벗겨져서 수포를 형성하고 있다. (b) 좌우측 연구개부, 협점막과 혀의 측면에 수포와 궤양 형성이 보인다.

구강소견

잇몸, 연구개 및 협점막의 궤양 및 궤양 주위조직 융기 및 수포 형성을 보이고, 잇몸에 물 공기 분사기(3-way syringe)를 이용한 공기 분사 시 벗겨지며 수포를 형성하였다(Nikolsky sign 양성)(그림 4-14).

진단

Nikolsky sign 양성을 보여 천포창으로 잠정진단하고, 생검을 시행하여 심상성 천포창(pemphigus vulgaris)으로 확진하였다.

치료 및 경과

구강의 궤양성 병소는 매일 세척 및 함수(PA : prednisolone ampicillin gargle 양치)를 시행하고, prednisolone 1일 80mg을 투여하였다. 1주일 후 병변의 소실이 현격하여 약의 감량(tapering)을 시행하였다.

문제점 검토

심상성 천포창은 천포창 유형 중 가장 흔한 형태로 치료하지 않으면 사망까지 초래하는 중요한 질병이다. 게다가 구강 병변이 이 질환의 첫 번째 징후이며 치료해도 잘 낫지 않는다. 구강 병소를 서술하는 말로 "빨리 오고 나중에 간다(first to show, and the last to go)"라고 한다. 때로는 penicil-lamine 등과 같은 약물을 복용한 환자나 림프세망계의 악성 종양이 있는 환자에서 천포창과 유사한 구강점막 및 피부 병변이 나타날 수 있으며, 이를 paraneoplastic pemphigus라고 부른다.

심상성 천포창은 진단을 빨리 할수록 치료가 쉬워진다. 치료는 주로 전신 스테로이드이며, 종종 다른 면역 억제제(소위 steroid-sparing agents), azathioprine이 함께 이용된다. 전신적인 스테로이드의 장기간 사용으로 인한 잠재적인 부작용은 심각하다. 따라서 환자는 면역억제 치료에 전문인 내과 의사에 의해 치료받아야 한다. 가장 흔한 접근 양식은 병을 조절하는데 가능한 낮은 양의 스테로이드가 유지되도록 하는 것이다. 종종 질환의 임상적인 활성도와 비정상적인 항체 수치가 관련이 있으므로, 간접적인 면역 형광법을 이용한 혈중의 자가면역 항체의 양을 측정함으로써 평가할 수 있다. 스테로이드가 개발되기 이전에는 환자의 60~80%가 주로 감염과 전해질 불균형으로 사망하였다. 현재 심상성 천포창의 사망율은 5~10%이며, 일반적으로 장기간의 전신적인 스테로이드 투여에 따른 합병증이 주된 원인이다.

천포창과 유천포창의 치은 수포는 빠르게 파열되어 박리성 치은염을 초래한다. 수포성 표피박리증이나 다형 홍반(erythema multiforme)도 수포로 나타나지만 궤양이 더 일반적이다. 이러한 질환에서 보이는 수포는 비교적 드물고, 대수포(blister)의 형태로 많이 나타나서 쉽게 파열되어 궤양을 초래한다. 대상포진, 수족구병(Hand-Foot and mouth disease), 수두(chickenpox, varicella)와 같은 바이러스감염성 질환은 흔히 볼 수 있는 구강점막의 수포성 병소이다(그림 4-15). 또한 입술의 수포는 대개 재발성 단순포진 바이러스감염증이다(그림 4-16). 면역기능이 저하된 환자에서 확산된 단순포진 바이러스감염은 입술과 얼굴, 구강조직을 침범할 수 있다(증례 10, 그림 4-17).

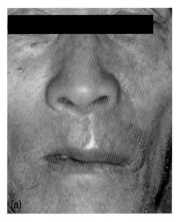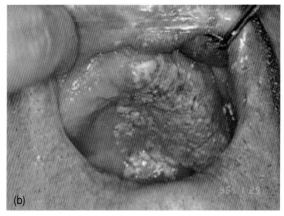

●●● 그림 4-15
(a) 대상포진(Herpes zoster). 삼차신경 상악분지를 침범하여 좌측 얼굴 부위에 수포와 발적이 관찰된다.
(b) 좌측 구개에 국한하여 편측으로 수포가 보이며 수포의 파열로 궤양이 형성되어 있다.

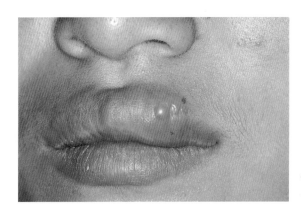

●●● 그림 4-16. 구순포진(Herpes labialis)
상순이 전반적으로 부어 있고 수포 형성을 보인다.

증례 10 | 13세, 남자

주소
약 3일 전부터 잇몸과 입천장이 헐고 아프다.

구강소견
우측 연구개와 경구개, 맹출 중인 좌측 제 2소구치 및 인접한 치은을 포함하여 커다란 궤양을 형성하고 작은 수포들이 산재해 있다. 궤양은 삼출성 위막으로 덮여 있고, 궤양주위 점막과 치간유두도 심하게 붓고 발적하여 쉽게 출혈되는 양상을 보인다(그림 4-17). 입술에도 소수의 수포와 궤양이 있고 출혈성 가피가 존재한다. 양측 악하 림프절 증대와 고열(38.5℃)이 동반된다.

치료 및 경과
원발성 포진성 치은구내염으로 진단하여 항생제, 해열진통제를 투여하고 acyclovir 200mg 정을 1일 5회 5일간 투여한 후, kaopectate와 diphenhydramine HCL(Benadryl)을 혼합한 양치용액을 조제하여 1일 5회씩 구강세척 및 함수를 시행하였다.

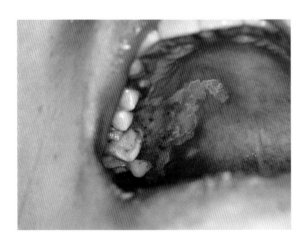

●●● 그림 4-17
포진성 치은구내염(Herpetic gingivostomatitis)
우측 연구개와 경구개, 좌측 제 2소구치 및 인접한 치은을 포함하여 커다란 궤양을 형성하고 작은 수포들이 산재해 있다. 궤양은 삼출성 위막으로 덮여 있고, 궤양주위 점막과 치간유두도 심하게 붓고 발적되어, 쉽게 출혈되는 양상을 보인다.

✚ 문제점 검토

원발성 포진성 치은구내염은 HSV-1(Herpes Simplex Virus-1)의 전신적 바이러스감염으로 감염된 부위와 바이러스 복제 정도에 따라 임상증상이 나타난다. 이는 치은구내염, 인두염, 호흡기, 눈, 피부, 성기 또는 신경계 질환을 초래한다. 대부분의 예들은 준 임상적(subclinical)이거나 또는 미약하며 단지 감기와 같은 증상이 나타나서 종종 인식되지 못하는 경우가 많다. HSV-1은 구인두, 코, 눈과 피부의 상피를 통해 침범하며, 구강이 원발성 감염의 가장 흔한 부위이다. 3~12일간의 잠복기 동안, 바이러스가 복제되며 환자는 열, 오한, 두통, 권태감, 인후통, 림프절 증대를 호소하기 시작한다. 증상이 발생한 1~2일 후, 변연치은과 치간유두는 특징적으로 붓고, 발적되며 압통이 나타난다. 가벼운 외상에도 잇몸 출혈이 되는데, 이는 모세혈관이 취약해지고 투과성이 증가하기 때문이다. 수포들로 이루어진 작은 군집들이 구강전체에 곧 발진한다. 수포들은 빠르게 파열되어 황색 궤양을 형성하는데, 궤양은 홍륜(red halo)으로 둘러싸인다. 인접 병소들과 합쳐져서 협점막, 잇몸, 구개, 혀와 입술에 커다란 점막궤양을 형성한다. 궤양은 구강 주위 피부로까지 확산될 수 있고 입술에는 출혈성 가피를 형성한다. 통증이 심하고 저작과 연하장애를 일으킬 수 있다. 연하장애, 탈수와 고열의 합병증이 있으나 여러 장기의 침범은 드물다. 수포 발진 후 평균 12일 동안 바이러스의 발산은 지속되며, 치유는 10~20일 지나 천천히 일어난다.

(2) 자반(purpura)

구강내 자반은 대개 혈소판 감소증(thrombocytopenia)에 의한 출혈성 질환의 대표적 증후이며 (그림 4-18), 또한 감염성 단핵구증이나 풍진, 에이즈에서 볼 수 있다. 점상출혈(petechiae)은 백혈병, 유전분증이나 괴혈병(scurvy)에서 나타날 수 있다. 입술에 나타나는 출혈성 가피(blood-stained crust)는 다형 홍반(erythema multiforme)의 특징이다.

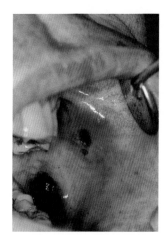

●●● 그림 4-18
특발성 혈소판감소성 자반증(Idiopathic thrombocytopenic purpura)
좌측 협점막에 자반과 혈종(hematoma)의 형성을 볼 수 있다.

(3) 착색(pigmentation)

인종적 요소가 갈색 착색의 가장 중요한 원인이다. 그러나 애디슨병(그림 4-19a), 모반, 악성 흑색종 (증례 6, 그림 4-10), 신경섬유종증이나 알브라이트 증후군(Albright's syndrome)(그림 4-19b)과 같은 다른 원인들이 배제되어야 한다. 포이츠 예거 증후군(Peutz-Jegher's syndrome)은 소장의 용종증 (polyposis)을 동반한 구강주위 갈색 착색증과 연관되어 있다. 간질환에 의해 황달이 발생하는 경우 구강점막에도 황색의 착색이 나타날 수 있다.

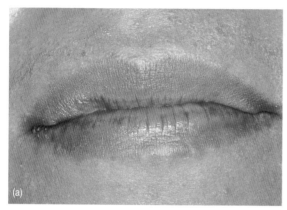
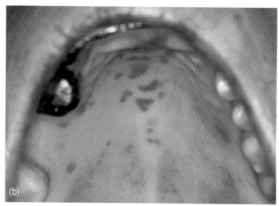

●●● **그림 4-19.** (a) 애디슨병(Addison's disease)과 (b) 알브라이트 증후군(Albright's syndrome)에서 입술과 구개점막에 다발성의 갈색 착색(café au lait 반점)을 볼 수 있다.

(4) 홍반(erythema, red areas)

모세혈관 확장증은 유전성 출혈성 모세혈관 확장증(hereditary hemorrhagic telangiectasia)이나 전신경화증에서 나타날 수 있고, 또한 방사선 치료에 따라 이차적으로 나타날 수 있다. 혈관종은 간혹 심부로 확산되며, 드물게 안면부 혈관종과 간질, 때로는 편측 뇌막을 침범하여 정신박약을 동반하는 스터지-웨버 증후군(Sturge-Weber syndrome)을 초래하기도 한다(그림 4-20).

국소적인 홍반은 홍반증, 편평세포암, 편평태선이나 홍반성 루프스에서 볼 수 있다. 카포시 육종은 적색, 자주색, 갈색 또는 푸르스름한 구진이나

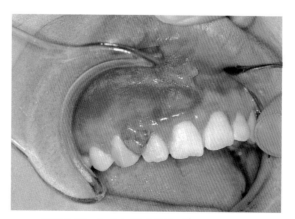

●●● **그림 4-20. 스터지-웨버 증후군(Sturge-Weber syndrome)** 우측 잇몸과 입술에 편측성으로 혈관 기형(vascular malformation)을 동반하는 적색 병소가 보인다.

결절로 나타날 수 있다. 철, 엽산이나 비타민 B$_{12}$의 결핍이나 성홍열(scarlet fever)에서 혀 유두 소실로 설염의 형태로 붉은 혀를 형성할 수 있다. 유주성 홍반(erythema migrans) 또한 홍반을 초래할 수 있다.

구강건조증은 캔디다증의 소인으로 관여하여 구강점막의 홍반을 초래하며, 방사선이나 항암치료에 의한 점막염은 적색의 작열감이 있는 점막 변화를 일으킨다.

(5) 궤양(ulcers)

구강궤양은 흔히 외상에 의해 일어나거나 재발성 아프타성 궤양(recurrent aphthous ulcer)이 흔히 보는 형태이다. 재발성 아프타성 궤양은 베체트 증후군에서 가장 주요한 특징이다(그림 4-21). 악성 신생물도 궤양으로 나타날 수 있다. 혈액, 위장관 및 피부의 특이 감염증이나 전신질환 또한 구강궤양을 형성한다(표 4-5).

(6) 구순구각염(angular cheilitis)

대부분 오래되거나 불량한 의치의 수직고경이 낮아져서 구각염 발생의 국소적인 요인으로 관여하지만, 구강의 다발성 캔디다증이 구각염에 흔히 관여한다(그림 4-22). 다른 예로, 흡수장애나 간혹 에이즈에 의한 혈액결핍(hematinic deficiency)에 의한 경우도 있다.

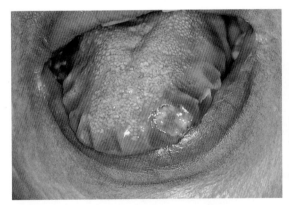

●●● 그림 4-21. 베체트 증후군(Behçet syndrome)
크기가 크고 불규칙한 대 아프타상 궤양(major aphthous ulcer)이 혀 앞부분에 발생하였다.

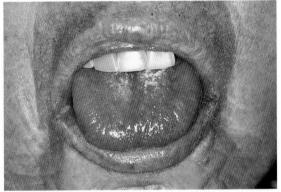

●●● 그림 4-22. 구순구각염(Angular cheilitis)
양측 구각부가 갈라져 있고, 구강 내에 캔디다증을 동반하고 있다.

(7) 백반(white patches)

아구창(thrush)은 위막성 캔디다증(pseudomembranous candidiasis)으로 '병자의 병(disease of the diseased)'으로 백반을 형성한다. 특히, 고위험 집단에서 중요한 원인은 HIV 감염, 당뇨, 항암치료나 장기간 항생제나 스테로이드 사용이다. 백색으로 보이는 병소는 흡연이나 매독, 또는 만성 신부전(그림 4-23a)과 연관되어 있을 수 있다. 모상 백반증(hairy leukoplakia)은 에이즈의 특징이다. 편평태선과 홍반성 루프스도 백색병소로 나타날 수 있다(표 4-6). 편평태선과 유사한 병변(lichenoid lesion)은 드물게는 간질환이나 숙주 대 이식질환과 동반되기도 한다(그림 4-23b).

표 4-6. 구강점막 백색병소의 주요 원인

1. 국소 요인

• 마찰성 과각화증	• 편평세포암종
• 흡연성 과각화증(니코틴성 구내염)	• 화상
• 특발성 과각화증(백반증)	• 피부이식

2. 전신 요인

• 백색 해면상 모반	• 모상 백반증(AIDS)
• 캔디다증	• 매독성 각화증
• 편평태선	• 만성 신부전(요독성 구내염)
• 홍반성 루프스	

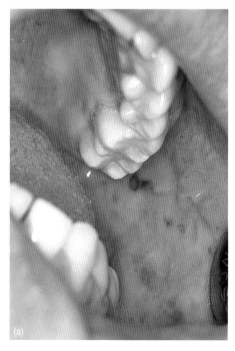

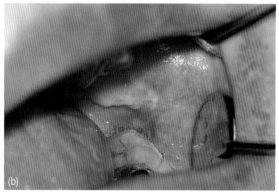

●●● 그림 4-23

(a) 요독성 구내염(Uremic stomatitis). 당뇨 합병증으로 발생한 신부전 환자에서 좌측 협점막에 거친 표면을 가지고 있는 백색반점(white plaque)이 관찰된다. 신부전으로 인해 점막궤양과 출혈이 동반되어 나타난다. (b) 숙주 대 이식질환(Graft-versus-host disease) 백혈병으로 골수이식 후에 협점막에 발생한 숙주 대 이식질환. 미세한 망상형의 흰 줄무늬가 특징으로 구강 편평태선(oral lichen planus)과 비슷하다. 구강건조증도 동반하고 있다.

(8) 입술이나 얼굴의 부종(swelling of lip and face)

외상이나 치성 감염과 연관된 염증성 부종으로 대개 발생한다. 그러나 선천적인 알레르기나 보체 경로의 이상에 의한 맥관신경성 부종(angioneurotic edema)(그림 4-24), Melkerson–Rosenthal 증후군 또는 유육종증이나 크론병에서도 나타날 수 있다(표 4-7).

표 4-7. 안면부종의 원인	
1. 염증성	
• 구강 및 피부 감염증	• Melkerson–Rosenthal 증후군
• 크론 병	• 유육종증
2. 외상성	
• 부종이나 출혈	• 피하기종
3. 면역매개성	
• 맥관신경성 부종	
4. 내분비 및 대사성	
• 전신 스테로이드 치료 및 쿠싱 증후군	• 말단비대증
• 크레틴 병	• 신 증후군(Nephrotic syndrome)
5. 상대정맥 증후군(Superior vena cava syndrome)	
• 기관지 암종의 상대정맥 폐쇄	
6. 낭(종) 및 종양	
7. 이물질	

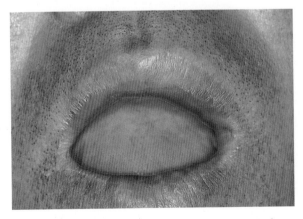

●●● **그림 4-24. 맥관 신경성 부종(Angioneurotic edema)**
상순의 갑작스러운 부종상을 보인다. 촉진시 통증은 없다.

혀의 부종은 외상, 염증이나 알레르기에 의해 일어난다. 만성적으로 혀가 커져있는 경우(거대혀)는 다운증후군, 크레틴 병(cretinism), 점액다당류증(mucopolyssacharidosis), Beckwith–Wiedemann 증후군, 말단 비대증(acromegaly), 신경섬유종증(neurofibromatosis), 유전분증(amyloidosis) (증례 11, 그림 4-25) 에서 볼 수 있다(표 4-8).

증례 11 ┃ 57세, 남자

주소
혀가 화끈거리고 잘 허는 것을 주소로 내원하였다.

병력
환자는 5개월 전부터 상기 증상이 나타나 이비인후과 의원을 내원하여 설염으로 진단받고, 구강세정 및 양치용액으로 치료를 받았으나 호전되지 않았으며, 조직 검사를 권유받았으나 거부하였다.

구강소견

혀가 전반적으로 커져 있고 좌측 측면에 0.7×1.0cm의 박리성 백색궤양이 관찰되었다. 혀의 전 배면(ventral side)에 걸쳐 다발성의 과립상(granular lesion)의 병소가 보이며, 우측 협점막에도 박리성 백색병소가 관찰되었다(그림 4-25).

표 4-8. 거대혀(macroglossia)의 원인

1. 선천 또는 유전성

• 혈관기형	• Beckwith–Wiedemann 증후군
• 혈관종이나 림프관종	• 다운증후군
• 반안면 비대증	• 점액다당류증(mucopolyssacharidosis)
• 크레틴 병	• 신경섬유종증

2. 후천성

• 무치악 환자	• 말단 비대증
• 유전분증	• 맥관 신경성 부종
• 점액수종	• 혀의 종양

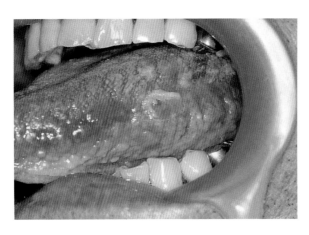

●●● 그림 4-25. 유전분증(Amyloidosis)
유전분(amyloid)의 미만성 침착으로 혀가 결절
상(nodular)으로 증대되어 전체적으로 커져 있
고 미란(erosion)이 동반되어 보인다.

치료 및 경과

병리검사 결과, 유전분증(amyloidosis)으로 진단되었다. 이 질환의 원인으로 다발성 골수종
에 의한 것으로 생각하여 추후 검사를 시행할 예정이었으나 환자가 거부하여, 유전분증의 원인은 확인
하지 못했다.

문제점 검토

유전분증은 아밀로이드가 조직내에 침착하는 질환으로 그 원인은 매우 다양하다. 일단 환자
가 유전분증으로 진단되면 아밀로이드의 유형을 평가하여야 한다. 가장 흔한 유형이 바로 다발성 골수
종(multiple myeloma)에 의해 형성되는 아밀로이드이기 때문에, 혈청 면역침전법(serum immnuo-
electrophoresis)으로 아밀로이드가 단클론성(monoclonal)인지 확인할 필요가 있다. 기타 전신질환과
관계가 있는 유전분증은 혈액 투석환자나 유전성으로 침착하는 경우이다.

4) 타액선에 나타나는 전신질환의 증상

(1) 구강건조증(xerostomia, dry mouth)

구강건조증의 증상은 항상 객관적인 증거가 없이 대개 심리적인 면이 많다. 항콜린성이나 교감유
사 활동을 가진 약물들은 구강건조증의 가장 흔한 원인이다(표 4-9). 삼환 항우울제, phenothi-
azines, 리튬이 가장 일반적으로 알려져 있다(그림 4-26a).
쇼그렌증후군과 유육종증이 이 증상과 연관된 가장 일반적인 전신질환이다. 심한 탈수 및 타액선
의 방사선 조사, 그리고 드물게는 숙주 대 이식질환이 구강건조증을 초래할 수 있다(그림 4-26b).

표 4-9. 구강건조증의 원인	
1. 항콜린성 약물	
• Atropine과 그 유사체	• 항구토제
• 삼환 항우울제	• Phenothiazine
• 항히스타민제	• 항고혈압제
2. 교감신경 작용 약물	
• Ephedrine	• 기관지 확장제
• Decongestants	• 식욕 감퇴제
3. 탈수	
• 당뇨병	• 심한 출혈
• 설사와 구토	
4. 타액선 기질성 질환	
• 쇼그렌증후군	• 유육종증
• 방사선 조사	• 숙주 대 이식질환
• 볼거리 및 감염증	
5. 심인성	
• 불안상태	• 우울증

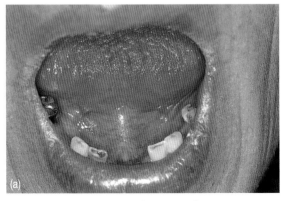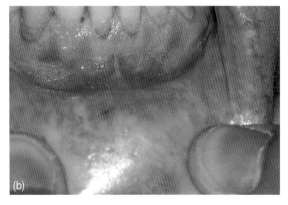

●●● 그림 4-26. 구강건조증(Xerostomia)

(a) 정신질환으로 항우울제 투여 후에 발생한 구강건조증으로 입술과 구강점막이 말라 있다. (b) 숙주 대 이식질환 환자의 대부분은 면역반응으로 타액선 조직이 파괴되므로, 구강건조증이 흔히 동반된다.

(2) 타액선 종창(salivary gland swelling)

유행성 이하선염(mumps)이 특히 어린이에게 있어서 타액선 종창의 가장 흔한 원인이다. 도관 폐쇄, 쇼그렌증후군, 유육종증, 타액선증(sialoadenosis, sialosis)은 대개 성인에서 흔하다(표 4-10). 예를 들어 타액선증은 당뇨나 알코올성 간경화의 특징이다.

표 4-10. 타액선 종창의 원인		
	국소 요인	전신 요인
염증성	타액선염	• 볼거리 • 쇼그렌증후군 • 유육종증 • 방선균증 • HIV 감염
종양	–	• 타액선증(sialosis) • Mikulicz 병
기타	도관 폐쇄	• 클로르헥시딘 • Phenylbutazone • Iodine 복합제 • Thiouracil • Catecholamines • Sulphonamides • Phenothiazines • Methyldopa

(3) 유연(sialorrhea, 침 흘림)

통증이 심한 구강병변, 새로운 틀니를 장착한 것과 같이 이물질이 있는 경우, anticholinesterase와 같은 콜린성 약물, buprenorphine과 meptazinol 같은 진통제가 유연을 일으킬 수 있다.

타액의 유연(drooling)은 정상 신생아, 치아 맹출, 신경근육계의 부적절한 조화(정신 지체자들, 파킨슨병, 얼굴 마비)와 드물게 광견병(rabies) 등의 다양한 질병을 가진 인두 장애를 가진 이들에게 있어 발생한다.

5) 악골과 턱관절에 나타나는 전신질환의 증상

(1) 종창(swelling)

악골의 후천적 종창은 대개 낭, 신생물이나 섬유-골성 병소들에 의한다. 말단 비대증(acromegaly)에서 하악골은 전돌된다(그림 4-27).

(2) 악골 통증

감염, 골절, 낭 또는 신생물이 악골 통증의 흔한 원인이지만, 간혹 통증은 신경질환(3차 신경통), 심인성 질환(비정형 안면통), 혈관질환(겸상세포 빈혈에서와 같은 골경색), Vinca alkaloids와 같은 약물 또는 연관통(협심증)이 있다.

(3) 악골 방사선 투과상 병소

① 낭성 병변

악골 낭의 대부분은 실활치의 근단부에 발생하는 치근단 낭이다. 함치성 낭은 맹출되지 않은 치아와 연관되어 있다. 재발률이 높고 보다 공격적인 것으로 법랑모세포종(ameloblastoma)과 치성각화낭(odontogenic keratocyst)이 있다(그림 4-28). 치성 각화낭은 기저세포 모반, 양안 격리증(Hypertelorism), 석회화 대뇌겸(calcified falx cerebri), 그리고 골격 이상이 동반될 수 있다.

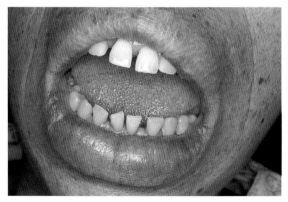

●●● **그림 4-27. 말단 비대증(Acromegaly)**
하악골의 증식으로 하악전돌 및 치간이개를 보이며 혀의 비대를 동반하고 있다.

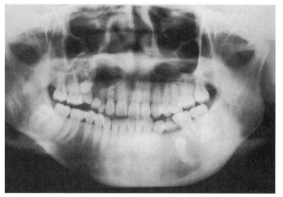

●●● **그림 4-28. 다발성 치성 각화낭**
파노라마 방사선 사진상에 상하악골내 다발성 치성 각화낭종이 보인다.

② 비낭성 병변

부갑상선 기능항진증에서 잘 관찰되는 갈색종(brown tumor)은 드물지만, 치조백선(lamina dura)의 소실과 골 소주의 소실이 전형적이다(그림 4-29, 30, 증례 12). 섬유성 이형성증(Fibrous dysplasia)과 파젯병은 골 용해기(osteolytic phase)에서 방사선 투과상을 보일 수 있다. 염증성 질환들, 특히 골수염(osteomyelitis)은 주로 하악에서 방사선 투과상 병변을 보일 수 있다. 이러한 환자의 일부는 알코올 중독증이나 면역결핍 때문에 감소된 숙주 저항을 보인다.

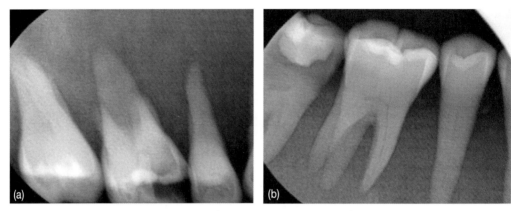

●●● 그림 4-29. 원발성 부갑상선 기능항진증(Primary hyperparathyroidism)
부갑상선 종양에 의해 과량의 부갑상선 호르몬(parathyroid hormone, PTH)이 유리되고, 이로 인한 골소주의 소실로 간유리(ground glass) 모양처럼 보이며, 치조백선(lamina dura)의 소실이 뚜렷하다.

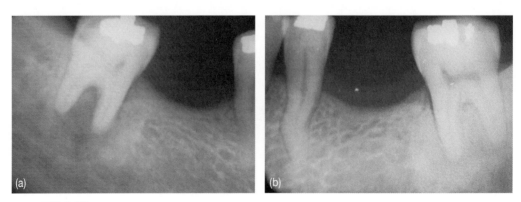

●●● 그림 4-30
(a) 신장성 골이영양증, 이차성 부갑상선 기능항진증(Renal osteodystrophy, secondary hyperparathyroidism). 하악 제 2대구치 치근단 방사선 투과상과 치조백선의 소실이 관찰된다. (b) 신장이식 후에 제 2대구치 치근분지부(furcation) 및 치근단 방사선 투과상이 회복된 소견이 보인다.

증례 12 ┃ 43세, 여자

주소

1년 전부터 하악 좌측 제 1대구치 저작시 통증

병력

만성 신부전으로 신장이식수술을 위하여 입원하여 항생제 및 Hivinal, $NaHCO_3$, $CaCO_3$ 투여 중이다.

구강소견

하악 좌측 제 1대구치에 심한 치아우식증이 있었고, 상악 우측 측절치와 제 1소구치에 도재금관 계속 가공의치 상태였으며, 상악 우측 견치 및 하악 제 1대구치는 결손되어 있었다. 하악 우측 제 2대구치와 하악 좌측 제 2대구치에는 아말감 충전이 되어 있었다. 타진검사에서 하악 우측 측절치, 좌측 제 1대구치 및 상악 우측 측절치가 양성이었고, 하악 좌측 중절치가 미약한 동요도를 나타내었다. 하악 좌측 제 1대구치를 제외한 전 치아는 생활력이 있었다.

방사선 소견

전반적인 수평 골흡수가 관찰되며, 상악 좌, 우측 측절치, 하악 제 2대구치 및 하악 좌측 중, 측절치와 제 1대구치의 치근단에 방사선 투과상 병소가 관찰되었다. 또한 하악 우측 제 2대구치의 치근단에는 정상 골과의 경계가 불분명하게 방사선 불투과상이 증가된 소견을 관찰할 수 있었다(그림 4-30a).

치료 및 경과

항생제 투여 후 스케일링 및 잇솔질 교육을 받았고, 국소마취 하에 하악 좌측 제 1대구치의 치수제거를 시행 받았다. 환자는 이후 우측 신장이식수술을 시행받은 후 구강검사에서 하악 좌측 제 1대구치에 아말감이 충전되어 있는 상태로 타진에 양성을 보인 반면, 나머지의 치아는 동요도 및 타진검사에 모두 음성이었다. 구강방사선 사진에서 상악 우측 측절치 치근단 병소가 소실되었으며, 상악 좌측 측절치, 하악 좌측 제 2대구치 및 하악 좌측 중, 측절치와 제 1대구치 치근단의 방사선 투과상 병소의 크기가 줄어든 것을 관찰할 수 있었고, 우측 제 2대구치의 분지부와 치근단의 방사선 투과상이 소실되면서 방사선 불투과상이 증가된 양상을 보였다(그림 4-30b).

🏥 문제점 검토

이 증례에서 우리가 배울 점은 치근단 방사선 투과상이 반드시 치근단 염증 때문만이 아니라, 이차성 부갑상선 기능항진증(secondary hyperparathyroidism)인 신장성 골이영양증(renal osteodystrophy)으로도 올 수 있다는 점이다. 또한 치근단의 방사선 투과상 병소가 신장이식 후에 점차 감소하고 있다는 점도 있다. 치근단 병소가 있다고 섣불리 치수치료를 시행하는 것은 피해야 하며, 의심되는 병소에 대한 전체적인 방사선 촬영이 필요하다.

구강의 악성종양, 주로 편평세포암종은 악골 침범이 흔하고, 또한 랑거한스 조직구증(Langerhans cell histiocytosis), 다발성 골수종(multiple myeloma)(그림 4-31), 백혈병 또는 전이성 암종(유방, 기관지, 위의 악성종양의 악골 전이)이 있을 수 있다.

전신경화증을 가진 일부 환자들에서 방사선사진 상에서 눈에 띄게 넓어진 치주인대강을 보인다.

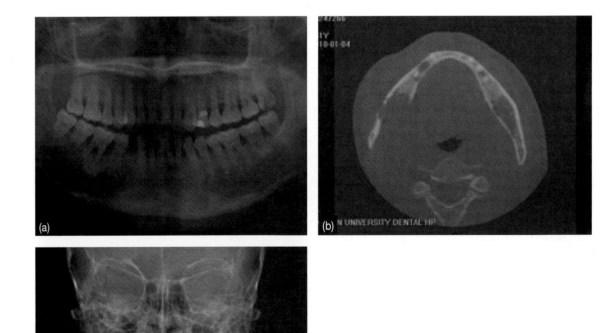

●●● **그림 4-31. 다발성 골수종(Multiple myeloma)**
(a) 파노라마 영상 사진에 하악체부에 양측성으로 불규칙한 방사선 투과상의 골파괴 병소가 관찰된다.

(4) 악골의 방사선 불투과상 병소

악골의 방사선 불투과상은 주로 치아 경조직, 이물질 침착처럼 전신질환과 연관되지 않은 경우에서 흔하다. 골종(osteoma)은 대개 단독으로 보이나, 유건종(desmoid tumors)과 대장 용종(polyp)을 가진 가드너 증후군(Gardner's syndrome)의 증상일 수 있다. 골화석증(osteopetrosis)(그림 4-32a), 섬유성 이형성증(그림 4-32b)과 파젯병도 방사선 불투과상의 원인이 될 수 있으며, 전립선이나 유방암과 같은 일부의 전이성 암종은 골 형성 능력이 있어 방사선 불투과상의 원인이 된다.

(5) 측두하악관절

전신질환이 턱관절 증상으로 나타나는 경우는 매우 드물다. 턱관절 통증의 가장 일반적인 원인은 하악 통증-기능장애 증후군이다. 그러나 유년형 류머티스 관절염(juvenile rheumatoid arthritis)이 턱관절을 침범할 수 있고, 강직(ankylosis)을 초래할 수 있다. 이와는 대조적으로 성인형은 무증상의 방사선 변화를 일으킨다. 간혹, 장기간 지속된 스테로이드 치료로 인해 관절에서 무균성 괴사(aseptic necrosis)를 일으킬 수 있다. 턱관절에 영향을 끼치는 감염성 관절염은 드물다.

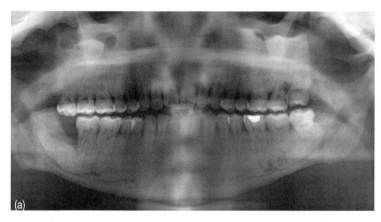

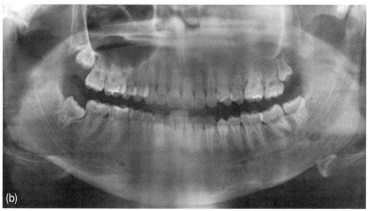

●●● 그림 4-32

(a) 골화석증(Osteopetrosis). 상하악골 전체가 방사선 불투과상이 증가된 소견을 볼 수 있다. 이런 경우 악골 골절이 쉽고, 발치 후 골수염이 발생할 가능성이 많다.

(b) 섬유성 이형성증(Fibrous dysplasia). 파노라마 영상사진에 우측 상악골에 경계가 불분명한 방사선 불투과상이 보인다. 병소는 우측 비강, 상악동, 안와 하연 및 관골까지 연장되어 있다. 이런 유형을 두개안면형 섬유성 이형성증(craniofacial fibrous dysplasia)라 한다.

6) 전신질환 증상으로서의 구강악안면 감각과 운동 변화

(1) 구강작열감 증후군(burning mouth, oral dysaesthesia)

구강점막이 타는 듯한 작열감 증상, 특히 혀에 나타나는 작열감이 가장 흔하다. 대부분의 환자들은 중년 이상의 여성들이 많다. 구강점막은 대개는 정상으로 보인다(그림 4-33). 그러나, 간혹 지도설(geographic tongue), 캔디다증, 편평태선 또는 빈혈에서 나타나는 설염처럼 명백한 질병과 연관되는 경우도 있다. 그러므로 영양결핍 상태(비타민 B_{12}, 엽산, 또는 철)나 의치와 연관된 문제들 또는 당뇨와 같은 원인들을 배제해야 한다. 그러나 많은 환자들은 불안감, 흥분상태, 우울증 또는 암 공포증(cancerophobia)의 결과로서 이러한 증상을 보이는 경우가 많다(표 4-11).

표 4-11. 구강작열감 증후군의 원인	
1. 국소 요인	2. 전신요인
• 캔디다증 • 지도설 • 편평태선 • 기 타	• 약물(captopril) • 심인성 : 암공포증, 우울증, 불안상태 • 영양결핍 상태 : 악성빈혈, 엽산결핍, 철 결핍 • 당뇨병

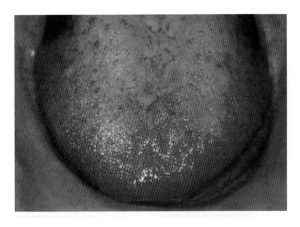

●●● 그림 4-33
구강작열감 증후군(Burning mouth syndrome). 환자의 혀에 특이한 병변은 관찰되지 않는다.

(2) 불쾌한 맛과 구취(cacogeusia and halitosis)

구강 내의 불쾌한 맛(미각 이상)과 구취는 대개 불량한 구강위생과 구강 또는 비강의 감염, 구강건조증, 약물 또는 정신적인 질환의 결과이다. 그러나 화농성 기도 감염, 간 또는 신부전, 당뇨병성 케토시스(ketosis), 그리고 위장관 질환과 같은 다양한 전신질환에서 나타날 수 있다.

(3) 맛감각의 상실(loss of taste)

무후각증(anosmia)은 일반적으로 맛감각의 상실을 보인다. 설 신경 손상, 구강건조증, penicillamine과 같은 약물, 정신질환 그리고 고삭신경(chorda tympani)을 침범하는 병변이나 전이성 종양과 같은 신경질환에서 맛감각이 소실된다.

(4) 통증(pain)

거의 모든 구강내 및 치아의 통증은 국소적인 원인에 기인한다. 즉, 치아우식, 외상, 감염의 결과이다. 또한 구강내 통증, 특히 의원성의 3차 신경통은 신경성 기원일 수 있으며, 편두통(migraine)이나 거대세포 동맥염(giant cell arteritis)과 같이 혈관 기원일 수 있고, 심인성, 특히 비정형 안면 통증, 그리고 드물게는 협심증에 의한 전이통이 있을 수 있다.

(5) 감각장애(sensory disturbances)

구강 감각장애는 일반적으로 매복치 발치, 악골 골절 또는 악교정 수술 후에 설 신경이나 하치조 신경의 손상으로 일어난다. 그러나 말초 또는 중심성 신경병에 기인할 수도 있다. 골수염, 백혈병, 전이성 종양, 비인두 암종이나 익돌하악 간극(pterygomandibular space)을 침범하는 악성종양 모두 하순 감각마비를 일으킬 수 있다(그림 4-34a). 상악동에 발생하는 악성종양은 3차신경의 상악 분지를 침범하여 감각장애를 초래할 수 있다(그림 4-34b).

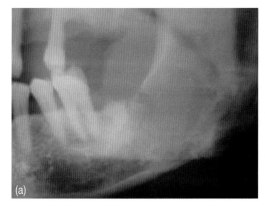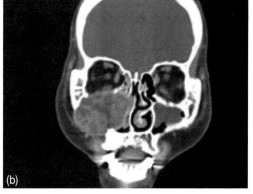

●●● **그림 4-34.** (a) 전이성 간세포암종(Metastatic hepatocellular carcinoma). 하악 구치 통증 및 감각마비를 주소로 내원한 환자로 좌측 하악체 및 우각부에 불규칙한 경계를 보이는 방사선 투과상 병소로 하악 피질골을 파괴시키면서 연조직의 증식을 동반하고 있다. 병소로 인해 하악 및 하순에 감각마비를 동반하였다. (b) 틀니가 맞지 않아 통증을 호소한 환자로 상악동에 발생한 선양낭성암종(Adenoid cystic carcinoma)으로 인해 상순 및 얼굴부위 통증과 감각마비가 동반하여 나타난 증례이다.

또한 두개내의 종양, 전신경화증, 유육종증, 파젯병과 같은 질환은 어떤 경우에 감각의 장애를 일으킬 수 있다. 간혹 결합조직 질환과 연관되어 있는 일부 환자는 3차 신경통성 병변을 가지고 있을 수 있다. 또한 감각장애는 과호흡(hyperventilation), 히스테리, 또는 다른 정신성의 원인들 때문에 일어날 수도 있다.

(6) 안면마비(facial palsy)

상 운동신경 안면마비는 대개 뇌졸중(stroke)의 결과로 나타난다. 하 운동신경 안면마비는 Bell's palsy처럼 대개 의원성이다. 그러나 간혹 HIV 및 기타 감염, 중이나 이하선의 질환 또는 외상, 대사성 문제 등도 원인이 될 수 있다. 이하선과 악하선 부위의 수술은 안면신경 분지의 손상을 초래할 위험을 동반한다. .

참고문헌

1. 대한구강악안면병리학회 : 구강악안면병리학. 군자출판사, 2001.

2. 연세대학교 치과대학 : 임상구강병리토론집, 이론과 실제 응용, 제 8집. 청양문화사, 2001. p.39.

3. 윤정훈, 육종인, 김진 : 구강점막 질환 - 원인, 분류, 증상, 징후, 진단 및 치료. 대한치과의사협회지, 1999; 37(8): 585-594.

4. 육종인, 윤정훈, 김진 : 구강점막의 백색 및 착색병소. 대한치과의사협회지, 1999; 37(8): 566-572.

5. 권혁찬, 윤정훈, 육종인, 전용찬, 김형준, 차인호, 김진 : 구강악안면부에 발생한 모균증. 대한구강악안면병리학회지, 2000; 24(2): 189-200.

6. 김형준, 김병용, 차인호, 박형식, 윤중호, 김진 : 대상포진 환자에서 발생된 상악골 골괴사. 대한악안면성형재건외과학회지, 1994; 16(4): 515-559.

7. 장항길, 이상호, 이난영 : 외배엽 이형성증 환자의 치험례. 대한소아치과학회지, 2009; 36(4): 631-639.

8. Jones JH, Mason DK : Oral manifestations of systemic disease. WB Saunders, 1980.

9. Neville BW, Damm D, Allen CM, Bouquot JE : Oral and maxillofacial pathology, 3rd ed. WB Saunders, 2009.

10. Scully C : The mouth and perioral tissues. Heinmann Medical Books, 1989. p.381-402.

PART 3

흔한 전신질환자의 치과진료

Chapter 05

당뇨가 있는데,
치과치료에 무슨 문제가 있나요

| 유재하 |

01 문제 제기

Dental Treatment for Medically Compromised Patients

국민들의 식생활 변화와 스트레스 증가 등으로 인해 당뇨병 환자가 크게 증가되고 있다. 따라서 치과에서도 당뇨병 환자를 접할 기회가 많아지고 있다. 하지만, 치과의원에서는 당뇨병 환자의 치과진료 과정에서 발생할 수 있는 전신적 합병증, 국소마취 시의 문제점, 창상치유 불량 등을 우려하여 치료 자체를 기피하는 사례가 적지 않으며, 대학병원 치과 등으로 환자를 전원하는 경우가 생기게 된다. 그러나 대학병원 치과라 하더라도 수많은 당뇨 환자를 감당하기 어렵기 때문에 또 다시 진료가 지연되거나 어렵게 되기도 한다. 따라서 당뇨병을 가진 치과 환자들은 내분비 내과에서 항생제나 소염진통제 등을 처방 받거나, 본인이 직접 약국에서 약을 구입해서 복용하는 일도 드물지 않게 일어난다.

당뇨병을 가진 치과환자의 관리는 치과의원에서 이루어지는 것이 바람직하다. 대부분의 당뇨병은 완치가 어렵고 치과치료의 수요도 많을 뿐 아니라, 치과진료 후에도 재발 경향이 높기 때문에 지속적인 관리를 요한다. 따라서 내원이 편리하고 정기적인 관리가 가능한 인근의 치과의원이 당뇨환자의 치과치료에 더 좋은 여건을 가진 면도 있기에 이를 정리한다.

02 기본적 이해

당뇨병은 만성적인 고혈당(공복 혈당 140mg/dL 이상) 상태에 의한 대사 장애로서, 인슐린(insulin) 분비가 부족하거나 표적세포(target cell)에서 인슐린의 작용이 감소하기 때문에 발생한다. 인슐린은 간(liver)과 조직으로 혈중 포도당을 이동시켜 에너지원으로 사용 또는 저장하게 하는데, 인슐린이 생산되지 못하면 혈중 포도당이 혈액 속에 그대로 남아 당뇨병이 발생된다.

당뇨병의 정도는 혈당검사(blood sugar)나 소변검사(urinalysis에서 glucose) 등으로 정량화 된다(그림 5-1, 2).

혈당 검사결과지			
주민등록번호	병원번호 환자성명		
성별/ 진료과/ 병실	접수번호 접수일자		
상병분류	의사코드 의사명		
검사명	참고범위	결과치	단위
Glucose, AC Glucose, PC2hr	70-110	110 189	mg/dL mg/dL
검체명			
검체채취시간			
보고일자			
보고자			
○ ○ ○ 병원	임상병리과		

●●● 그림 5-1. 혈당검사 용지

뇨검사결과지		8E
주민등록번호	등록번호 환자성명	
성별/ 진료과/ 병실	접수번호 접수일자	
상병분류기호	의사코드 의사명	

검사명	참고범위	결과치	단위
Routine urinalysis			
Color			
Specific Gravity		1,030	
pH		5.0	
Nitrite		—	
Prctein		— neg	mg/dL
Glucose		3+ 1000	mg/dL
Ketone		—	
Urobilinogen		—	mg/dL
Bilirubin		—	
WBC		—	
RBC		—	
Microscopic examination		W. N. L	
RBC			/HPF
WBC			/HPF
Squamous cell			/HPF
Transitional cell			/HPF
Small round cell			/HPF
Granular cast			/LPF
Hyaline cast			/LPF
Waxy cast			/LPF
RBC cast			/LPF
WBC cast			/LPF
Fatty cast			/LPF
Calcium oxalate			/LPF
Uric acid			/LPF
Amorphous phosphate /LPF			
Amorphous urate			/LPF
보고일자			
보고자			

○ ○ ○ 병원   임상병리과

●●● 그림 5-2. 소변검사 후 결과지

그러나 치과임상에서는 이같은 이학적 검사를 손쉽게 하기는 어렵기 때문에, 당뇨병의 전신증상과 합병증 및 구강소견에 대한 이해를 갖는 것이 더 중요하고 또 현실적이다(표 5-1~3). 또한, 관련 의학과(주로, 내분비 내과)와의 자문을 통하여 당뇨병의 정확한 평가와 가능한 치과진료의 범위를 확인하는 것이 중요하다.

표 5-1. 당뇨병의 전신증상	
• 다뇨(polyuria)	• 최근의 체중상실 또는 증가
• 다식(polyphagia)	• 오심과 구토
• 다음다갈(polydipsia)	• 의식 혼미
• 소양증(pruritis)	• 탈수
• 쇠약과 피로	• 창상치유 지연
• 두통	• 호흡 시 아세톤(acetone) 냄새

표 5-2. 당뇨병의 만성 전신적 합병증	
• 망막병(retinopathy)	• 말초신경병(neuropathy)
• 동맥경화성 질환	• 근육 소모(wasting)
• 신장기능 이상	

표 5-3. 당뇨병의 구강소견	
• 구강건조증	• 구강작열감(burning)
• 이하선 종창	• 미각의 변화
• 캔디다증	• 치아우식 이환율 증가
• 진행성 치주염	• 구강신경병(neuropathy)

| HbA₁c Levels and Blood Glucose Equivalents ||
HbA₁c Level(%)	Average Blood Glucose(mg/dL)
14	360
13	333
12	300
11	270
10	240
9	210
8	180
7	150
6	120
5	80

●●● **그림 5-3.** HbA₁c 검사지

혈액검사는 주로 식전 혈당수치, 식후 2시간 혈당수치를 평가한다. 그러나 이 결과는 금식여부, 식사 종류 등 당일의 상황에 따라 심한 변이를 보인다. 혈당조절이 잘 되고 있는지 평가할 수 있는 혈액검사로 HbA₁c 검사가 있다. 이것은 Glycosylated hemoglobin, 즉 hemoglobin이 glycosylation된 양을 평가하는 것으로서, 이 수치는 단기간이 아닌 약 2~3개월 간의 혈당조절을 평가할 수 있다. 보통 환자에 따라 목표로 하는 수치가 있지만 약 6.5~7.0을 목표로 하는 경우가 많다. HbA1C값과 통상의 혈당수치와의 연관성도 알려져 있다. 환자의 당 조절을 평가하는데 매우 유용한 HbA1C 값은 치과에서 환자의 술전평가에 매우 유용하게 사용될 수 있다(그림 5-3).

03

Dental Treatment
for Medically
Compromised Patients

치과 진료실에서 대처하기

1) 치과진료 시의 유의사항

당뇨병 환자의 치과진료는 혈당과 뇨당 정도에 따라서 신체상태(ASA) 등급을 분류하고, 치과진료의 유형(type)에 따라 적합한 진료를 시행하는 것이 일반적인 원칙이다(표 5-4, 5).

공복 혈당(fasting glucose)이 잘 조절되고 있는 당뇨환자는 짧은 시간 내에 치과치료를 마치되, 그 스트레스와 충격을 최소화할 수 있는 진료방침(short, atraumatic stress reduction protocol)에 따르는 것이 가장 중요하다. 치과진료 자체가 상당한 스트레스를 야기하여 혈당 변화를 초래할 수 있으므로, 치료를 전후하여 지속적인 식이 조절, 약물 복용, 자가 혈당조절을 시행해야 한다. 저혈당(hypoglycemia)을 방지하기 위해서 치료 당일의 아침식사는 반드시 먹어야 하고, 치료 시간은 생체 활성이 양호한 오전 10시경이 가장 적당하다.

표 5-4. 당뇨병 정도에 따른 신체상태 분류와 치과진료 원칙

위험도 등급	검사치	Type I	Type II	Type III	Type IV
경도 ASA II	≦ 200mg/dL	+	+	진정 사전 투약 식이/인슐린 조정	
중증도 ASA III	≦ 200mg/dL	+	+	진정, 사전투약 식이/인슐린 조정 내과의 자문	식이/인슐린 조정 내과의 자문 입원
고도 ASA IV	Uncontrolled ≧ 250mg/dL	+	모든 선택적 치과진료 과정을 연기		

주 1) ASA(II, III, IV) : 미국 마취과의사 협회(American Society of Anesthesiologist의 약자)에서 제정한 신체상태 등급으로, ASA II; Mild systemic disease, ASA III; Moderate systemic disease, ASA IV; Severe systemic disease를 지칭함.
주 2) Type I, II, III, IV : 치과진료의 유형(type)들을 지칭하는 것으로, 표 5-5에 치과치료의 유형별 내용들이 기재됨.

표 5-5. 치과진료의 등급별 유형들

Type I	검진, 방사선사진 촬영, 진단모형 인상채득, 구강위생교육, 치은연상 치면세마, 간단한 수복치료
Type II	치석제거, 치근활택술, 근관치료, 단순 발치, 소파술, 간단한 치은절제술, 복잡한 수복치료, 단순한 임플란트(치근형태의 근관매식체)
Type III	여러 치아의 발거, 치은절제술, 매복치 발치, 치근단절제술, 여러 개의 치근형 임플란트, 치조제 증대술, 편측 상악동 거상술, 편측성 골막하 임플란트
Type IV	전악 임플란트, 악교정 수술, 자가골 증대술, 양측성 상악동 거상술

중등도의 당뇨환자는 내분비 내과의 도움을 받아 치료 전날에 인슐린 용량(insulin dose)을 조절할 필요가 있으며, 치주수술이나 발치 등의 외과적 처치 시에는 술 후 감염방지를 위해 예방적 항생제 투여가 필요하다. 또, 구강건조증이 심한 환자는 알코올 성분이 포함된 양치용액보다는 식염수 양치가 더 도움이 된다.

2) 응급상황의 관리

조절이 잘 되고 있는 당뇨병 환자의 경우에도 일상생활에서 스트레스가 크게 증가되거나 인슐린의 과다 투여(insulin overdose), 식이조절의 불량, 과도한 운동 등으로 인해 저혈당(40mg/dL 이하) 상태가 되면 의식혼란, 기면(lethargy), 빈맥, 오심, 기아감, 신경과민(nervousness), 진전(tremor), 식은 땀 등의 저혈당 쇼크(hypoglycemic shock) 증상이 나타날 수 있다. 또한, 혈압과 체온 저하, 발작(seizure), 의식 상실이 뒤따라 발생할 수 있다. 이런 경우의 응급처치는 표 5-6과 같으므로, 이에 대비해야 한다.

한편, 식이(diet)와 인슐린 용량의 조절 불능, 스트레스 축적 등에 의해 혈당이 과도하게 상승(300~600mg/dL)되면, 호흡이 빨라지고, 입에서 아세톤(acetone) 냄새가 나며, 지각력이 상실되어 의식이 혼수상태(coma)에 빠질 우려가 있으므로, 이에 대한 적절한 대비도 있어야 한다(표 5-7).

그러나 실제 치과임상에서 환자의 지각력이 상실되고 의식이 나빠지면 그것이 저혈당 반응에 의한 것인지 고혈당 반응에 의한 것인지를 감별해 내기 어렵다. 이런 경우에는 우선 빠르게 진행되는 저혈당증의 해소를 위해 당분을 먼저 투여하는 것이 원칙이다. 당분의 투여(설탕 또는 사탕)는 우선 저혈당을 교정하지만, 서서히 진행되는 고혈당 반응을 더 악화시키지는 않기 때문이다.

표 5-6. 과도한 저혈당 반응(insulin shock)의 응급관리법
1. 중증의 저혈당증의 증상을 인지
2. Finger-stick 혈당 평가를 수행(선택 사항)
3. 경구로 탄수화물 투여
4. 2~5분 내에 회복되는 양상이 없으면, 다음 과정을 수행 • Intravenous dextrose(5% 농도로 50mL) 투여 • Glucagon 1mg, 근육주사 • Epinephrine(1 : 1000 농도, 0.5mg), 근육주사 • 세심한 전신상태 평가 및 종합병원 전원을 고려

표 5-7. 고혈당성 혼수(coma)의 응급관리법
1. 기도의 개방성(open airway) 유지
2. 필요 시 100% 산소 투여
3. Finger-stick 혈당 평가
4. 세심한 전신상태 평가 및 종합병원 전원을 고려
5. 인슐린 투여의 조절

3) 치과진료 시의 응급상황 예방법

앞서 언급한 대로, 우선 내과와의 협진을 통해서 환자의 당뇨병 유형, 식이조절의 정도, 약물 투여, 인슐린 용량 등을 확인할 필요가 있다. 따라서 조절이 잘되고 있는지 아닌지를 알기 위해 식전 공복 혈당(fasting blood glucose)과 식후 2시간 후 혈당(pc 2 hours glucose) 및 뇨당(urine glucose)을 임상병리과의 도움을 얻어 측정하는 것이 도움이 된다.

또한, 혈당치를 저하시키는 약물들을 숙지하여 약제 처방 및 사용에 주의를 기울여야 한다(표 5-8). 아울러, 혈당치를 상승시키는 상황(불안, 공포 등의 스트레스)이 유발되지 않도록 스트레스 감소법(stress reduction protocol)에 유의하고, 치과진료 과정에서 지속적으로 전신증상과 구강소견의 관찰 및 합병증 관리에 만전을 기하는 것이 가장 중요한 예방책이다.

표 5-8. 혈당치를 저하시키는 약제들	
1. Potentiate action of sulfonylureas	
① Barbiturates* ② Salicylates*	③ Thiazides
2. Increase insulin production	
① α- adrenergic blockers ② β- adrenergic stimulators	③ Monoamine oxidase inhibitors
3. Decrease hepatic glycogenolysis	
① Propranolol	
4. Unknown mechanism	

① Antihistamines
   - Tripelennamine HCL
 ② Morphine
	③ Tuberculostatic drugs
	   - Isoniazid

* 치과에서 자주 쓰이는 약제	

증례 1 | 72세, 여자

주소

국소의치의 지대치인 상악 좌측 제 1소구치 부위의 종창과 동통(그림 5-4)

병력

약 10년 전에 당뇨병이 시작되어 계속 조절 중에 있으며, 상악 국소의치는 약 5년 전부터 장착해 왔다.

전신소견

외관상 특기할 당뇨병의 전신증상은 없었으며, 최근 시행한 혈당검사에서 공복 혈당치가 230mg/dL이었고, 식후 혈당치(pc 2 hr)가 306mg/dL이었다.

구강소견

잔존 치아들이 진행성 치주염 상태를 보이며, 치과 방사선사진 검사에서 중등도의 치조골 흡수 소견을 보였다.

진단

(1) 급성 진행성 치주염과 금속관 내부 치아우식증(#24)
(2) 만성 진행성 치주염(다른 잔존치아들)

치료계획

(1) 사전 투약(항생제 및 소염진통제)
(2) 내분비 내과 또는 관련 의학과의 자문
(3) 근관치료를 통한 배농술과 치주치료(예후 불량 시는 발치)

치료 및 경과

혈당치로 평가할 때 ASA Class Ⅲ였으므로 평소에 환자가 다니던 내과의사에게 상기 치과진료(근관치료, 치주치료, 발치 등)의 가능성 여부에 대한 자문을 구하기로 하고, 우선은 치통 억제를 위해 약물요법(Amoxicillin, Varidase, Pontal, Ebiose 등 사용)을 시행하였다. 이후, 내분비

내과에서 당뇨병 관리(insulin dose 조절 등)를 시행하여 2일 만에 공복 혈당치가 190mg/dL으로 감소되었고, '치과진료도 조심스럽게 시행하면 가능하다'는 회신이 있어, 본 치과에서는 국소마취 하에서 원인 치아의 1차 근관치료(pulp extirpation & opening drainage)를 시행하였다(그림 5-5). 다음날 내원한 환자는 치통이 사라져서 밝은 표정이었고, 기존의 상악 국소의치도 계속 사용 할 수 있게 되었다. 그 후에는 통상적인 근관치료를 계속했다.

➕ 문제점 검토

당뇨병이 있어도 어느 정도까지 조절만 되면(통상적으로, 공복혈당 200mg/dL 이하) 치 과치료에 특기할 문제점이 없다는 것을 평소 내분비내과와 상의해 알고 있었기 때문에, 치통 억제를 위해 우선 약물요법을 시행하였다. 왜냐하면, 투약을 통해 급성 염증상태를 우선 완화시켜야만 환 자가 안도감과 술자에 대한 신뢰감을 가질 수 있고, 아울러 당뇨병 관리도 차분히 받을 수 있기 때 문이었다. 그런 후, 내과에서 당뇨병을 조절하여 2일 후 혈당조절이 200mg/dL 이하로 낮아져, ASA 등급 Ⅲ에서 등급Ⅱ로 전신상태를 안정시킨 것이 도움이 되었다. 아울러 원인 치아를 근관치료 과정 에서 근관을 폐쇄하지 않고 개방하여 치근단 및 치주인대 감염을 배농시킨 것이 주효하여 치통 억제 를 달성했는데, 정상인에서 근관치료의 경우는 근관을 폐쇄해 구강내 세균의 재감염을 방지함이 원 칙이지만, 당뇨 환자의 경우 급성 치성감염 시에는 배농을 위해 단기간 근관 개방이 필요했다.

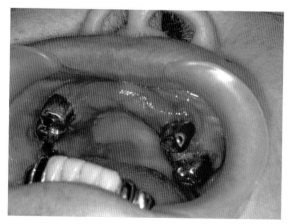

●●● **그림 5-4.** 상악 좌측 소구치 부위의 진행성 치주염을 보인 당뇨병 환자

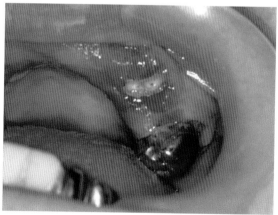

●●● **그림 5-5.** 근관을 통한 원인 치아의 배농술을 시행키 위해 치관 절제, 발수 및 근관 개방술을 완료한 모습으로 급성 염증이 종료되면 통상적인 근관치료로 근관을 충전한다.

증례 2 ㅣ 62세, 여자

주소

심하게 흔들리는 모든 치아들을 발치하고 틀니하고 싶다.

병력

약 15년간 당뇨병을 앓아 내분비 내과에 입원과 통원가료를 했었고, 치주염 소견을 지속적으로 보였으나 집안 사정상 치과진료를 받지 않았다.

전신소견

전신적으로 약간 쇠약해 보이며 두통과 피로가 자주 있으나 혈당 검사치는 공복혈당 135mg/dL, 식후혈당 156mg/dL로 크게 높지 않았다.

구강소견

전반적으로 모든 치아들에서 진행성 치주염 소견을 보이고, 방사선 사진검사 상 치조골 흡수가 과도해 치아동요도가 심한 소견이었다.

치료 및 경과

환자가 계속 관리를 받아온 개인 내과의원에 치과진료의 가능 여부(발치의 시술가능성)를 문의하였고, '조심스럽게 발치하셔도 될 것 같다'는 회신을 받았으나, 곧바로 발치할 경우 과도한 염증 조직의 잔존으로 출혈과 창상감염의 우려가 높으므로, 우선 1차 근관치료를 시행해 염증을 가라앉힌 후 발치해야 됨을 환자(보호자)에게 설명해 동의를 구하였다. 우선 일차 근관치료(발수 및 근관을 통한 배농술과 교합면의 완전 삭제)를 1회에 2~4개 염증치아들에서 시행했다.

2일 후 다시 내원했을 때 환자는 우선 치아주위의 불편감이 개선되어 편안함을 가졌고, 또 다른 2~4개의 염증치아들에서 근관 치료를 단계적으로 계속해서 발치할 치아들 모두의 1차적 근관치료를 완료했다(그림 5-6). 10일 후(염증이 충분히 감소된 시점) 발치 및 봉합술을 단계적으로 시행한 결과, 출혈도 적고 이차적인 창상감염의 소견 없이 양호한 치유를 보였다.

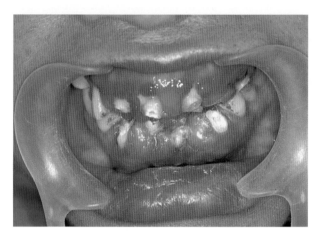

●●● **그림 5-6.** 동요도 심한 치아들의 단계적인 치경부 절단과 1차 근관 개방을 통한 배농술 시행 모습

문제점 검토

당뇨병의 정도가 호전되어 혈당치가 높지 않다고 하더라도 치과진료로 인한 부작용(출혈과 감염 등) 발생 시 스트레스를 받아 혈당조절이 되지 않을 수 있고, 이런 상태(고혈당 또는 저혈당)에서 내분비 내과로 뒤늦게 환자를 의뢰할 경우 환자(보호자)가 오해(치과진료가 잘못되어 내과로 떠넘기는 것으로 생각)할 소지가 있으므로, 모든 전신질환자는 치과진료에 앞서 사전에 의과적 자문이 중요하다.

또한 내과에서 발치가 가능하다고 회신이 되었어도 발치 후 합병증(출혈과다, 감염 등) 발생 시의 주된 책임은 치과의사에게 있는 만큼, 발치에 앞서서 근관 개방을 시행하거나 절개 및 배농술로 감염을 억제하고서 차후에 발치함이 안전한 시술법이라 사료되었다. 물론 치근관 개방상태를 장기간 유지할 경우 구강내 미생물에 의한 2차적인 치근단 감염의 우려가 있고, 나중 전신상태가 개선되어 계속적인 근관치료가 가능한 경우 다시 근관세정과 확대처치를 시행할 때 근관내부가 오염되고 치석침착 등으로 근관확대가 제대로 되지 않아서 근관충전시 충전부전(under filling) 상태가 될 우려는 있다. 그러나 모든 치과진료는 치아를 가진 환자 전체의 안녕을 우선시 해야 되므로, 당뇨병처럼 전신 면역 약화자에서는 합병증 많은 발치보다는 근관치료가 안전하므로, 본 증례처럼 관리함도 치과진료의 스트레스 감소법에 의미가 크다고 하겠다.

■■■■■■■■■ **참고문헌**

1. 김경욱 외 10인 : 최신 구강악안면외과학, 제 3판. 나래출판사, 1999, p.392-417.

2. 대한구강악안면외과학회 : 구강악안면외과학교과서, 제 2판. 도서출판 의치학사, 2005, p.139-159.

3. 민헌기 : 당뇨병성 혼수. 대한의학협회지, 1983; 26: 309.

4. 서울대학교 의과대학 내과학교실 : 최신지견 내과학. 군자출판사, 1996, p.787-815.

5. 임성삼 : 임상근관치료학. 도서출판 의치학사, 1994, p.1-15.

6. 유재하 : 발치후의 구강감염증. 대학치과의사협회지, 1997; 35: 650-656.

7. Grossman LI : Endodontic practice, 8th edition. Lea and Febiger, 1974, p.151-168.

8. Laskin DM : Oral and maxillofacial surgery, Vol 1. CV Mosby,1981, p.362-395.

9. Misch CE : Contemporary implant dentistry. CV Mosby, 1993, p.51-102.

10. Rutkauskas JS : Practical considerations in special patient care. The Dental Clinics of North America, 1994; 38(3): 447-463.

11. Thornton JB and Wright JT : Special and medically compromised patients in dentistry. PSG Publishing Co, 1989, p.112-133.

The Guideline of Dental Treatment for Medically Compromised Patients

Chapter 06

혈압이 높은데,
치과진료를 받을 수 있나요

| 염안섭·유재하 |

01

Dental Treatment
for Medically
Compromised Patients

문제 제기

치통이 심한 고혈압 환자의 치과치료는 환자에게 많은 심리적 부담을 초래하여 내인성 catechol-amines(epinephrine, norepinephrine 등)을 분비케 함으로써 혈압을 상승시킬 수 있다. 또한 국소마취제에 포함되어 있는 혈관수축제도 혈압 상승을 일으킬 수 있으므로 고혈압 환자의 치과진료에는 상당한 주의가 요망된다.

개인 치과의원에서는 고혈압 환자가 치과진료를 받을때 발생할 수 있는 합병증(전신적 합병증 외에도 발치 등의 소수술 시의 출혈 과다, 술 후 감염증 시의 혈압 상승 등)에 대한 우려와 후처치의 어려움, 의료분쟁의 가능성 등으로 인하여 치과진료를 기피하고 대학병원 치과로 환자를 전원하게 되는 경우가 있다. 또한, 심혈관 질환(협심증, 부정맥, 심부전 등)과 뇌혈관 질환(뇌출혈, 뇌졸중), 고혈압과 관련한 위험 사례(신장과 안구의 합병증 유발 등)들이 대중매체를 통해 자주 국민들에게 전달되는 사회적 분위기도 이러한 문제를 더욱 부채질하는 경향이 있다.

그렇다면 대학병원 치과는 안전하게 고혈압 환자의 치과진료를 시행할 여건이 되는가? 대학병원 치과의 경우에도 심장(순환기) 내과와의 협진과 스트레스 감소법(stress reduction protocol)에 의해 조심스럽게 접근하는 원칙은 동일하지만, 응급상황 발생 시에 응급실과 중환자실의 의료장비를 이용할 수 있고, 응급의학과 전문의의 도움을 신속히 받을 수 있는 장점이 있다. 하지만 대학병원의 치과는 인력 부족 등의 사정으로 인하여 고혈압 환자가 필요한 시기에 적절한 치과진료를 받는 것이 쉽지 않은 형편이다.

93

이에 필자 등은 고혈압 환자의 치과진료가 치과의원에서도 원칙에 충실하면 대부분 잘 이루어질 수 있을 것으로 판단하여, 이와 관련한 진료 방침에 대해 기술코자 한다. 고혈압은 성인병 가운데 가장 그 발생 빈도가 높은 질병의 하나이다. 따라서, 고혈압 환자의 치과진료를 이용이 편리한 치과의원에서 적시에 수행한다면, 치과의사의 지역사회 봉사라는 측면에서도 매우 의미있는 일이 될 것이다.

02 기본적 이해

Dental Treatment
for Medically
Compromised Patients

혈압은 심박출량(cardiac output)과 말초 동맥혈관의 저항력(peripheral resistence)에 따라 결정되는데, 이에는 여러 요인들이 관련된다(표 6-1).

혈압의 정상 수치는 연령에 따라 차이가 있다. 영아인 경우에는 70/45mmHg, 아동기에는 80/55mmHg, 청년기에는 100/75mmHg, 성인기는 140/90mmHg 정도로서, 연령 증가에 따라 상승된다. 대부분(약 90%)의 고혈압은 혈압 상승을 동반할 수 있는 질환에 기인하지 않는 본태성 고혈압(essential hypertension)이며, 이차성 고혈압(secondary hypertension)은 각종 신장질환, 신혈행 장애, 항이뇨 호르몬의 과다분비, 쿠싱 증후군(Cushing syndrome), 부신 종양 등에 의해 발생된다. 내과의사는 정밀 검사(혈액 검사, 뇨 검사, 간기능 검사, 전해질 검사, 심전도 및 흉부 방사선 사진 검사 등)를 통해 그 원인을 찾아 관리하게 된다(그림 6-1~3).

표 6-1. 혈압 상승에 관련된 요소들

1. 혈액의 점성 증가(말초저항 증가)

2. 혈액량 및 조직액량의 증가(예, 과다한 염분의 섭취) → 심박출량 증가

3. 동맥의 신축성 감소

4. 운동, 고열, 갑상선 중독증 → 심박출량 증가

5. 자율신경계의 반사 → 동맥 긴장, 혈관 크기의 변화

6. 호르몬 영향(예, renin → 혈관 평활근의 긴장도 증가)

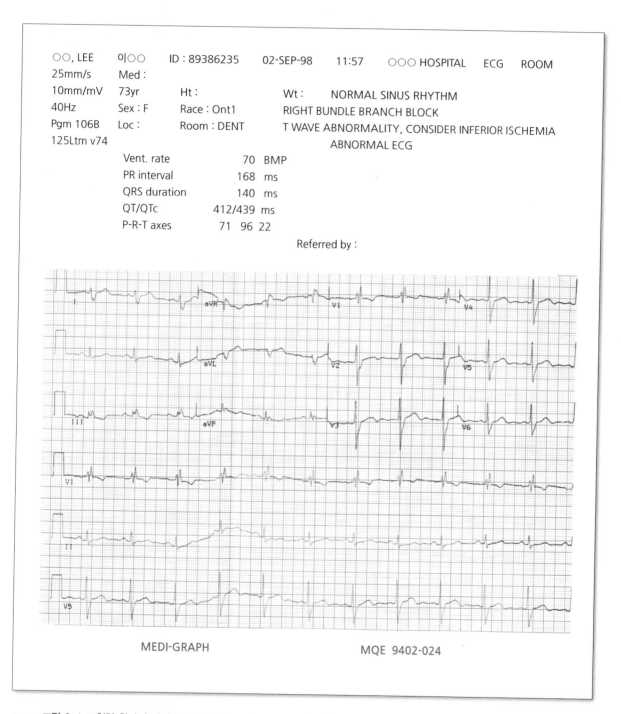

○○, LEE   이○○   ID : 89386235   02-SEP-98   11:57   ○○○ HOSPITAL   ECG   ROOM

25mm/s   Med :

10mm/mV   73yr   Ht :   Wt :   NORMAL SINUS RHYTHM

40Hz   Sex : F   Race : Ont1   RIGHT BUNDLE BRANCH BLOCK

Pgm 106B   Loc :   Room : DENT   T WAVE ABNORMALITY, CONSIDER INFERIOR ISCHEMIA

125Ltm v74   ABNORMAL ECG

Vent. rate   70   BMP
PR interval   168   ms
QRS duration   140   ms
QT/QTc   412/439   ms
P-R-T axes   71 96 22

Referred by :

MEDI-GRAPH   MQE 9402-024

●●● 그림 6-1. 고혈압 환자의 심전도 검사(electrocardiogram, EKG)로서, 1차 판독소견이 우측 상단에 기재됨

응급화학검사결과지			8E
주민등록번호		등록번호 89386235	
○○○○○○-○○○○○○○		환자성명 ○○○	
성별/ 진료과/ 병실		접수번호 02-06-06	
DENT		접수일자 980902	
상병분류기호		의사코드	
		의사명 ○○○	
검사명	참고범위	결과치	단위
Na	137-150	140	mM/L
K	3.5-5.3	4.6	mM/L
Cl	99-111	103	mM/L
CO_2	22.0-30.0	31.0 H	mM/L
BUN	8-20	16	mM/L
Creatinine	0.8-1.3	1.0	mM/L
Comments			
채취시각			
검체종류		Serum	
소변량			
보고일자		980902 1256	
보고자		○○○	
○ ○ ○ 병원		임상병리과	

●●● **그림 6-2.** 고혈압 환자에서 시행된 전해질(electrolyte) 검사지로서, 정상보다 수치가 낮으면 L(Low), 높으면 H(High)로 표시됨

영상의학과 판독결과지

병원번호	89386235	성 명	○○○	나이/성별	73/여
의뢰일	98/09/02	의뢰과		의뢰의사	○○○

임상소견　　　Infected radicular cyst

의뢰이유

검사명　：　CHEST [PA(Inspiration)]　　　　980902-G2-0094

판독설명 :

Both lower lung field에 bronchovascular bundle의 crowding과

distortion 소견 및 aortic knob에 curvilinear calcification 소견.

Heart는 커져 있음.

Imp.; Bronchitis with cardiomegaly.

판독일 : 98/09/04 판독의사 : ○○○/ ○○○ 작성자 : ○○○

○ ○ ○ 병원

●●● **그림 6-3.** 고혈압 환자에서 시행된 흉부 방사선사진(chest PA)의 판독결과지

고혈압은 통상적으로 서서히 발생되는 질환이다. 따라서, 초기에는 증상이 없으나 시간이 경과 되면서(표 6-2)와 같은 증상을 나타내는 경우가 있으므로 치과의사는 진료 중에 고혈압의 증상이 나타나는지 주의해야 하고, 합병증 발현에도 관심을 가져야 한다(표 6-3).

표 6-2. 고혈압의 증상	
1. 후두통	5. 수족 무력감(weakness)
2. 시력 감퇴	6. 사지 통증 또는 마비감
3. 이명감(tinnitus)	7. 비출혈
4. 현기증(dizziness)	8. 피로감

표 6-3. 고혈압의 합병증	
1. 뇌졸중(cerebrovascular accident, CVA)	4. 심부전(heart failure)
2. 관상동맥부전(협심증, 심근경색증)	5. 시력 상실(visual loss)
3. 신부전(renal failure)	

고혈압의 치료는 스트레스 관리, 식사 요법, 운동, 금연 등의 비약물 요법과 이뇨제, 교감신경 차단제, 혈관 확장제 등의 약물 요법이 이용된다(표 6-4). 그러나, 약물 요법은 고혈압 치료에 효과가 있는 반면에 부작용도 따르므로, 이에 대한 대비도 필요하다.

표 6-4. 강압제(antihypertensives)의 종류	
1. 이뇨제	Thiazide, Lasix, Aldactone
2. 항교감 신경제	Reserpine, Aldomet, Clotidine, Minipress, Inderal, Ismelin
3. 칼슘 길항제	Adalat, Herben
4. 혈관 확장제	Nitroprusside, Hydralazine

03 치과 진료실에서 대처하기

Dental Treatment
for Medically
Compromised Patients

1) 고혈압 환자의 치과진료의 원칙

고혈압 환자의 치과진료도 전신질환자 치과진료의 일반적인 원칙에 준하여 시행하는 것은 마찬가지이다. 즉, 전신상태의 신체등급(ASA class)별로 치과진료 방법을 변형해야 한다. 혈압에 따른 신체상태의 등급은(표 6-5)와 같다. 치과질환은 물론이고 치과진료 행위 자체도 환자에게 상당한 스트레스를 유발시켜 혈압상승에 따른 합병증이 발생될 우려가 있다. 따라서 치과진료 시에는 항상 스트레스 감소법을 준수하도록 노력해야 한다(표 6-6).

표 6-5. 고혈압의 전신상태 분류별 치과진료의 원칙

신체등급	혈압(mmHg)	치과진료 시의 고려사항
I	140 이하 / 90 이하	통상적 치과진료 시행
II	140~160 / 90~105	스트레스 감소법 적용
III	160~170 / 105~115	내과의에 자문 후, 치료가능 시에는 스트레스 감소법 적용
IV	170~190 / 115~125	진료실에서는 최소한의 응급처치(약물투여), 본격적인 치료는 반드시 내과 자문 후에 입원하여 시행
V	190 이상 / 125 이상	의학적 응급상황으로, 생명보조(life support)만을 위해 응급실로 의뢰

표 6-6. 스트레스 감소법(stress reduction protocol)

1. 환자의 불안과 전신적 위험성 인식

2. 치과진료에 앞서 필요한 경우 내과에 자문

3. 아침에 진료 약속

4. 대기시간과 치료 시간을 짧게 함

5. 치료 중에 정신안정을 위해 진정제 등의 사전 투약

6. 치료 전·중·후 생징후 측정

7. 치료 중·후에 동통 및 불안 조절

8. 가능한 한, 비외과적 진료로 문제 해결

9. 외과적 진료는 가능한 한 짧게 하고, 조직 손상을 줄임

고혈압 환자의 치과치료 전에 기본적으로 고려해야 할 것은 혈압은 단순한 수치 개념으로 이해해 서는 안되고 범위(Range)개념으로 이해해야 하는 것이다. 혈압은 24시간동안 수시로 변하게 되므로 한번 측정한 혈압만으로 환자의 혈압이 어떤 상태인지 정확히 평가하는 것은 매우 어렵다.

예를 들면 혈압이 얼마여야 치과치료를 할 수 있는지에 관한 질문은 우문인 것이다. 예를 들어 잘 조절되지 않는 고혈압 환자의 혈압이 140/90으로 측정된다면, 치과치료를 시작하게 되면 혈압의 변 동이 정상인보다 더 상승하게 되어 위험한 상황을 초래할 수 있다. 그러나 약물요법과 운동요법을 꾸 준히 지켜 혈압의 범위가 안정적으로 유지되는 환자가 140/90으로 측정된다면, 적절한 stress re- duction procotol과 함께 간단한 치과 술식을 진행할 수 있을 것이다.

또한 혈압측정치 외에 고려해야 할 것은 어떤 치과치료를 할 것인지, 이 술식이 환자에게 얼마나 stress를 유발할 것인지를 평가해야 한다. 즉, 간단한 구강검사나 마취없이 치료할 수 있는충치치료 는 혈압이 약간 높더라도 주의 깊게시행한다면 큰 무리가 없을 수 있지만, 다량의 출혈이 예상되는 발

표 6-7. 비외과적 진료와 외과적 진료 과정

1. 비외과적 진료 과정

- Type Ⅰ : 구강검진, 방사선 사진검사, 구강위생지도, 인상채득
- Type Ⅱ : 단순 수복치료, 예방치료, 교정치료
- Type Ⅲ : 복잡 수복치료, 스케일링, 근관치료

2. 외과적 진료 과정

- Type Ⅳ : 단순 발치, 치은연하소파술, 치은성형술
- Type Ⅴ : 여러 치아 발치, 치은절제 또는 치주판막수술, 매복치 발치, 치근단절제술, 단일 임플란트
- Type Ⅵ : 전악 발치, 광범위한 판막수술(flap surgery), 악교정 수술, 다수의 임플란트 수술

표 6-8. 고혈압의 신체등급과 치과진료 유형(Type)에 따른 분류

신체등급	치과진료 Type	치료법
Ⅱ등급	Type Ⅰ, Ⅱ, Ⅲ, (Ⅳ) (Ⅳ), Ⅴ, Ⅵ	정상 진료(필요시, 내과 자문) 진정(sedation)을 고려한 정상 진료
Ⅲ등급	Type Ⅰ, Ⅱ, (Ⅲ) (Ⅲ), Ⅳ Ⅴ, Ⅵ	내과 자문 후, 치과진료 내과 자문 후, 진정시켜 진료 입원
Ⅳ등급	Type Ⅰ	치과진료 시행치 말고,관련된 내과로 이송하여 혈압조절 후에 치과진료 시행을 고려
Ⅴ등급		의학적 응급상황으로 생명보조 위해 즉시 내과 또는 응급실로 이송

* ( )는 기준이 중복되는 진료내용임

치나 시간이 매우 오래 걸리는 치료 등 환자에게 스트레스를 많이 유발할 수 있는 진료는 완벽히 혈압조절이 된 후에 시행해야만 한다.

한편, 치과외래에서 통상적으로 시행되는 치과술식의 등급을 이해할 필요가 있다. 치과진료의 내용을 비외과적 진료와 외과적 진료로 구분하여 정리한(표 6-7)의 분류를 임상적용에 참고하면 많은 도움이 된다. 가능한 치과진료의 범위를 전신상태의 등급(ASA class)에 따라 정하려고 노력한 것이(표 6-8)이다.

2) 치과진료 중의 유의사항

임상 과정에서 고혈압이 발견되거나, 환자가 현재 고혈압으로 내과적 관리를 받고 있는 경우에는 관련 의학과(내과, 신경과, 가정의학과 등)에 자문을 구하여 이에 근거한 진료를 시행하는 것이 안전한 치과진료를 위해 바람직하다. 자문 내용은 자문 기록서에 구체적으로 명확히 기재해야 하며, 아울러 자문할 의료진이 간편하게 회신할 수 있도록 여백을 남겨 두어야 한다. 치과진료의 내용과 위험성(출혈, 감염, 국소마취 및 그 합병증 등)을 명시하는 것이 바람직하다. 또는, 직접 만나거나 전화로 치과진료 과정을 자세히 설명하는 것도 상호 이해증진에 큰 도움이 된다. 평소에 관련 의료진과 친분이 있었다면 여러 측면에서 도움을 받을 수도 있다.

내과적 자문을 통하여 고혈압 환자의 치과술식 시행에 별 문제가 없다는 답변을 받았다고 하더라도 환자에 따라서는 치과진료에 대한 두려움으로 인하여 불안 등의 스트레스가 가중될 수 있다. 따라서 혈압이 예상보다 많이 상승해 치과진료를 하기 어려운 상황이 생기게 된다. 이런 경우(특히, 이완기 혈압이 120mmHg 이상인 경우)에는 치과의사가 직접 혈압을 조절할 필요가 있다. 즉, 환자를 먼저 비스듬히 누운 자세(semi-sitting position)로 위치시킨 다음(그림 6-4), 산소를 투여하고, Diazepam(Valium) 2~5mg 용량을 경구 복용케 하거나, Adalat 5~10mg을 설하(sublingual) 투여 또는 경구 복용케 함으로써 혈압조절을 시도한다(그림 6-5).

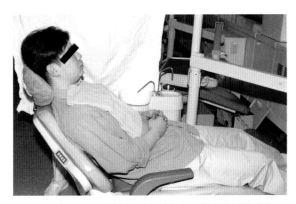

●●● **그림 6-4.** 고혈압 환자의 치과진료에 가장 바람직한 자세인 semi-sitting position을 취한 모습

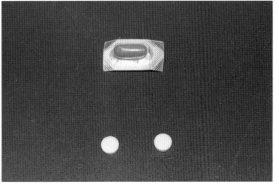

●●● **그림 6-5.** 고혈압 환자의 치과진료 시에 보조적으로 사용되는 약제인 Adalat(위)와 Valium(아래) 경구용 약제

이렇게 하여도 혈압이 조절되지 않는다면 다시 내과 전문의에게 자문하여 혈압조절을 재차 시도할 필요가 있다. 왜냐하면 내과에서 환자의 고혈압 상태가 안전하다고 평가되었다 하더라도 치과진료 시에 혈압조절이 제대로 안된 상태에서 합병증이 발생될 경우에는 치과의사에게 책임이 있기 때문이다.

아울러, 치과진료를 시행하는 과정에서도 생징후와 환자의 의식 상태에 주의를 기울여야 한다. 특히, 환자의 불안과 공포를 최소화할 수 있도록 스트레스 감소법에 근거한 진료를 시행하면서, 불안 시의 전구증상(혈압 및 맥박의 증가, 떨림, 과도한 발한, 동공 확대)에 기민하게 대처해야 한다. 아울러 항고혈압 약제를 투여중인 환자에서 치과진료와 관련된 전신적인 합병증을 예방하기 위해서(표 6-9)의 내용들을 준수해야 한다.

최근 고혈압과 심뇌혈관질환과의 연관성이 알려지면서 고혈압 환자의 약물요법에 항혈소판제제의 사용이 늘어나고 있다. 즉 고혈압 환자를 치료할 때 항고혈압약물외에 aspirin, plavix와 같은 혈소판기능억제제를 간혹 발생할 수 있는 심뇌혈관질환을 예방하기 위해 투여하는 추세이다. 이러한 항혈소판제제의 사용은 심뇌혈관질환의 발생을 예방할 수는 있지만, 치과치료에서는 출혈을 유발할 수 있으므로 출혈이 예상되는 치과치료 전에 반드시 내과주치의와 상의하여, 항혈소판제제의 사용을 일시적으로 중단할 수 있는지 자문을 구한 후, 일시적으로 약제의 투여를 중단한 후 관혈적 치과치료를 시행하는 것이 추천된다. 대개 예방적으로 투여하는 환자인 경우 약제에 따라 다르지만, 아스피린인 경우 약 7일간 약제를 끊으면 혈소판 기능이 정상으로 돌아온다고 알려져 있다. 간혹 환자의 상태에 따라 약제를 끊을 수 없는 경우가 있는데, 이때는 과다출혈을 국소적으로 조절할 수 있는 약제 등을 준비하고 시술하여야 하며, 술식도 최대한 비침습적으로 시행해야 한다. 즉 출혈시에 사용할 수 있는

표 6-9. 고혈압 환자의 치과진료 시 주의사항

1. 항고혈압 약제를 쓰는 환자들의 기립성(자세성) 저혈압(orthostatic, postural hypotension)을 주의한다. 즉, 자세 변화를 서서히 한다.

2. 고혈압 환자들은 진정제 사용에 민감할 수 있으므로 약제를 적정(titration)해서 사용한다.

3. 에피네프린이 든 국소마취제는 가능한 한 적게 사용하도록 한다.

4. 치과진료의 모든 과정에서 스트레스와 불안을 감소시킬 수 있도록 환자와 의료진 사이에 신뢰 관계(rapport) 형성, 치료 전(전날 밤 또는 1시간 전) Valium 2~5mg 복용, 치료 시간의 단축, 숙련된 술식의 구사가 요구된다.

5. 일부의 항고혈압 약제는 구역과 구토를 일으키는 경향이 있으므로, 치료 중에 구역반사를 일으키지 않도록 주의한다.

6. 고혈압으로 인한 과중한 합병증 발생 시 응급처치에 익숙하도록 훈련하며, 내과 전문의(또는 종합병원 구강악안면외과, 응급의학과 전문의)에게 의뢰할 체계를 평소에 갖춰둔다.

7. 고혈압으로 인한 술 후 출혈 경향에 대비하여 지혈 처치에 유의한다.

collagen plug나 bone wax와 같은재료를 준비하여야 하며, scaling인 경우 여러 번 나누어 시행하더라도 출혈을 적게 유발하기 위해 치은연상치석을 주로 제거하는 것이 추천된다. 치근단에 염증이 심한 치아인 경우 충분하게 항생제를 투여하여 염증을 조절한 후 발치해야 하며, 심한 경우에는 근관치료 등을 시행하여 충분한 배농을 통해 염증을 조절한 후 시술하는 것도 좋은 방법이다.

증례 1 ㅣ 67세, 여자

주소
상악 좌측 측절치의 동통

병력
약 5년 전부터 협심증과 고혈압으로 심장내과에서 치료(주로, 약물 요법)를 받아왔다.

전신소견
외관상 특기할 고혈압의 증상은 없었으며, 내원 당시 혈압은 150/100mmHg 정도로 약간의 고혈압을 나타냈다.

구강소견
상악 좌측 측절치 부위가 심한 치아우식증과 치주염 상태를 보였고, 동통은 있었으나 특기할 종창이나 치은 점막의 이상소견은 없었다.

치료 및 경과
우선 치통 억제를 위해 약물 요법(항생제 및 소염진통제 사용. 즉, Amoxicillin, Varidase, Pontal 경구 처방)을 시행하고 심장 내과에 치과진료(국소마취 하에서 근관치료나 발치 시행)의 시술 가능 여부를 자문한 결과 치과시술에 별 문제가 없을 것으로 회신되었다. 따라서 사전 약제투여(항생제, 소염진통제 등) 상태에서 1차 근관치료(치관절제, 발수, 근관 개방 배농술)를 시행했다(그림 6-6). 그 후 염증소견이 사라진 1주일 후 발치 및 봉합술을 시행한 결과 후출혈이나 창상 감염의 소견 없이 양호한 치유를 보였다(그림 6-7).

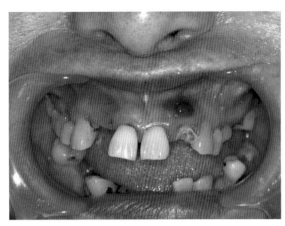

●●● **그림 6-6.** 치근단 및 치주농양을 보인 상악 좌측 측절치의 1차 근관치료 모습

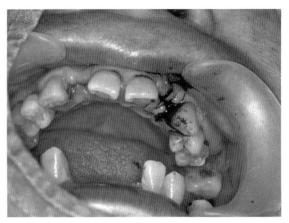

●●● **그림 6-7.** 발치 후의 출혈감소와 창상치유 증진을 위해 발치창을 봉합한 모습

문제점 검토

통상적인 단순 발치 시에는 별도의 봉합술을 시행치 않아도 치유가 잘 일어나지만, 고혈압 환자인 경우에는 출혈과 감염의 우려가 있기 때문에 단순 발치창상이라도 봉합술을 시행하는 것이 중요하다. 감염 가능성이 높을 때는 혈종(hema-toma) 형성을 감소시키기 위해 발치창 주위에 드레인(rubber or iodoform gauze drain) 삽입을 고려하는 것도 도움이 된다.

증례 2 ㅣ 58세, 남자

주소

발치 직후 구토 및 의식상실(coma) 상태

병력

평소 고혈압과 당뇨병이 있었으나 보건소에서 약물요법 정도의 치료를 간헐적으로 받아오다가 개원 치과의원에서 치근단 농양이 있던 상악소구치를 발치한 직후에 갑자기 구토를 하면서 의식을 잃고 쓰러졌다. 곧 대학병원 응급실로 후송되었다.

전신소견

의식이 없는 상태에서 본원 응급실로 내원하였다. 응급실에서 측정한 생징후는 고혈압 (220/150mmHg), 빈맥(112회/분)의 상태이었으며, 호흡수와 체온은 정상 범주였다. 뇌전산화 단층촬영검사(brain C-T)에서는 측두와 후두부 뇌출혈 소견을 보였고, 임상병리검사에서 혈당치 220mg/dL, 심전도 검사상 부정맥 소견도 있었다.

구강소견

발치를 시행한 상악 좌측 소구치 2개의 창상 주위에는 특기할 출혈이나 감염 소견은 없었다.

치료 및 경과

응급실에서 신경외과 중환자실로 옮겨서 집중치료(critical care)를 시행하면서 내분비 내과와 심장순환기 내과 및 마취과의 자문을 받고, 이튿날 응급수술로 전신마취 하에 뇌출혈 부위의 감압수술을 시행한 다음 1주일간 중환자 관리를 했으나, 경과가 불량하여 결국 사망하였다(그림 6-8).

문제점 검토

우선 환자가 고혈압과 당뇨병을 평소에 주의하여 관리하지 않았고, 발치하기 전날 밤에 야간 근무로 인하여 잠을 자지 못해 몹시 피곤한 스트레스 상황이었다. 또한 치과의원에서도 발치 전에 혈압과 맥박을 측정하지 않아 환자의 전신상태가 어느 정도 위험한 지 파악치 못한 점이 문제되어 의료분쟁이 야기되어 술자도 많은 고충을 겪었다.

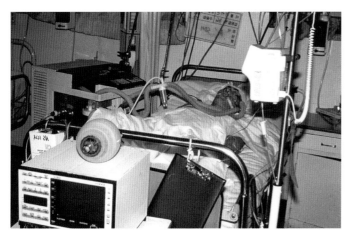

●●● 그림 6-8. 발치 후 뇌출혈로 응급수술을 시행받고 중환자실에 있는 환자

■■■■■■■ **참고문헌**

1. 대한내과학회 : 전신질환자 및 노인, 장애환자의 치과치료, 구강내과학 제 2편. 신흥인터내셔날, 2010, p.57-66.

2. 임성삼 : 임상 근관치료학. 도서출판 의치학사, 1994, p.1-15.

3. 이홍식 : 스트레스, 패밀리닥터 시리즈 013. 아카데미아, 2005, p.7-138

4. 전국 치과대학 국소마취 교수협의회 : 치과국소마취학, 제 2판. 지성출판사, 2000, p.141-155.

5. 정성창, 이승우, 김영구 : 구강내과학. 고문사, 1987, p.55-62.

6. Bennett CR : Monheim's local anesthesia and pain control in dental practice, 7th ed. CV Mosby Co, 1984, p.184-266.

7. Little JW, Falace DA, Miller CS, Rhodus NL : Dental management of the medically compromised patient, 7th ed. Mosby, 2008, p.35-49.

8. McCarthy FM : Emergencies in dental practice, 3rd ed. WB Saunders, 1979, p.220-345.

9. Sonis ST, Fazio RC, Fang L : Principles and practice of oral medicine, 2nd ed. WB Saunders Co, 1995, p.42-51.

Chapter 07

심장질환이 있는데, 치과치료를 받을 수 있나요

| 박원서 |

01 문제 제기

Dental Treatment
for Medically
Compromised Patients

　　의술이 발달함에 따라 우리나라도 급격히 고령화 사회로 진입하고 있으며 전신질환을 가진 환자가 치과치료를 받기 위해 내원하는 빈도도 증가하고 있다. 전신질환을 가진 자의 치과치료 시 가장 심각한 합병증은 외과 술식인 치과치료 중에 의과적 합병증이 발생하는 것으로, 심각한 합병증은 심장혈관계 질환을 가진 환자에서 주로 발생한다. 심혈관질환에 의한 응급상황은 급성심근경색, 뇌경색, 수술 후 출혈 등과 밀접하게 연관되어 있고, 드물게 사망 등 심각한 합병증을 유발할 수 있으므로 각별히 주의해야 한다.

　　치과 임상가 입장에서 가장 중요한 것은 환자의 병명이 어떠한 것인지, 그 질환의 상태가 어떠한지 판단하고, 이에 따른 치과치료를 정상인과 다르게 수정하여 적용(treatment modification)하는 것이다. 환자의 상태를 정확히 판단하기 위해서는 우선 병력청취(history taking)가 가장 중요하며, 관련된 임상증상을 평가(physical examination)해야 하며, 주치의와의 협의 진료를 통해 확인한다. 심장질환 환자인 경우 고령의 환자가 많고, 간혹 본인의 병명을 확실히 기억하지 못하는 경우도 있기 때문에 단순히 문진만으로는 부족한 경우가 많고, 반드시 주치의에게 의뢰해서 정확한 질병명, 치료 경과와 순응도, 약물복용내용, 약물투약 변경가능 여부 등을 확인하고 진행하는 것이 추천된다.

주치의에게 자문을 통해 정확한 병명을 확인한 이후 에 치과의사는 그 질환이 어떠한 병인에서 발생하였는지 이해하고, 각 심장질환에 따라서 다르게 접근해야 한다. 이 장에서는 심장질환을 가진 환자를 대하는 기본적인 개념과 치료계획 변경(treatment modification)에 대해 기술하고자 한다.

02 기본적 이해와 치과 진료실에서 대처하기

Dental Treatment
for Medically
Compromised Patients

심장은 온 몸에 혈액을 보내는 가장 중요한 장기로서 불수의근으로 이루어져 있으며, 이 근육에 영양소와 산소를 공급하는 혈관, 그리고 주기적인 운동을 유발하는 신경조직, 그리고 혈류의 역류를 방지하기 위한 판막으로 구성되어 있다. 심장에 나타나는 질환을 쉽게 이해하는 방법 중 하나는 근육, 혈관, 신경, 판막 중에 어떠한 조직에 이상이 있는지를 이해하는 것이다.

- Ischemic heart disease – 심장혈관 문제
- Valvular heart disease – 심장판막 문제(관상동맥 문제)
- Congenital heart disease – 선천성기형
- Hypertensive heart disease – 심박출량 및 혈관저항 문제(6장 참고)
- Arrhythmia – 자율신경계 문제

물론 위에서 언급한 다섯가지 심장질환 외에도 다른 심장질환이 존재하나, 외래에서 만날 수 있는 대부분 환자는 다섯가지 질병 군에 속하는 경우가 많다. 주의할 것은 한 환자에서 두 가지 이상의 질병이 동시에 발병 하는 경우도 있기 때문에 주의해야 한다. 예를 들어 협심증을 동반한 심장판막환자, 판막과 혈관이 동시에 심한 기형을 가진 선천성 심장질환자, 고혈압이 있는 심근경색환자 등이다.

심장질환 중 가장 심각한 질병은 심부전(heart failure)인데, 이 질환은 심장이 효과적으로 뛰지 못하여 생체의 요구량을 충족시키지 못하는 상태를 의미하며, 위에서 언급한 다섯가지 질병을 포함한 다양한 심장질환이 진행되게 되어, 기능을 못하게 되는 심장질환의 마지막 단계이다. 만성 심부전 환자는 개인 의원급에서 치료하는 것이 불가능하므로 전문기관으로 의뢰해야 한다. 각 세부 질환별로 고려해야 할 사항은 다음과 같다.

1) 허혈성 심장질환(ischemic heart disease) - 급성 심근경색, 출혈

이 질환은 관상동맥, 즉 심장 조직에 혈류를 공급하는 동맥이 좁아짐에 따라 심장기능에 문제를 일으키는 질환의 총체적인 이름이다. 다른 용어로 'Coronary artery occlusive disease, 이하 CAOD'라고 불리며 동맥경화의 정도에 따라서 다양한 양태를 보이게 된다. 가장 초기증세는 동맥경화증(atherosclerosis)에서 시작하여 중등도의 협심증(angina pectoris), 그리고 가장 심각한 합병증인 심근경색(myocardial infarction)으로 진행된다. 이 질환의 가장 큰 특징은 천천히 진행하는 질병이지만 급작스럽게 발전할 가능성이 있다는 것이다. 즉 흡연, 비만, 고지혈증, 음주, 당뇨 등 다양한 원인요소가 있으며, 평생동안 진행하게 되며, 혈전(thrombus)이나 플라그(plaque)가 발생되어 혈관의 일부를 막게 되는 경우 심근경색과 같은 응급상황이 발생할 수 있다.

Ischemic heart disease 치료는 크게 생활습관 교정, 약물치료와 수술치료로 나뉜다. 약물요법은 환자의 질병 심각도에 따라 달라지는데, 초기에는 콜레스테롤을 조절하기 위한 약물과 금연, 금주, 운동요법 등 생활습관교정(lifestyle modification)을 시작하며, 위험요소가 존재하는 중년의 환자에서 급성 심근경색을 예방하기 위해 예방적으로 항혈소판제제(antiplatelet agent)를 복용하게 되고(prophylactic antiplatelet therapy), 질병이 진행된 경우에는 치료목적으로 항혈소판제제를 복용하게 된다. 수술요법은 stent를 이용한 경피적 관상동맥 성형술(percutaneous transluminal coronary angioplasty, PTCA) 또는 관상동맥우회로 이식술(coronary artery bypass graft, CABG) 등이 있다.

치과치료 시 고려해야 할 점은 크게 두 가지인데, 스트레스 조절과 출혈 조절이다. CAOD 환자인 경우 치과치료에 의한 스트레스가 증가하는 경우 혈압이 상승하게 되고, 관상동맥이 좁아질 수 있어 급격한 심장의 통증을 유발할 수 있으며, 매우 위험한 상황을 유발할 수 있다. 그러므로 치료계획 단계에서 무리한 치료는 피하는 것이 좋고, 가급적 쉬운 치료부터 천천히 진행하는 것이 중요하다. 환자의 심리상태를 안정시키기 위해 부드러운 음악과 의료진의 태도도 매우 중요하며, 필요 시 경구 진정제를 투여하거나, 정맥 진정법을 사용하는 것도 도움이 된다. 또한 시술 전 후에 혈압을 반드시 체크해야 하며, 국소마취 시에는 에피네프린 사용을 최소화 하거나 에피네프린이 함유되지 않은 약제를 사용하는 것이 추천된다. 그리고 최근 6개월 이내에 급성심근경색이 발생한 환자에서는 응급치료를 제외한 모든 치과치료는 연기하는 것이 좋다.

출혈소인을 높이는 약제도 매우 주의 깊게 조절해야 한다. CAOD가 심하여 PTCA나 CABG를 시술 받은 환자인 경우 항혈소판제제(antiplatelet agent) 즉 Aspirin®, Astrix®(저 용량 acetylsalicylic acid)나 Plavix® (clopidogrel), Pletaal®(cilostazol), Disgren®(Triflusal), Ticlid®(ticlopidine), Aggrenox®(dipyridamole) 등을 투여받은 환자들이 대부분이다. 그러므로 치과치료 전 이러한 약제를 끊을 수 있는지 없는지를 반드시 의뢰하고 치료를 시작해야 한다. 발치 등 출혈이 예상되는 환자인 경우 가급적 의뢰 후 약제를 일시적으로 중단하고 시술하는 것이 추천되지만, 심한 CAOD 환자나 PTCA를 받은 지 6개월 이내인 환자인 경우 antiplatelet agent를 중단하게 되면 혈관의 재협착에 의해서 사망할 수도 있으므로, 이때는 치과치료를 연기하거나, 국소적인 지혈을 위한 다양한 재료(collagen sponge, bone wax 등)가 준비된 상태에서 시술을 진행해야만 한다.

CAOD가 심하지 않은 환자에서도 예방적으로 항혈소판제제를 처방받는 경우가 매우 많으므로 초기의 CAOD 환자에서도 반드시 아스피린 등 항혈소판제제를 복용중인지 확인해야 한다. 만약 예방적으로 복용중이라면 항혈소판제제를 일시적으로 중단하는 것이 좋고, 치료목적으로 투여 중이라면 중단하였을 때 위험요소와 이익요소(risk and benefit of discontinuation of antiplatelet agent)에 대해 주치의사와 상의하고 치료를 진행해야 한다. CAOD에서는 주로 항혈소판제제를 투여하나, CAOD로 인한 심부전, 뇌경색과 같은 뇌혈관질환을 가진 환자에서는 쿠마딘과 같은 항응고제를 복용하고 있는 환자들도 있기 때문에 주의해야 한다.

예방적 항생제 투여는 심장판막질환과는 달리 치과치료 전 고용량의 예방적 항생제 투여가 반드시 필요한 것은 아니라고 알려져 있다. 또한 구강위생이 불량한 경우 염증성 사이토카인(cytokine), 구강내 세균들로 인해 심장혈관에 삽입한 스텐트에 좋지 않은 영향을 끼칠 수 있으므로, 평소 철저한 구강위생관리가 요구된다.

2) 심장판막질환(valvular heart disease) - 심내막염, 출혈

심장에 있는 판막은 혈류의 역류를 막는 문(door)역할을 하는 조직이다. 판막에 발생할 수 있는 기능 이상은 협착증(stenosis)과 역류증(regurgitation)인데, 즉 잘 열리지 않는 것과 열린 문이 잘 닫히지 않는 것인데, 승모판, 삼첨판, 대동맥판 모두에 발생할 수 있다. 심장판막질환의 증상은 초기에는 무증상, 피로감으로 나타나나, 질병이 진행됨에 따라 운동 시 호흡곤란, 가슴답답, 두근거림이 발생하고, 심해지면 호흡곤란, 기침, 가래, 부종이 발생한다. 심장판막질환은 방치하면 심부전, 부정맥, 감염성 심내막염, 뇌졸중 등 급사의 위험이 있으므로, 적절한 시기에 치료 받아야 한다. 치료로는 약물치료, 중재치료, 심장판막수술 등이 있으며, 초음파등 심장기능 이상정도를 판단하여 치료 시기를 결정하게 된다.

심장판막질환 환자의 치과치료 시 주의할 사항은 감염(infection)과 출혈(bleeding)이다. 심장판막 질환자를 예방적 항생제 를 투여하지 않고 치과치료를 진행하는 경우 감염성 심내막염(infective endocarditis)을 유발할 수 있으므로, AHA(American Heart Association)에서 제안한 항생제 투여 가이드라인에 따라서 치과치료 전에 투약을 한 후 치료를 해야만 한다.

　　이러한 예방적인 항생제는 반드시 치과치료에만 해당되는 것이 아니라 위장관-호흡계(aerodigestive tract) 및 비뇨기계(genitourinary tract)의 수술시에 적용된다. 즉, 신체 중에 정상세균총(normal flora)이 존재하는 부위의 정상점막 방어조직(mechanical mucosal barrier)이 뚫리게 되면 이러한 세균이 혈류로 유입되는 경우에 예방적인 항생제가 필요하다는 개념이다. 모든 치과치료에서 반드시 항생제를 투여해야 하는 것은 아니고, 점막의 연속성이 끊어져서 구강내 세균들이 혈류로 침투할 수 있는 가능성이 높은 경우에 투여한다. 즉 간단한 불소도포, 실란트 등의 치료에는 항생제 투여가 필요 없지만, 같은 실란트 치료라도 부분 맹출이 되어 있어 러버댐 장착시 출혈을 유발할 가능성이 높은 경우에는 항생제 투여가 필요한 것이다. 발치, 스케일링, 치주치료, 임플란트 등 관혈적인 치과 시술시에는 당연히 예방적 항생제를 투여해야만 한다. 2007년 발표된 최근 AHA 가이드라인에 따르면, 투여용량은 시술 전 1시간 전 amoxicillin 2g을 투여하도록 권장하고 있다(http://circ.ahajournals.org/content/116/15/1736.full.pdf+html). 심장판막질환자의 치과치료 시 주의해야 할 또 다른 문제는 항응고제(anticoagulant)에 주의해야 하는 것이다.

　　심장판막질환의 치료는 결국 심장판막수술(치환술)이며, 심장판막수술 이후에는 반드시 쿠마딘(coumadin)을 투여해야 하는 경우가 대부분이다. 그러므로 출혈이 유발되는 것이 예상되는 치과치료 전에 반드시 내과에 자문을 구해서 이 약제의 조절을 해야만 한다.

　　치과 시술시 쿠마딘을 중단할 지 여부는 치환시 사용된 판막의 종류에 따라서 차이를 보이는 것으로 알려져 있다. 조직 판막인 경우 쿠마딘을 2~3일간 일시적으로 중단하고 치과 시술을 진행하는 것이 가능하지만, 만약 기계판막을 사용한 경우에는 쿠마딘을 중단할 수 없으므로 출혈이 예상되는 경우 입원하여 쿠마딘을 중단하고, heparin을 정맥로를 통해 정주하는 상태로 유지하여, anticoagulation 상태를 유지하다가, 관혈적 시술 4~8시간 직전 heparin을 중단하여 anticoagulation 효과가 일시적으로 떨어진 상태에서 치과 시술을 진행하고, 지혈이 된 것을 확인한 후 heparin을 다시 정주하고, 이후 경구용 쿠마딘으로 바꾸는 복잡한 치료과정을 겪어야 한다(bridging therapy).

　　최근 INR값이 2.0 이하인 경우 쿠마딘을 중지하지 않고 간단한 치과치료가 가능하다고 보고하는 논문들도 있지만, 만일 조절되지 않는 출혈이 발생하는 경우 매우 심각한 상황이 벌어질 수 있으므로 출혈조절이 가능한 대학병원으로 의뢰하는 것이 추천된다.

　　입원하에 치과치료를 진행한다 하더라도, 수술 후 출혈이 발생할 수 있는데, 항응고제의 출혈 양상의 특징이 지연출혈(delayed bleeding)이기 때문이다. 그러므로 시술 후 창상이 안정화 될 때까지 출혈가능성을 고지하고, 출혈이 지속될 때는 다시 내원하도록 교육해야 한다. 그러므로, 일반개원환경에서는 치료하기 어려운 경우가 많으므로, 항응고제(anticoagulant)를 복용하고 있는 환자는 항혈소판제제(antiplatelet agent)를 복용중인 환자와는 달리, 대학병원에 의뢰하여 수술을 진행하는 것이 추천된다.

3) 선천성 심장질환(congenital heart disease) - 기형의 심각도에 따라 다름

선천성으로 심장의 기능적, 형태학적 이상을 보이는 질환이다. 최근 심장기형의 조기 발견과 심장수술 기법의 발전으로 인해 많은 환자들이 조기에 수술을 받음으로서 정상적인 삶을 영위하는 경우가 늘어나고 있다.

치과치료 시의 주의사항은 심장 기형의 심각도에 따라 달라지게 된다. 즉, 기형이 심하지 않고, 어린 나이에 수술하여 심장의 기능이 정상이라면, 통상적인 치과치료를 정상인과 동일하게 진행할 수 있다. 그러나 팔로씨 사중후군(Fallot's tetrad)과 같이 복잡한 기형이 존재하는 경우 그에 맞추어 치과치료계획을 수정해야 한다. 그러므로, 선천성 심장질환자는 주치의와의 협진을 통해 병명, 심장 치료 시기및 현재의 심장상태 등에 대해 자문을 시행하고, 그에 맞추어서 치료를 진행하면 된다.

4) 부정맥(arrhythmia) - 출혈, 심장박동기와 관련된 주의점

부정맥은 심장박동을 조절하는 신경계통의 이상으로 급사와 밀접한 관련이 있다. 치과의사가 반드시 체크해야 하는 것은 ① 현재 어떠한 종류의 부정맥을 가지고 있고, 그 질환이 얼마나 심각한지 ② 쿠마딘을 투여중인지 ③ 심장박동기(pacemaker)를 가지고 있는지 여부이다.

쿠마딘은 부정맥 환자 중 심방세동(atrial fibrillation)환자의 합병증을 예방하기 위해 투여하게 된다. 심방세동 환자에서 급작스럽게 혈전(thrombus)이 발생할 수 있고, 이로 인해 뇌경색, 심장마비 등 치명적인 합병증이 발생할 수 있으므로 예방적으로 항응고제를(anticoagulant)를 복용하게 된다. 이때 목표로 하는 목표 INR(international normalized ratio) 값은 판막 질환에서 목표로 하는 평균 2.5~3.5, target 3.0보다 낮아서, 평균 2~3, target 2.5 정도로 유지한다. 만일 부정맥 환자가 이 약제를 복용 중이라면 반드시 주치의와 상의하여 일시적으로 중단이 가능한지 확인하여야 한다. 중단여부는 부정맥의 상태에 따라 다르므로 중단이 가능하다면 외래로 치료가 가능하지만, 불가능하다면 입원하에 치과치료를 할 수도 있으므로 치료 전에 주치의와의 협진이 매우 중요하다.

만일 심장박동기(pacemaker)를 사용 중인 환자라면 전기소작기(electrocautery device), 초음파스케일러(ultrasonic scaling device) 외에도 최근 사용이 증가하고 있는 피에조 수술기구(piezo-electric surgical device)의 사용을 피해야 심장박동기(pacemaker)의 기능이상을 막을 수 있다.

증례 1 ┃ 쿠마딘 복용 중인 환자의 발치, 68세, 여자

주소

심장판막질환으로 쿠마딘을 복용중인데 판막 수술 전에 발치를 원한다.

병력

Atrial fibrilation, mitral valve regurgitation으로 약물치료 중이고, 1개월 뒤 심장판막수술 예정이며, 현재 쿠마딘 복용 중이다.

구강소견

하악 좌측 제 1대구치에 만성 치근단염증 소견이 관찰되었으며(그림 7-1), 근관 협착으로 인해 근관치료보다는 발치하는 것으로 치료계획을 수립하였다.

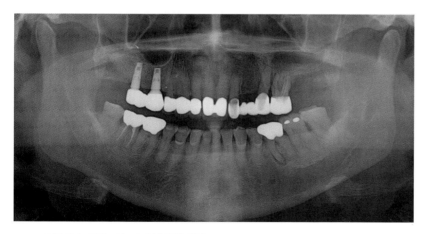

●●● **그림 7-1.** 초진 파노라마 방사선 사진

치료 및 경과

심장내과 자문을 통해 예방적 항생제 2g을 술전 1시간 전에 처방하였으며, 항응고제는 시술 3일전에 중단하고, 시술일 저녁부터 다시 투약하도록 지시하였다.

발치 당일 항생제 투약을 확인하고, 1:200,000 articaine을 이용한 침윤마취를 통해 충분한 국소마취 효과를 얻었다. 이후 통상적인 발치술을 시행하였으며, 치근단 방사선 사진을 통해 잔존 치근이 남지 않았음을 확인하였다.

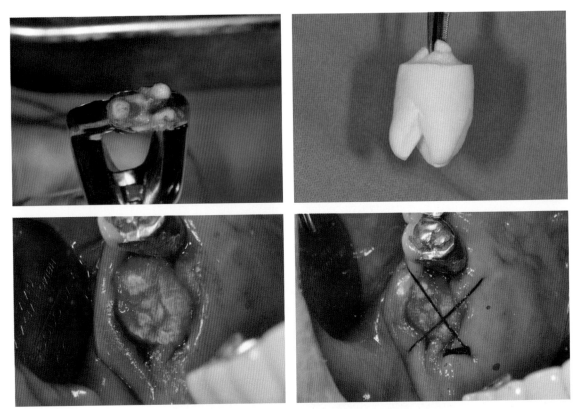

●●● **그림 7-2.** Teruplug®(흡수성 Collagen Matrix)의 모양 다듬기와 발치와 내부 삽입 및 봉합모습

발치창 중 특히 근심 치근부에 광범위한 골소실이 보였으며, 만성염증으로 인한 출혈이 관찰되었다. 발치된 치근의 형태를 확인한 후, resorbable collagen matrix(Teruplug®)를 치근의 모양과 비슷하게 자른후 발치와에 삽입하였다.

삽입 후 발치와에서의 출혈이 조절되었고, 혈병및 collagen matrix의 유지 및 안정화를 위해 8자 봉합을 시행하였다(그림 7-2).

문제점 검토

쿠마린 등 항응고제를 복용중인 환자는 항혈소판제제를 투약중인 환자와 달리 수술시 출혈 뿐만 아니라 술후 지연출혈이 문제가 된다. 즉, 발치 후 3~5일이 지난 후에도 출혈이 발생할 수 있기 때문에, 환자에게 이러한 내용을 교육해야 하며, 발치 후 출혈이 심하지 않더라도, collagen matrix 등 지혈제를 사용하는 것이 추천된다. 판막질환환자는 치과시술 전, 특히 관혈적인 치과시술을 시행할 경우 AHA guideline에 소개된 예방적 항생제를 반드시 복용하고 치과치료를 진행해야 한다.

증례 2 ┃ 44세, 남자

주소

저작시에 위쪽 어금니 부위가 아프다.

병력

내원 5년 전 심근경색으로 경피적 관상동맥 성형술(percutaneous transluminal coronary angioplasty, PTCA) 시술받았으며, 현재 Aspirin 투약 중이다.

구강소견

상악 양측 구치부에 고도의 치주염으로 진단되었다(그림 7-3).

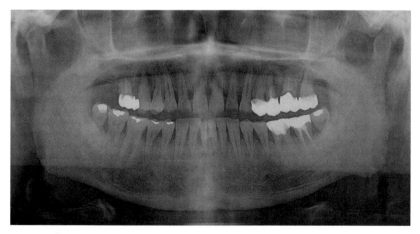

●●● **그림 7-3.** 초진 파노라마 방사선 사진

치료 및 경과

내과 주치의와 상의한 결과 심근경색(myocardial infarction, MI)로 인해 stent 시술받은 환자로, aspirin을 중단할 경우 재협착에 의한 심근경색이 다시 발생할 우려가 있기 때문에, 가능한 한 중단하지 않고 치과 시술을 하기 원하였다. 우선 발치는 상악 우측 제 1대구치부터 순차적으로 시행하였으며, 발치전 치태조절 및 약물투약으로 국소적인 출혈 가능성을 줄였다. 발치 당일에 치아 제거 후 치근단부의 염증조직을 완전히 제거하였으며, Resorbable collagen matrix를 이용하여 지혈한 결과 큰 문제없이 시술이 마무리되었다. 상악 좌측 부위의 치아도 동일한 방법으로 치료하였다.

발치 5개월 후, 상악의 임시 틀니(의치)를 장착중인 환자가 가철성 국소의치보다 고정식인 보철물을 원하였고, 임플란트를 위한 진단을 시행하였다. 전산화단층촬영 영상분석 결과 후상치조혈관이 측방 상악동거상술을 위한 골창 형성부에 존재해서, 측방거상을 이용한 상악동 거상술은 불가능할 것으로 추측하였다. 잔존 치조골이 약 3~4mm가 되었으므로 치조골정 접근법을 이용하여 상악동을 거상하고 임플란트를 식립하기로 결정하였다.

국소마취하에 아스피린을 중단하지 않은 상태로 임플란트 시술을 진행하였다(그림 7-4). Trephine bur를 이용하여 구치부에 5mm의 골을 삭제한 후 초음파 골수술기(piezoelectric device)를 이용하여 상악동 하연의 잔존골을 삭제하였다. 시술시 상악동막의 천공은 발생하지 않았으며, 치조정 접근을 통해 상악동막을 약 4~5mm 거상하였다. 이후 wide diameter implant를 구치부에 식립하였다(그림 7-5). 시술시 다소 출혈이 관찰되었지만, 국소적인 지혈방법을 통해 충분히 조절되었다.

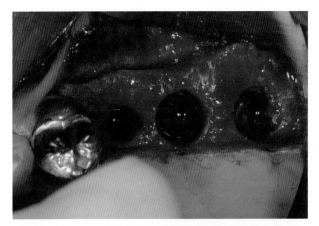

●●● 그림 7-4. 임플란트 시술 모습

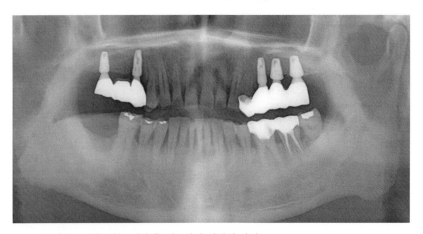

●●● 그림 7-5. 임플란트 식립 후 파노라마 방사선 사진

문제점 검토

허혈성 심장질환의 치료는 크게 스텐트(stent)를 이용한 혈관 확장술과 혈관 이식술이 있다. 스텐트를 이용하는 혈관확장술은 혈관조영술을 진단 목적으로 시행하는 과정에서 삽입하여 치료효과까지 얻을 수 있고 혈관 이식술 보다 덜 침습적이기 때문에 매우 효과적인 치료방법이다. 그러나 관상동맥에 스텐트를 삽입하게 되면, 재협착을 방지하기위해 한 종류 또는 그 이상의 혈소판 응집 억제제를 복용해야만 하며, 약물을 중단하였을 경우에는 사망 등 심각한 합병증이 발생할 수 있다. 치과 의사는 치과 시술시 출혈이 어느 정도 발생할 것인지 예측하여, 과도한 출혈이 예상되는 경우에는 약물을 끊어야 겠지만, 국소적인 지혈방법을 이용하여 조절이 가능한 시술인 경우 가급적 끊지 않고 시행하는 것이 좋다.

본 증례에서 발치 후 임플란트 식립시 측방거상술로 골이식수술을 시행할 수도 있지만, 아스피린 등 혈소판 응집억제제를 유지한 상태에서 동맥이 파열될 경우 국소적인 지혈이 어려울 수 있기 때문에, 측방거상술 보다는 술식이 까다롭다고 하더라도 치조정 접근을 이용한 골이식술을 시행하는 것이 환자에게 이득이라고 생각되어 시행하였다.

참고문헌

1. 김여갑, 김영설 : 치과의사가 알아야 할 전신질환의 실제. 나래출판사, 2000, p.35-52.

2. Wilson w, Taubert KA, Gewitz M et al : Prevention of infective endocarditis : guidelines from the American Heart Association. Circulation, 2007, Oct 9; 116(15): 1736-1754.

3. Roedig JJ, Shah J et al : Interference of cardiac pacemaker and implantable cardioverter-defibrillator activity during electronic dental device use. J Am Dent Assoc, 2010, May; 141(5): 521-526.

4. Becker DE : Preoperative medical evaluation : part I : general principles and cardiovascular considerations. Anesth Prog, 2009, Autumn: 56(3): 92-102; quiz 103-104.

5. Aubertin MA : The patient taking antiplatelet brugs : a review with dental management considerations. Gen Dent, 2008, May-Jun; 56(4) :363-369; quiz 370-371, 400.

6. Warburton G, Caccamese JF Jr : Valvular heart disease and heart failure : dental management considerations. Dent clin North Am, 2006, Oct; 50(4): 493-512.

7. Hupp JR : Ischemic heart disease : dental management considerations. Dent Clin North Am, 2006, Oct; 50(4): 483-491.

Chapter 08

폐질환(천식)이 있는데,
치과치료를 받을 수 있나요

| 박원서 |

01 문제 제기
Dental Treatment
for Medically
Compromised Patients

만성 폐쇄성 폐질환(chronic obstructive pulmonary disease, COPD)과 천식(asthma)은 폐질환 중 가장 흔한 질환이다. 치과치료는 스트레스를 동반하게 될 뿐만 아니라, 치료의 특성상 상기도 영역과 밀접한 관계가 있다. 이 장에서는 호흡기 질환의 대표적인 질환인 폐질환과 천식이 있는 환자에서의 치과치료 시 주의사항에 대해 알아보고자 한다.

02 기본적 이해
Dental Treatment
for Medically
Compromised Patients

1) 만성 폐쇄성 폐질환(COPD)

만성 폐쇄성 폐질환은 만성기관지염 또는 폐기종에 의해 폐를 통한 공기 흐름의 장애가 나타나는 질환이다. 국내에서도 최근 이 질환과 관련된 사망률이 증가하고 있으며, 1983년에 1,300명 가량에서 1999년에는 3,000명 이상으로 보고되고 있다.

만성 폐쇄성 폐질환의 원인으로는 만성기관지염과 폐기종이 가장 흔하다. 만성기관지염은 특별한 원인질환 없이 객담을 동반한 기침이 3개월 이상, 연속적으로 2년 이상 지속되는 상태를 말한다. 만성 기관지염은 기관지에 반복적인 상처와 흉터를 남기며, 이로 인한 공기흐름의 장애가 나타나게 되어 폐 기능에 이상을 유발한다. 폐기종은 폐의 수백만 개의 공기주머니가 파괴되면서 폐에 점점 커지는 구멍을 만들게 되고, 이로 인하여 폐는 그 신축성을 잃고 들어온 공기를 내보내는 데 장애가 발생하는 것을 말한다. 위험요인으로는 흡연이 가장 중요한 원인인자이며, 아직 확실한 근거는 없지만 오랜 기간 천식을 앓은 환자에서 발병도 가능할 수 있다.

만성 폐쇄성 폐질환의 증상은 점진적으로 발현하는 질환으로 초기에는 매우 경미한 증상만 보이나 시간이 지나며 악화된다고 알려져 있다. 초기 증상은 없을 수도 있으며 폐기능 검사에서만 이상이 발견되는 경우도 있고, 근력약화와 피로감이 나타나는 경우도 있다. 초기 자각증상으로 아침에만 발생하는 기침과 객담을 주소로 내원하게 된다. 대부분 40대의 나이에 기침과 객담, 그리고 자주 쌕쌕거리는 숨소리가 나타나게 되는데, 이러한 증상은 환자 본인보다 가족들에 의해 발견되기도 한다. 50대에 발견되는 경우, 보다 잦고 심한 흉부증상을 겪게 되며, 기침 및 객담점도의 증가, 천명음의 악화, 호흡곤란과 때때로 발열증상도 동반되게 된다. 병의 말기에는 동맥혈 산소분압이 떨어지고 이산화탄소 축적으로 인해 아침에 두통을 호소하게 되고, 심장이 영향을 받기도 한다.

진단은 흡연력, 환경적 유해인자의 노출에 대한 질문 및 만성 기침, 객담, 호흡곤란에 대한 문진이 중요하고 폐 청진상 천명음이나 환자가 호흡시 호흡보조근의 사용 등을 관찰한다. 폐기능 검사를 통한 폐기능의 측정은 만성 폐쇄성 폐질환의 진단에 가장 중요한 검사이다. 흉부 방사선 사진은 매우 심한 폐기종의 경우만 단순 엑스선에서 나타나게 되나, 다른 질환과의 감별 및 동반 질환 여부에 대해 조사하는 데 중요한 검사이다.

질환의 정도와 유병기간에 관계 없이 금연이 가장 중요한 치료이다. 만성 폐쇄성 폐질환은 완치가 되지 않는 만성질환으로 꾸준한 관리가 중요하며, 증상조절 및 합병증 감소에 도움이 되는 약물들이 있고, 흡입제제들은 기관지 확장제로 증상 조절 및 그 중 일부는 급성 악화의 예방 역할을 한다. 추가적으로 테오필린제와 스테로이드제가 경구약으로 처방이 될 수 있다. 감염으로 인해 질환의 급성 악화가 올 수 있으므로 폐렴구균 예방접종을 하는 것이 추천된다.

2) 천식(asthma)

천식은 세계적으로 가장 흔한 만성질환이다. 다행히 천식은 치료가 가능하고 조절될 수 있으며, 심한 발작을 예방할 수 있고, 증상 개선제가 거의 필요 없거나 불필요할 정도로 완치가 가능하다.

천식은 기도의 만성 염증질환으로 만성적 염증이 있는 기도는 과민성이 있어서 기도가 각종 위험 인자에 노출되면 기도수축, 염증 증가로 기류가 제한되고 기도가 폐쇄된다. 흔한 위험인자는 실내 집 먼지 진드기 같은 항원과 털가진 애완동물 항원, 바퀴벌레, 곰팡이, 꽃가루 등에 대한 노출과, 작업 장의 자극제, 흡연, 대기오염, 바이러스성 호흡기 감염, 운동, 강한 감정 표현, 화학적 자극제, 그리고 약제(아스피린이나 베타차단제) 등이 있다.

천식은 특히 야간이나 이른 아침에 반복되는 천명음이나 호흡곤란, 흉부압박감 그리고 기침을 야 기한다. 천식의 진단은 우선 환자의 병력이 중요하며, 폐기능 측정, 특히 폐기능의 가역성 여부가 천 식 진단에 중요하다. 천식의 중증도는 간헐적 혹은 지속성 경증, 중등증 혹은 중증의 네단계로 나뉜 다. 천식의 발작 또는 악화는 산발적이지만 기도의 염증은 만성적으로 지속된다. 많은 환자에서 증상 을 조절하고 폐기능을 개선하고 발작을 방지하기 위해서는 매일 약물을 투여해야 한다. 또한 천명이 나 흉부압박감 혹은 기침같은 급성 증상을 완화하기 위한 약제가 필요할 수도 있다.

03
Dental Treatment
for Medically
Compromised Patients

치과 진료실에서 대처하기

폐질환자의 치과치료 시 주의사항중 가장 중요한 것은 치과치료 도중 호흡곤란이 발생하거나 천식 발작이 발생하는 것이다.

1) 시술 전 주의사항

천식 환자는 본인이 투약중인 약물을 치과치료 시 가지고 오도록 교육하는 것이 중요하며, 특히 천식 발작시 사용하는 흡입제를 가지고 오도록 교육한다.

약물 처방시 주의점은 erythromycin, macrolide, ciprofloxacin과 같은 항생제는 theophylline 을 투약 중인 환자에서는 처방해서는 안된다. 상기도감염이 있는 환자에서는 기존에 항생제가 투약 되고 있는 경우도 있으므로, 이를 확인한 후 항생제를 처방해야 하며, 항생제 내성에 관해 주의를 기 울여야 한다. 천식이 있는 경우 아스피린이나 NSAID(nonsteroidal antiinflammatory drug)를 투약해서는 안된다.

환자의 약속은 늦은 아침이나 오후에 하는 것이 추천된다. 스테로이드를 지속적으로 투여중인 환자에서는 내과의사와 상의하여 치과치료 전 약물을 증량할 지 여부를 고려해야 하는데, 특히 수술적인 치료를 계획중인 경우 약물 증량을 시행한다.

2) 치과치료 중 주의사항

치과치료 중 스트레스가 발생하면 천식 발작이 발생할 수 있으므로 스트레스를 감소하기 위한 방법들이 사용되어야 한다. 스트레스 감소를 위해 진정법을 사용할 때 주의점은, 경증인 천식환자에서는 N_2O sedation이나 적은 용량의 경구 diazepam이 사용될 수 있으나, 천식이나 COPD가 심한 환자에서는 N_2O sedation은 금기이므로 주의해야 한다. Phenobarbital제제는 theophylline을 투약중인 환자에서 사용되어서는 안된다. 치과치료 시 pulse oxymetry를 이용한 환자 감시를 시행하는 것이 추천되며 산소를 투여하면서 치료를 진행하는 것이 추천된다. 심한 COPD환자에서는 rubber dam시행을 하지 않는 것이 좋다. 치료 시 자세는 가능한 한 세워서 진행하는 것이 도움이 되며, 적절한 마취를 시행하지만 좌우 양측을 마취하는 것은 좋지 않다.

만약 치료 중 천식발작이나 호흡곤란이 발생하면 응급의료체계(emergency medical system)을 작동시켜 119를 호출하고, 필요시 피하로 1:1,000 에피네프린을 0.3~0.5mL 주사한다.

증례 1 | 69세, 여자

주소
하악 우측 어금니 해넣은 곳의 잇몸이 붓더니 3일 전부터 많이 아팠다.

병력
약 5년 전부터 천식을 앓아서 인근 내과의원에서 천식 약을 투여해 왔고, 2년 전부터는 당뇨병이 있어서 내과약을 복용 중이며, 최근 집안에 우환이 있어 간병을 하느라 심신이 항상 피곤했다.

전신소견
혈액검사 상 WBC(13,320), ESR(46), CRP(1.41) 수치가 모두 증가 소견을 보여서 치성 감염의 양상을 확인했고, 간기능 검사, 소변 검사 등 다른 검사 상에서는 특기할 이상 소견은 관찰되지 않았으나, 3일 전부터 식사를 잘 못해서 탈수의 증상이 있었고 생징후는 정상 범주였다.

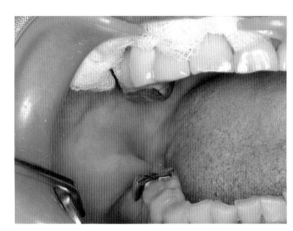
●●● **그림 8-1.** 초진 구강소견

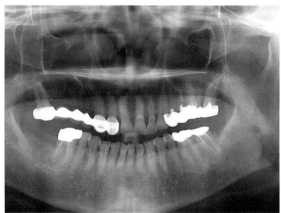
●●● **그림 8-2.** 초진 panoramic view

구강소견

통상적인 보철물 내부 충치로 인한 급성 치수염과 치근단 협부농양 및 치주염 소견을 보였고(그림 8-1), 방사선 소견상 치근단 농양이 확인되었다(그림 8-2).

치료 및 경과

우선 치성감염으로 인한 전신 건강상태를 확인하기 위하여 혈액검사 등 임상 병리적 검사, 흉부 방사선사진 검사, 심전도 검사를 시행했고, 급성 치통 등 감염 증상을 감소시키고자 경험적인 수액인 Normal Saline 1,000cc 정맥주사, 항생제인 Cefazoline 1.0g의 정맥주사, 소염진통제(Tridol' 1Ⓐ) 근육주사 및 소화제(Macpheran 1Ⓐ) 정맥주사를 시행하면서, 최근 천식의 증상이 남아 간헐적 기침으로 인한 분비물의 배출을 돕고자 환자의 자세를 45° 정도로 세워서 앉혔다(그림 8-3). 그리고 평소 천식 발작에 대비한 약제(기존에 사용하던 isoproterenol 제제)를 보호자에게 가져오게 해서 준비시켰다. 수액 투여를 시작하고 약 4시간 경과 후에 급성 증상이 약간 완화되어서, 일단 경구용 약제(항생제인 Cephalexin, 진통제인 Tyrenol, 소염제인 Varidase, 정신 안정제인 Valium, 소화제인 Phazyme 정제)를 처방했고, 가정으로 일단 귀가해서 우측 뺨에 냉찜질을 하면서, 유동식의 섭취와 이온 음료의 섭취를 권장했다.

다음날 치과외래로 내원했을 때에는 치성 감염의 증상이 개선되고 치근단 농양부위도 국소화되어서, 국소마취를 시행하고서 구강내 절개 배농술과 농(pus) 배양 및 항생제 감수성 검사를 했고(그림 8-4), 염증이 감소되어 가는 것을 알고서 기존의 근관치료된(#46) 치아의 금속관 내부의 치근관내 상태를

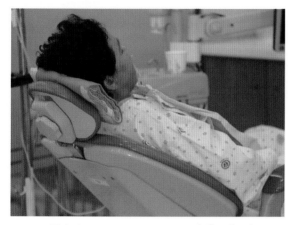

●●● **그림 8-3.** Semisitting position으로 수액주사 모습

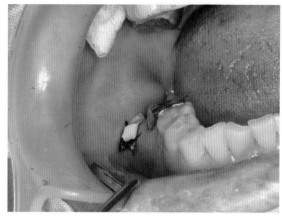

●●● **그림 8-4.** 구강내 절개 배농술과 고무배농재

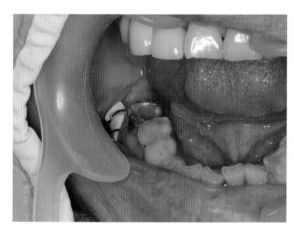

●●● **그림 8-5.** Rubber dam을 사용치 않고 다시 근관치료한 모습

알고자, 다시 근관치료를 시행하게 되었는데, 천식 환자여서 러버댐(rubber dam)을 사용치 않고 근관치료를 시행했다(그림 8-5). 지속적인 투약과 드렛싱으로 약 2주일간 통원가료로 치성 감염이 크게 개선되어, 근관치료를 종결하고서 고무 배농재(rubber drain)를 제거했다. 또한 재발 방지를 위해 항생제 경구 투약을 1(일)주일간 시행하고, 치과진료를 일단 종결했으며, 향후 경과 불량 시는 치근단 절제술이나 발치의 가능성을 알려드리면서, 전신 건강의 증진과 구강위생 관리에 유념할 것을 설명하였다.

문제점 검토

천식이나 만성 폐쇄성 폐질환(COPD) 등 호흡기 질환자에서는 치성 감염이 발생할 경우에 통증과 불안에 대한 스트레스의 증가로 호흡기 질환이 악화될 우려가 많으므로 진료시 스트레스 감소에 유념해야 된다. 또한 치성 감염에 의한 음식물 섭취에 불편감이 많아 탈수와 영양장애도 발생되기 쉬우므로, 수액요법에 의한 전신건강의 증진이 중요하다. 특히 면역성이 저하된 노인 환자의 치과진료 시는 탈수 방지와 영양 개선이 무엇보다 중요하기에, 본 증례에서도 우선 5% Dextrose 수액 요법을 시행했고, 급성 증상이 감소된 다음 날 절개 배농술을 시행코자 경구용 약제 투여시도 통상적인 항생제, 소염진통제 투여 뿐만 아니라 진정제인 Valium Tablet을 소량 처방해서 다음 날 안전한 절개 배농 치료에 도움을 얻었다. 물론 진정제 사용에 대해서는 호흡기능 감소가 우려되어 금기시 하는 견해도 있으나, 소량의 약제 투여는 안정된 치과진료에 유익성이 크기에, 천식의 정도가 약한 경우는 큰 도움이 된다. 또한 천식같은 호흡기 질환자의 근관치료 시에는 통상적인 러버댐(rubber dam) 사용을 삼가는 것이 좋은데, 이유는 치과진료 도중 구강내 타액이나 소독액이 입안에 고여서 목구멍 속으로 넘어가도 알 수가 없으며, 특히 기관지 분비물이 고일 때 기침 등으로 뱉어내기가 러버댐 장착 상태에서는 힘들기 때문이다.

증례 2 ㅣ 44세, 여자

주소

약 1주일 전 하악 지치를 개원 치과의원서 발치했는데, 다음날부터 붓고 많이 아파서 매일 가서 소독하고 약을 먹어도 낫지 않아서 내원하였다.

병력

약 1년 전부터 천식이 있어서 개인 내과의원에서 천식 약을 먹는 것과 부는 것을 처방받아 사용해오고 있는데, 최근 20일 전에는 오래된 허리와 목통증이 견디기 힘들어서, 허리와 목디스크 성형수술을 정형외과에 입원해서 받았다. 퇴원 후 정상 생활이 가능할 정도로 회복되어서, 오랫동안 잇몸염증으로 불편했던 하악 좌측 지치를 발치했다가, 지속적인 감염소견으로 통증, 개구장애, 연하곤란으로 종합병원 치과(구강악안면외과)로 내원하였다.

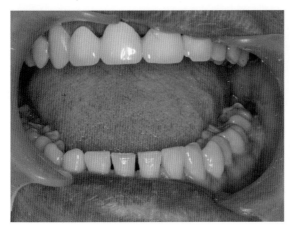

●●● **그림 8-6.** 초진 구강소견

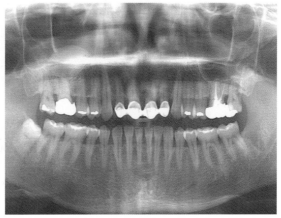

●●● **그림 8-7.** 초진 panoramic view

전신소견

혈액검사 상 백혈구(10,820), ESR(56), CRP(7.08) 수치가 모두 증가 소견을 보여서 창상 감염이 확인되었고, 간기능 검사, 소변검사, 심전도 검사의 결과는 정상 범주였지만, 약 일주일 동안 음식물 섭취를 못해 탈수증상과 생징후에서 약간의 미열 소견도 보였다.

구강소견

구강검사 및 방사선 사진검사 상 전형적인 하악 지치 발치 후의 증상을 나타내었고(그림 8-6, 7), 개구장애와 연하장애 뿐만 아니라 편도선 염증도 시작되면서 천식과 목감기 기운으로 간헐적인 잔기침도 있었다.

치료 및 경과

먼저 발치 창상의 감염으로 인한 전신 상태를 파악하고자 혈액(화학)검사, 전해질, 뇨검사, 심전도 검사, 흉부 방사선 사진검사를 시행했고, 급성 창상 감염의 증상을 감소시키기 위해 경험적인 수액 약물요법(normal saline 1,000cc, 1세대 세팔로스포린 계통의 cefazoline 1.0g 정맥주사, Tridol, Macperan 근육주사)을 시행했다. 약 5시간 이상 수액 투여시 자세는 천식의 병력을 고려해 semisitting position으로 했으며, 스트레스 과다에 의한 천식의 급성 발작에 대비한 약제(환자가 그동안 사용해 오던 isoproterenol 제제)를 준비하도록 했다. 그리하여 약 5시간 경과 후에 증상이 완화되어서 일단 귀가하기로 했고, 집에서 복용할 약제(통상적인 항생제, 소염진통제, 소화제, 정신 안정제 추가)를 처방했다. 다음 날 치과외래 내원 시도 아직 창상 감염의 증상이 남아서 어제와 동일한 수액 약물요법을 시행했고, 약 5시간 수액 약물요법 시행 후에 증상이 개선되어서, Valium 1Ⓐ과

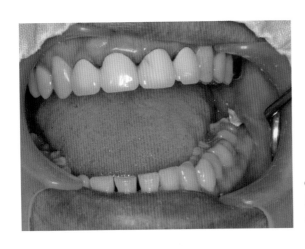

●●● **그림 8-8.** 발치창상(#38) 주위 염증부의 절개 배농술 모습으로 고무배농재와 요오드포름 거즈 드레인(Nu-gauze) 삽입모습

주사용 증류수 20cc를 혼합한 약물을 서서히 정맥주사한 진정요법과 국소마취 시술하에, 발치창상 주위 염증부의 절개 배농술을 시행했다(그림 8-8). 그 후 2~3일마다 치과외래를 내원해 창상 드렛싱과 개구 훈련을 실시했고, 약 2주일 경과된 시점에 정상적인 개구와 저작기능 회복이 되어서, 고무배농재를 제거한 다음 치과진료를 종결했다.

➕ 문제점 검토

통상적으로 하악 지치의 발치는 20대 초기에 시행하게 되는데, 사정이 여의치 않아서 40대 이후에 지치 발치를 시행하게 되면, 연령증가에 따른 골석회화와 면역기능 저하로 발치창 치유가 지연되거나, 창상 감염의 우려가 높아진다. 더욱이 본 증례의 경우 발치 시행 약 20일 전에 정형외과에서 목과 허리의 디스크 수술을 받으면서, 항생제 등의 약물을 많이 투여했을 것이고, 수술 후 거동이 불편해 운동 부족 등으로 심신의 회복이 덜 된 상태에서 하악 지치의 난발치를 시행했음은 발치 시기의 선택에서 다소 빨랐던 감이 있다. 또한 부득이 발치를 시행했다고 하더라도, 난발치인 하악 지치 발치의 경우 인접 골삭제와 치아 분할과정에서 창상에 손상이 많이 가서, 2차적인 혈종(hematoma) 형성에 따른 창상감염의 우려가 있으므로, 발치 직후에 창상 내부에 드레인(rubber strip or iodoform gauze) 삽입술을 시도했더라면, 2차적인 창상 감염의 예방에 도움이 되었을 것이다. 아울러 지치 발치 후 창상 드렛싱과 약 1주일간의 경구용 약제 투여에도 창상 감염의 증상이 계속되었다면, 환자의 스트레스 증가에 따른 음식물 섭취의 장애로 영양 불량이 지속되면서, 체액과 전해질 불균형 및 산과 염기의 평형에도 이상이 와서, 전신적으로 감염이 확대될 우려가 있었다. 따라서 수액 약물요법(5% Dextrose, Normal Saline, 항생제, 소염진통제 등의 정맥주사와 근육주사 등)을 보다 조기에 시행했으면, 좀 더 빠른 회복을 보였을 것으로 판단된다. 더욱이 천식과 편도선염 병력이 있었던 점을 고려하면, 발치 등 수술 후 창상감염 발생 시는 조기 수액 약물요법이 반드시 선행되어야 되며, 생징후에 이상이 나타나면 패혈증 등 전신적인 합병증 가능성도 있으므로, 관련의학과(주로 감염내과)와의 협의 진료도 반드시 고려되어야 하고, 질병 스트레스로 급성 천식발작에 대비한 약제의 준비와 응급실 전송 체계의 확립도 필수적인 대비책이므로, 천식환자 진료시 반드시 유념할 사항이다.

▌▌▌▌▌▌▌ 참고문헌

1. 김여갑, 김영설 : 치과의사가 알아야 할 전신질환의 실제. 나래출판사, 2000, p.53-65.

2. Hupp WS : Dental management of patients with obstructive pulmonary diseases. Dent Clin North Am. 2006, Oct; 50(4): 513-527.

3. Coke JM, Karaki DT : The asthma patient and dental management. Gen Dent. 2002, Nov-Dec; 50(6): 504-507.

4. Steinbacher DM, Glick M : The dental patient with asthma. An update and oral health considerations. Am Dent Assoc. 2001, Sep; 132(9): 1229-1239.

5. Hatch CL, Canaan T, Anderson G : Pharmacology of the pulmonary diseases. Dent Clin North Am. 1996, Jul; 40(3): 521-541.

6. Sollecito TP, Tino G : Asthma. Oral Surg Oral Med Oral Pathol Oral Radiol Endod. 2001, Nov; 92(5): 485-490.

7. Sonis ST, Fazio RC, Fang L : Principles and practice of oral medicine, second edition. WB Saunders, 1995, p.173-200.

Chapter 09

간질환이 있는데,
치과에서 조심할 것이 있나요

|김 진|

01 문제 제기
Dental Treatment
for Medically
Compromised Patients

치과 진료실에서 간조직 질환의 중요성은 첫째, 간기능 부전으로 혈액 응고 인자 형성이 감소되므로 출혈성 치과치료에서 출혈의 원인이 된다는 점이다. 출혈성 장애가 관련된 주요 질환으로는 간질환, 백혈병 등 혈액 질환자, 항 혈액 응고제를 복용하는 심근경색증 환자 및 뇌혈관 질환자, 신부전증 등이 있으나, 이중 간질환은 출혈성 관련으로 치과에 의뢰되는 질환의 33%를 차지하고 있다. 황달이 심한 환자의 무심코 흔들리는 치아를 쉽게 발치하였다가 지혈이 되지 않아 고생하는 경우를 종종 보게 된다. 발치뿐만 아니라, 치석제거술 등 치과 진료실에서 행해지는 처치 중 출혈이 동반되는 모든 경우에 간질환은 꼭 진료할 때 염두에 두어야 하는 질환이다.

둘째, 치과 진료실이 바이러스성 간염의 전파 경로로 작용할 수 있다는 점에서 중요하다. 치과의사에게 가장 높은 빈도로 나타나는 직업병으로 간질환을 꼽고 있는 것도 치과 진료실이 간염 바이러스의 감염 위험에 노출되어 있음을 말해준다. 바이러스성 간염 환자의 타액에서 간염 바이러스 항체뿐만 아니라 HBsAg까지 100% 민감도를 보이며 관찰되는 것을 볼 때, 치과 진료실에서 감염 방지를 위한 주의가 특별히 요구된다.

셋째, 치과에서 처방하는 많은 약제가 간에서 대사되기 때문에 간질환으로 간기능이 저하된 환자에게 처방할 때 약제의 선택과 용량 조절이 필요하다. 특히 간에서 대사되는 lidocaine 의 경우 2% lidocaine을 사용할 것을 권한다. 기타 치과에서 처방할 때 주의해야 할 약제에 대하여는 표 9-1에 설명하였다.

표 9-1. 간질 환자에서 피하거나 용량 조절이 필요한 약물

항생제	Ampicillin, Tetracycline, Vancomycin
진통제	Aspirin, Acetaminophen, Codeine, Meperidine
진정 수면제	Diazepam, Barbitrate

02 기본적 이해

Dental Treatment
for Medically
Compromised Patients

바이러스성 간염은 우리나라가 유행지역으로 알려져 있고 이것이 진행되어 간세포암종으로 발전하기 때문에 간세포암종의 약 80%가 HBV 간염과 관련이 있다고 알려져 있다. 또한 우리나라의 알코올 소비량이 선진국보다 높은 만큼 알코올로 인한 간조직 질환도 무시할 수 없다. 알코올성 간질환의 경우 초기에 지방 간 상태에서는 정상으로 회복될 수 있으나 섬유화가 진행되면서 손상 정도가 심해지고 간경변증으로 진행된다. 이 책에서는 간의 이상 유무를 파악하기 위한 기본적인 검사와 바이러스성 간염을 진단하는 항원,항체 검사를 소개하기로 한다.

1) 기본적인 간기능 검사

치과 임상에서 흔히 시행 가능한 기본적인 간기능 검사에서는 간질환과 관련된 다양한 검사결과가 수치로 표시되며, 이상소견도 자동으로 표시되는 경우가 많다

(1) ALT(alanine amino-transferase)와 AST(aspartate amino-transferase)

ALT는 주로 간세포질 내 존재하며, AST는 세포질과 미토콘드리아에 존재한다. 간질환으로 세포막의 투과성이 커져 수치가 증가하는 것으로 간세포 손상의 유무와 정도를 알 수 있다.

(2) Albumin

간 합성능을 평가한다. Fibrinogen 같은 혈장 단백도 같이 감소하여 prothrombin time이 지연된다. 한편, 간질환 때문에 간에서 항원제거가 어려워지면 면역기관이 자극되기 때문에 globulin은 오히려 증가하여 A/G 비율이 역전된다.

(3) Bilirubin

간의 배설 기능장애를 판단하는데 유용하다. ALT와 AST가 증가된 후에 bilirubin의 증가가 나타난다.

(4) ALP(alkaline phosphatase)

간, 담도 폐쇄나 간암의 진단에 유용하다.

2) 바이러스성 간염 검사

간질환으로 가장 흔한 바이러스성 간염은 간조직에 괴사와 염증을 초래하는 감염성 질환이다. 원인 바이러스로는 분변을 통해 전염되는 A형 간염 바이러스(HAV), 비경구적으로 전염되는 B형 간염 바이러스(HBV)가 있으며, Non-A Non-B 바이러스 중 수혈 후 주로 발생하는 C형 바이러스(HCV)와 수혈과 관련없이 A형 바이러스와 유사한 E형 바이러스(HEV)가 있다. 또한 HBV 감염 환자에서만 증식하는 델타 간염 바이러스(HDV)가 있어 모두 5가지가 있다. 이 중 치과에서 가장 관심을 두어야 할 종류가 HBV와 HCV에 의한 간염이다.

급성 바이러스성 간염은 임상증상과 발현 유무는 개인차가 심하며, 전형적인 증상은 식욕부진, 흑뇨, 구역, 황달 등이 있다. 혈청학적 변화로는 AST/ALT가 높게 증가하고 혈청 bilirubin이 높아지며, prothrombin time이 지연된다.

만성 간염은 생화학적, 조직학적 이상 소견이 최소한 6개월 이상 지속되는 경우를 말하며 HBV, HCV, HDV, 알코올 및 각종 약물 등이 만성 간염을 일으킬 수 있다. 만성 바이러스성 간염의 증상은 개인에 따라 차이가 심하다. 급성 감염보다 심하지는 않으나 점차 AST/ALT가 높게 증가하고, 심해지면 혈청 bilirubin이 높아지며 prothrombin time이 지연될 수 있다. 거미모반, 복수 등의 소견도 보인다. HBV 감염 후 6~10%가 보균자로 이행되며, HCV감염 후에는 70~90%가 보균자가 된다. HBV감염의 3~5%, HBV보균자의 25% 및 HCV감염 40~50%에서 만성 활동성 간염으로 진행되며, 이 중 20%가 간경화증으로, 이 중 1~5%가 간암종으로 진행된다.

바이러스 간염의 일반적인 혈청학적 검사법은 표 9-2와 같다.

간염	항원, 항체검사
급성 A형 간염	IgM anti-HAV
급성 B형 간염	IgM anti-HBc/HBs Ag
급성 D형 간염	IgM anti-delta/HBsAg
만성 B형 간염	HBsAg, HBeAg, anti-HBe
만성 B형 바이러스 보유자	HBsAg, HBeAg(±), anti-HBs(+ mutant type only)
C형 간염	anti-HCV, HCV RNA

표 9-2. 바이러스성 간염의 혈액학적 검사

03 치과 진료실에서 대처하기

Dental Treatment
for Medically
Compromised Patients

1) 간질환과 출혈

간의 합성기능이 저하되면 간에서 합성되는 응고인자인 II, VII, IX, X 혈액응고 인자의 합성도 저하되어 PT, aPTT검사가 지연된다. 또한 간질환으로 비장이 비대해진 경우도 혈소판이 감소되어 출혈은 더욱 악화된다. 따라서 간기능이 저하된 환자를 치과에서 치료하고자 할 때는 사전에 반드시 내과에 의뢰하여 상담하는 것이 좋다. 치료 전 충분히 병력을 청취하여 간염 유무를 확인하는 것이 중요하며, 환자가 자신의 간염 병력을 모르는 경우 황달, 복수, 거미모양 모반 등이 있는 경우 치과치료를 미루고 간기능 검사를 의뢰하는 것이 필수적이다. 발치 등 출혈을 초래하는 치료가 아니더라도 마취주사를 놓은 부위에서도 출혈이 멈추지 않는 경우가 있으므로 간단한 보존치료조차 항상 주의해야 한다. 출혈성 질환을 가진 환자라도 치과에 내원할 때는 출혈보다는 치통을 주로 호소한다. 따라서 치통이 있는 경우 출혈성 환자의 비출혈성 보존적 치과치료 원칙을 지키는 것이 중요하다. 서둘러 치과진료를 시행하지 말고, 우선 약물요법(항생제, 소염진통제)을 통해 동통을 완화시킨 후 가능한 한 출혈이 적은 근관치료를 통해 통증을 완화시킨다. 그 후 감염상태가 개선되도록 유도하여 간기능이 개선된 후 발치 혹은 치주수술을 계획하는 것이 안전하다.

2) 철저한 감염 관리

바이러스 간염이 많은 우리나라에서는 치과치료 시 환자끼리의 감염이나 치과의사를 비롯한 진료 요원의 감염을 예방하기 위해서 개인 보호 장비인 마스크, 장갑의 착용과 철저한 소독 등 치과 진료 실에서의 감염 방지 수칙을 잘 지켜야 한다. 또한 치과의사의 직업병으로 가장 높은 빈도를 차지하는 만큼 예방을 위한 접종이 필수적이다. 그러나 예방접종을 하였더라도 100% 효과적이지 못하므로 예 방접종후 반드시 혈청검사를 통하여 예방 효과 여부를 확인하여야 하겠다.

3) 치과에서 약 처방에서 주의사항

앞에서 설명한대로 간은 복용한 약이 대사되는 기관이기 때문에 간질환이 있는 경우 간에 부담을 줄이기 위하여 처방할 약제의 선택과 약제 처방이 불가피한 경우 용량의 조절이 반드시 필요하다. 간 질 환자에서 주의해야 할 약제에 대하여 표 9-1에 표시하였다.

증례 1 ㅣ 49세, 남자

주소
발치 후 계속되는 출혈

병력
내원 3일 전 다른 개인병원에서 상악 좌측 6번이 몹시 흔들려서 발치했다고 함(침윤 마취 는 lidocaine으로 시행). 발치 전에도 가끔 상처가 나면 5~7일간 지혈이 안 된다. 환자는 약 17~18 세부터 양조장에서 일용 근로자로 근무해 왔는데, 매일 음주를 30여 년간 계속해왔다고 한다.

전신소견
영양 부족으로 전반적으로 허약한 상태로서 피부가 검고 황달 증상을 보인다. 평소에도 식 사를 거르는 경우가 많다고 한다.

구강소견
발치창 내에서 blood oozing이 계속된다. 국소마취(lidocaine 1.8cc)와 Bosmin을 사용 해 보았으나 전혀 개선이 안 되고, 국소마취 바늘을 찌른 자리에서도 출혈이 된다(그림 9-1).

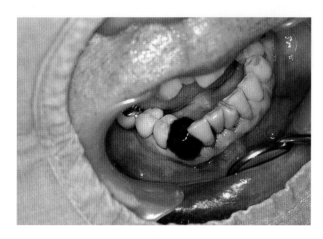

●●● **그림 9-1.** 발치 후 지속적인 출혈을 보이는 간경화증 환자

진단
간경화증에 기인한 발치창 내 출혈

치료계획
(1) 비타민 K 근육주사

(2) 긴밀한 봉합, 젖은 거즈 압박

(3) 계속되는 출혈을 보상하기 위하여 수액 정맥주사 및 투약

(4) 내과 자문으로 간질환 치료

치료 및 경과
모든 처치에도 지혈되지 않아 3일 후 대학 부속병원 내과에 의뢰하였음

문제점 검토
간장에서는 여러 응고인자와 비타민 K가 형성되기 때문에 간경화증이 심해진 경우 치은출혈이 올 수 있다. 위의 경우처럼 환자가 스스로 간에 문제가 있음을 모를 때 황달이 있거나, 복수가 차있는 환자의 경우에 간경화증을 의심해야 하며, 출혈성 치료를 일단 보류하고 검사를 받을 것을 추천한다. 환자가 간경화증이 있음을 인지하고 있을 때는 반드시 PT/PTT 검사와 혈소판 수치를 확인한 후 내과의사와 상의하여 치료한다. 발치보다는 출혈의 우려가 적은 근관치료로 치성감염의 증상을 관리함이 바람직할 것으로 사료된다. 발치 후에는 절대 aspirin 계통의 약물처방을 금한다.

증례 2 ｜ 70세, 남자

주소

상악 좌측 제 2대구치의 심한 통증으로 발치를 원했다.

병력

약 20년 전부터 알콜의 과다 섭취로 지방간 소견을 보였고, 1년 전에는 간경화증으로 내과에 입원한 적이 있다. 현재는 알콜은 섭취하지 않으나 간경화증에 대하여 통원 치료 중이었다.

전신소견

간질환으로 얼굴에 황달 소견이 있으며, 간기능 검사에서도 GOT와 GPT의 과도한 상승과 총 단백질과 알부민 저하 등 영양결핍 상태를 보였다(그림 9-2).

구강소견

구강위생상태 불량과 전신상태의 약화로 상악 좌측 제 2대구치의 심한 치아우식증과 치주염으로 치통이 심하다.

진단

간경화증이 동반된 치수염과 치주염(#27).

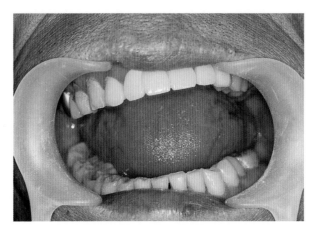

●●● **그림 9-2.** 간경화증으로 황달 소견과 치주질환을 보이는 환자

치료 및 경과

환자는 발치를 원하였으나, 발치를 할 경우 출혈과 감염의 우려가 높아 우선 약물요법(항생제와 소염진통제를 근육주사 및 경구투여, Gentamicin, Tridol, Cephalexin, Pontal, Varidase, Bestase 등 처방)을 하였고, 내과의사에게 발치 및 근관치료 가능여부를 자문하였다. 그 결과 발치는 위험하지만 근관치료는 가능하다는 판단으로 근관치료만 시행하였다. 1년 후 다른 치아문제로 재내원하였을 때 근관치료한 치아는 잘 유지되어 있었다.

문제점 검토

통상적으로 환자는 치통이 심할 경우 발치만 시행하면 치통이 제거된다고 생각하고 치과의사에게 발치를 요구할 경우가 많다. 그러나 전신질환 특히 간질 환자에서 발치는 술 후 출혈과 이차 감염의 문제가 심각하기 때문에 절대로 발치를 서둘러서는 안된다. 가능한 한 출혈과 창상감염의 우려가 적은 근관치료와 약물요법을 병행함이 바람직하다.

참고문헌

1. 유재하 외 7인 : 주요 출혈성 질환자에서 치성 감염 관리에 관한 임상적 연구. 대한구강악안면외과 학회지, 2003: 29: 330-337.

2. 대한내과학회 편 : Harrison's 내과학, 제 16판. 도서출판 MIP, 2006, p.1970-2049.

3. 대한진단검사의학회 : 진단검사의학, 4판. E-Public, 2009, p.337.

4. Piacentini SC, Thieme TR, Beller M : Diagnosis of hepatitis A,B, and C using oral samples. In Malamud D, Tabak L(eds). Saliva as a diagnostic fluid. New York Acad Sc1, 1993, p.334-336.

5. Little JW, Falace DA, Miller CS, Rhodus NL : Dental manifestation of the medically compromized patient. 7th ed. Mosby, 2008, p.140-161.

Chapter 10

신장질환이 있는데, 치아가 아파요

| 유재하 |

01 문제 제기

Dental Treatment for Medically Compromised Patients

신장질환은 크게 원발성 사구체 질환(primary glomerular disease), 간질성 신염(interstitial nephritis), 신부전(renal failure)으로 분류되는데, 치과적인 문제와 크게 관련되는 것은 신부전으로 인한 투석과 신장이식의 경우이다.

신장투석 및 신장이식으로 많은 신장질환 환자가 살아가고 있다. 신장질환은 치과적 문제(감염, 출혈, 궤양, 구강건조증, 캔디다증 등)와 관련하여 매우 중요한 의미를 갖는다. 정기적으로 신장투석을 받는 환자는 비교적 건강하게 생활할 수 있다. 그러나 이러한 환자는 신장투석 전에 항응고제를 투여하게 되며, 이로 인해 투석 후 6~12시간 동안은 지혈이 되지 않는다. 또한 영구적인 동정맥 단락(shunt)을 하고 있어서 감염의 가능성이 높기 때문에 치과에서 외과적인 술식을 시행할 때에는 예방적 항생제의 사전 투약을 고려해야 한다. 신부전 자체로도 구강증상이 흔히 나타나며, 간혹 신장이식 후에 면역억제제를 투여하면 부작용으로 구강 병소가 발현할 수 있다. 더욱이 만성적인 투석으로 인하여 B나 C형 간염 보균자일 가능성이 높아 치과의사나 치과위생사의 교차감염에도 주의해야 한다. 또한 이차적인 부갑상선 기능항진증이 나타날 수 있으며, 신장투석 환자인 경우 심혈관계나 뇌혈관 질환이 높은 빈도로 나타난다.

02 기본적 이해

Dental Treatment
for Medically
Compromised Patients

만성 신부전 환자의 경우에도 일반 환자에서 볼 수 있는 치아우식증과 치주질환에 대한 치료가 필요한 경우가 대부분이다. 하지만 만성 신부전 상태나 이의 치료를 위해 복용하고 있는 약물의 영향으로 인해 다양한 증상이 나타날 수도 있다. 실제로 만성 신부전 환자는 오랜 기간동안 약물 복용이나 투석 등에 시달리므로 치태나 치석 등 구강위생 상태가 일반인에 비해 불량한 경우가 대부분이다. 아울러 구강감염증이 발생되는 경우, 신장이식 후 면역억제제 복용 상태에서 감염증의 경로가 일반인에 비해 악화될 수 있다.

만성 신부전 환자에서 가장 흔한 구강증상은 입안에서 암모니아 냄새가 난다는 것이다. 이는 환자의 혈액 내 요소 성분이 많아서 타액으로도 요소가 배출되기 때문에 생기는 현상이다. 타액으로 배출된 요소는 구강내 세균이 분비하는 효소에 의해 암모니아로 변화된다. 이로 인해 환자의 입맛이 변화되기도 하고 구취를 호소하며, 요소나 암모니아의 국소 자극에 의해 혀나 구강점막에 통증이 유발되기도 한다. 많은 만성 신부전 환자는 구강건조증을 호소하는데 이는 만성 신부전 환자에서 흔히 있는 고혈압 치료제 사용과 함께 환자들의 수분 섭취를 제한함으로 인해 주로 발생되는 것이다. 하지만 침의 분비 저하나 구강위생의 관리 소홀로 인해 혀에 백태가 많이 침착되어 있는 경우를 흔히 볼 수 있다. 이외에도 구강궤양, 잇몸이나 점막에 출혈이 발생하는 구강내 출혈 경향, 캔디다증(아구창)과 같은 곰팡이 감염 등을 볼 수 있지만, 신부전에 대한 적절한 내과 치료를 받고 있는 환자에서는 이들 증상이 나타나는 경우는 드물다. 치아(법랑질) 형성 이상은 치아 형성기에 있는 소아 만성 신부전 환자에 나타날 수 있다.

1) 만성 신부전(chronic renal failure)의 구강증상

만성 신부전 환자에서 관찰할 수 있는 구강증상들에는 점막 창백과 빈혈, 출혈성 자반(purpura), 구강건조증, 상피성 백색병소 등이 있다(표 10-1).

표 10-1. 만성 신부전의 구강증상
1. 점막 창백과 빈혈(그림 10-1)
2. 구강건조증
3. 출혈성 자반(purpura)(그림 10-2)
4. 캔디다 또는 세균 집락
4. 상피성 백색병소
5. 속발성 부갑상선 기능항진증에 의한 악골의 거대세포 병소

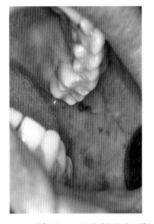
●●● **그림 10-1.** 점막 창백과 빈혈
(mucosal pallor and anemia)

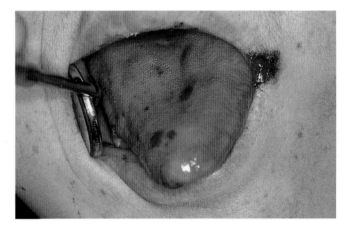
●●● **그림 10-2.** 출혈성 자반(purpura)

2) 신장성 골이영양증 및 속발성 부갑상선 기능항진증
(renal osteodystrophy and secondary hyperparathyroidism)

만성적으로 신부전에 시달리거나 신장투석 중인 환자는 원발성 부갑상선 기능항진증에서 보다 속발성으로 골내 거대세포 병소가 발생되는 원인이 된다. 이 경우 악골을 처음 침범하기도 한다.

3) 신장이식 환자(renal transplants patients)

신장이식으로 비교적 정상적인 신장 기능과 건강을 회복할 수 있다. 하지만, 지속적으로 면역억제제를 투여 받기 때문에 이의 합병증으로 감염의 위험성이 높고, 악성 림프종의 발병도 정상인에 비해 더 높다. 또한 이식 거부반응을 억제하기 위해 흔히 사용하는 cyclosporine은 지속적으로 치은증식과 치

주낭을 형성하여 몇몇 환자에서는 광범위한 치주조직의 파괴를 초래할 수 있다. 더욱이 고혈압 조절을
위해 nifedipine과 같은 칼슘통로 차단제를 동시에 투여하면 치은증식증의 발생을 피하기 어렵다.

03 치과 진료실에서 대처하기

Dental Treatment
for Medically
Compromised Patients

치과 임상에서 신장질환자의 적절한 관리를 위해서는 먼저 신장질환의 임상증상에 대한 이해가 필
요하다(표 10-2). 아울러 신장질환의 진단에 필요한 검사들(소변검사, Blood urea nitrogen, Cre-
atinine)의 정상치와 이상치의 의미를 파악하면서 관련의학과(주로 신장내과)와 긴밀한 협진이 원칙
이다(그림 10-3, 표 10-3).

표 10-2. 신장질환 시 나타나는 임상증상

1. 얼굴이나 안검의 부종(edema)

2. 혈뇨(hematuria), 핍뇨(oliguria), 배뇨장애(dysuria)

3. 함요부종(pitting edema), 고혈압, 빈혈

4. 반상출혈(ecchymosis), 근력저하(motor weakness)

표 10-3. 소변검사, BUN, Creatinine의 정상 기준

1. Urinalysis

① Gross exam.
- color(straw to amber)
- appearance(clear)
- specific gravity(1.010)
- urobilinogen(0.5~4 units)

② Chemical exam.
- pH(4.8~7.5)
- protein(30~100mg loss/hour)
- glucose(180mg/mL)
- ketone(−)
- hemoglobin(−)
- bilirubin(−)

③ Microscopic exam.
- WBC(1~5 cells/HPF)
- RBC(0~1 cell/HPF)
- Casts
- Crystals

2. B.U.N.(10~26mg/mL)

3. Creatinine(0.1~1.4mg/mL)

뇨검사결과지		8E
주민등록번호 ○○○○○○-○○○○○○○	등록번호 ○○○○○○○○ 환자성명 ○○○	
성별/ 진료과/ 병실 F	접수번호 63 접수일자 980522	
상병분류기호	의사코드 의사명 ○○○	

검사명	참고범위	결과치	단위

Routine urinalysis

Color			
Specific Gravity	1.020		
pH	5.0		
Nitrite	-		
Protein	+/	25	mg/dL
Glucose	-	neg	mg/dL
Ketone	-		
Urobilinogen	-		mg/dL
Bilirubin	-		
WBC	4+		
RBC	+/-		

Microscopic examination

RBC	< 1	/HPF
WBC	5-9	/HPF
Squamous cell		/HPF
Transitional cell		/HPF
Small round cell		/HPF
Granular cast		/LPF
Hyaline cast		/LPF
Waxy cast		/LPF
RBC cast		/LPF
WBC cast		/LPF
Fatty cast		/LPF
Calcium oxalate		/LPF
Uric acid		/LPF
Amorphous phosphate		/LPF
Amorphous urate	/LPF	
Bacteria		/HPF
Yeast-like cell		/HPF
Spermatozoa		
Mucous threads	1+	

Pregnancy test
Hemosiderin
Hemoglobin
Dysmorphism
Fat stain
Comments
보고일자

보고자		○○○
	○○○병원	임상병리과

●●● **그림 10-3.** 소변검사의
결과지로 이상 소견이 표시됨

치과에서 신장 기능이 저하된 환자를 치료할 때 발생할 수 있는 심각한 합병증에는 신장독성 약물의 투여, 혈소판 기능장애나 혈액투석 시에 사용하는 항응고제에 의한 출혈 그리고 높은 감염 가능성 등이 있다. 이러한 점을 잘 고려한다면 출혈이나 감염가능성이 적은 보존적인 치과치료는 합병증을 유발하지 않는다. 표 10-4에 신부전이나 투석 그리고 신장이식 환자에서 치과치료 시 고려사항을 요약하였다.

먼저, 신장에서 대사되는 약물의 투여량이나 투여 빈도를 변경할 필요가 있다. Tetracycline이나 acetaminophen과 같이 신독성(renal toxicity)을 보이는 약물은 사용하지 말아야 한다. Aspirin이나 penicillin, cephalosporin, ampicillin 등을 포함하는 기타 약물은 사용이 가능하지만 그 용량을 감소시켜 사용한다.

둘째로, 출혈 성향을 보이면 환자의 주치의에게 자문을 구해야 한다. 혈액투석을 시행한 당일에는 치과치료를 하면 안 된다. 혈액투석 시에 혈액 응고를 방지하기 위해 헤파린(heparin)을 사용하게 되는데, 헤파린은 시술 후 약 12시간 동안 출혈 성향이 남아 있게 된다. 또한 혈액투석은 혈소판을 파괴할 수 있고, 만성 신부전 환자는 혈소판 기능 이상이 생길 수 있다. 더욱이 투석 전에는 과질산증이 생긴 상태이기 때문에 혈액투석을 시행한 다음날이 가장 좋다. 아울러 모든 치과치료를 시행하기 전에는 감염 방지를 위한 예방적 항생제 투여가 필요하다. 예방적 항생제 투여는 관련 의학과(주로 신장내과)와 적절한 처방을 협의하는 것이 좋다. 만약 환자가 신장이식을 앞두고 있다면 구강내 임상 검사와 방사선 검사를 철저히 하여 충치, 치주질환, 지치 주위염, 치근단 병소 등 감염이 가능한 병소를 미리 제거하여야 한다. 신장이식 후에는 보조적인 스테로이드 투여를 고려해야 한다.

마지막으로, 만성 신부전 환자에게 가장 중요한 점은 현 상태의 구강질환에 대한 치료와 함께 정확한 구강위생 관리 요령을 배우는 것이다. 수개월 혹은 수년 동안 신부전 치료에 지친 환자들에게 구강위생 관리를 위한 동기 부여를 하는 것은 끈기를 요하는 힘든 작업이다. 하지만 이는 환자의 고통 완화를 위하여, 성공적인 신장이식을 위하여 매우 중요한 작업이다.

표 10-4. 신부전 환자의 치과치료 시 고려사항
1. 신독성 약물 투여 금기
2. 가능한 한 출혈이 적은 보존적인 치과진료.
3. 발치나 수술 시 출혈여부(혈소판, P.T., P.T.T.) 확인
4. 비정상적인 출혈시간을 보이는 환자 → 내과 자문
5. 고혈압 환자 → 내과 자문
6. 빈혈 환자 → 내과 자문
7. 혈액투석 → 예방적 항생제 투여
8. 혈액투석 당일 → 치과치료 피함(투석 다음날 치료)
9. 신장이식 환자 → 보조 스테로이드 및 예방적 항생제 투여

증례 1 | 56세, 여자

주소

만성 신부전으로 4년째 신장투석을 매주일 3회(월, 수, 금요일) 시행받고 있다.

병력

상악 우측 중절치와 측절치부 동통과 누공

구강소견

약 5년 전 장착한 상악 전치부 도재 금관의치(#11, 12) 치아부 치근단 주위에 적색의 농양이 보이고 만성 치주염 소견도 보임(그림 10-4)

진단

(1) 치근단 농양(#11, 12 치아)
(2) 만성 치주염(전반적인 치아부)

치료계획

(1) 국소마취하 절개 배농술과 근관치료 가능여부 확인을 위한 내과 자문
(2) 우선 절개 배농술과 1차 근관치료로 치성 감염 조절, 이후에 보존수복

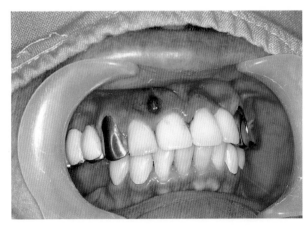

●●● **그림 10-4.** 초진 소견

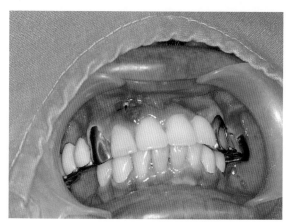

●●● **그림 10-5.** 절개 및 배농술 모습

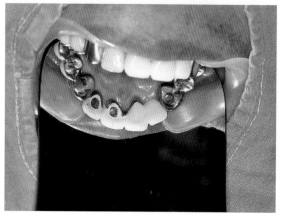

●●● **그림 10-6.** (#11,12) 원인치아부의 1차 근관치료 모습으로 우선 치수강을 개방해 배농 통로로 활용하고, 염증감소 후에 통상적인 근관치료 계속한다.

치료 및 경과

신장내과에 자문한 결과 치과진료가 가능하다는 회신이 있어(신장내과에서는 신장질환의 정도를 파악하려고 임상병리검사도 시행함), 환자와 보호자에게 치과진료의 위험성을 감안해 치료내용도 가능한 한 스트레스 감소법을 적용키로 했다. 다음날(투석한 다음날) 생징후 측정후 국소마취하에서 절개 및 배농술을 시행했고(그림 10-5), 아울러 국소마취가 시행된 상태에서 관련치아부(#11,12)의 1차 근관치료를 시행했다(그림 10-6). 그 결과 하루만에 치통이 감소되어서 환자는 음식물의 저작에 편안함을 느꼈고 술자에 대한 신뢰도도 높아져 근관치료 등을 계속할 수 있었다.

증례 2 | 15세, 남자

주소
하악 우측 대구치 부위에 심한 치은증식

병력
만성 신부전으로 1988년 8월 모 대학병원 일반외과에서 신장이식술을 시행받고 면역억제제(cyclosporine 등)를 투여 중이었다.

이학적 검사

오한과 발열이 다소 있었으나 최근 시행한 임상병리 검사에서는 특기할 이상소견이 없었다.

구강소견

하악 우측 제 1대구치와 제 2대구치 사이 치은이 협측과 설측으로 심하게 증식되어 있었으며, 협측의 병소는 청회색(bluish gray) 색조를 띄고 있다. 쉽게 출혈되는 양상이었고 증식이 심하여 치관을 덮을 정도이다(그림 10-7). 제 2대구치는 원심측으로 변위되어 있었다.

방사선 소견

제 1대구치의 치주인대강이 넓어져 있었으며, 제 2대구치 근심측 치조능도 약간 소실되어 있는 양상이다(그림 10-8).

진단

만성 진행성 치주염과 면역억제제 투여에 의한 치은 과증식

치료계획

우선 국소마취하 치과진료(치은절제와 병리조직검사 또는 근관치료 등) 가능여부에 대해서 관련 의학과(일반외과 또는 신장내과) 자문을 구하면서 치통이 있을 때만 복용하는 항생제와 소염 진통제를 투여했다. 자문 결과 출혈이 유발되는 치료는 위험(감염에 의한 패혈증 등)하다고 회신되어 치주치료와 병리조직검사는 연기하고 치통 억제와 출혈 감소를 위해 근관치료를 시행키로 했으나 환자

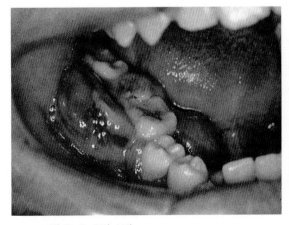

●●● **그림 10-7.** 초진 소견

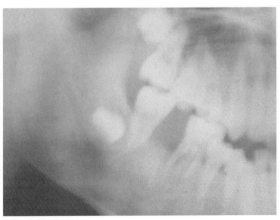

●●● **그림 10-8.** 초진 방사선 소견

와 보호자가 우선 견딜만 하다고 진료를 거부해 치료가 연기되었다. 그후 전신상태가 개선되면 치과 진료를 계속할 예정이었으나 내원치 않았다.

증례 3 | 29세, 남자

주소

3~4개월 동안의 전반적인 치은종창

병력

5년 전, 신장이식수술을 받아 현재 Sandimmune(cyclosporine 제제), 스테로이드의 면역억제제와 Norvasc(칼슘 길항제, Ca antagonist)의 고혈압 약물을 복용 중이다.

구강소견

전반적으로 협설과 구개측 치간유두의 심한 종창 및 치석 침착이 관찰된다. 치주낭 탐침검사 시 자연 출혈이 되었고, 중등도 이상의 치아 동요도가 관찰되었다. 특히 상악 전치부 치간유두 사이의 치은은 밝은 선홍색의 딸기 모양으로 부어 있다(그림 10-9).

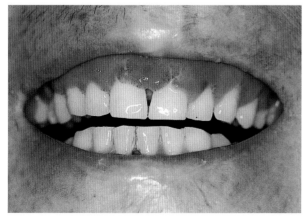

●●● **그림 10-9.** 초진 소견

방사선 소견

전반적인 중등도 이상의 수평 치조골 흡수가 관찰되었다. 그 이외의 골내 특이 병소는 없었다.

치료 및 경과

약물 투여에 의한 치은증식이지만 방치할 경우 치주질환이 악화될 우려가 있어 신장내과에 자문을 의뢰하였다. 그 결과 항생제 사전투약 후 조금씩 잇몸수술이 가능하다는 회신이 있어 국소마취 하에 상악 전치부에서 치주판막술을 일부만 시행 했고, 적출된 치은조직은 병리조직검사를 의뢰한 결과 육아종 소견이었다. 그 후 다시 경과를 관찰한 결과 다시 치은증식이 지속되어 치과대학병원 치주과로 전원했다.

▨▨▨▨▨ **참고문헌**

1. 김경욱 외 10인 : 최신 구강악안면외과학, 제 3판. 나래출판사, 1999, p.392-417.

2. 김기석 외 34인 : 전신질환자 및 노인, 장애환자의 치과치료. 대한구강내과학회 편저. 신흥인터내셔널, 2007, p.99-116.

3. 김종배, 정원균, 유재하 외 7인 : 신장질환 입원환자에서 구강합병증 관리에 관한 임상적 연구. 대한악안면성형재건외과학회지, 2004; 26: 175-182.

4. 연세대학교 치과대학 : 임상구강병리토론집, 제 1집. 도서출판 고려의학, 1992, p.65.

5. 임성삼 : 임상근관치료학. 도서출판 의치학사, 1994, p.1-15.

6. Grossman LI : Endodontic practice, 8th edition. Lea and Febiger, 1974, p.151-168.

7. Jones JH, Mason DK : Oral manifestations of systemic disease. WB Saunders, 1980, p.257-388.

8. Little JW, Falace DA, Miller CS, Rhodus NL : Dental management of the medically compromised patient, 7th ed. Mosby, 2008, p.180-192.

9. Neville BW, Damm D, Allen CM, Bouquot JE : Oral and maxillofacial pathology, 2nd ed. WB Saunders, 2002, p.703-735.

Chapter 11

암을 앓았는데, 치과치료를 어떻게 받을 수 있나요

| 염안섭·유재하 |

---

01 문제 제기

Dental Treatment
for Medically
Compromised Patients

　　의학의 발달로 인하여 암 환자의 생존율은 상당히 향상되었음에도 불구하고 환자의 삶의 질이나 정신·사회적인 측면에서는 아직도 해결하지 못한 많은 문제점들이 산적해 있다. 암(구강암을 포함한 위암, 폐암, 간암, 골수암, 직장암 등 광범위 암을 지칭)이란 말이 인간에게 던져 주는 두려움을 Holland 등은 '5D'라고 표현하였다. 즉, 죽음(Death), 추형(Disfigure-ment), 장애(Disability), 의존성(Dependence), 관계의 붕괴(Disruption of relationship)에 대한 공포를 일컫는 것이다. 현실적으로는 여기에 경제적인 부채(Debt)까지 포함한 '6D'라고 하는 것이 타당할 것이다. 더욱이 구강악안면 부위는 음식물 섭취의 생리적 욕구 및 즐거움과 관련될 뿐만 아니라, 대화의 의미와 정서적 반응을 증진시키는 적당한 표현 및 제스처를 나타내는 중요한 기능을 담당한다. 따라서 암 치료(수술요법, 방사선 치료, 항암 화학요법, 면역요법)로 인한 구강악안면 기능의 약화나 상실은 환자(보호자)에게 감당하기 어려운 엄청난 정신적 스트레스를 초래하게 된다. 이런 정서적인 장애는 심혈관계, 위장관계, 내분비계 등의 신체 장기에도 해로운 영향을 미치게 되므로, 관련 의료진은 환자의 정서 관리에도 세심한 배려를 해야 한다.

그럼에도 불구하고 암의 일차적인 치료(수술, 방사선 치료, 항암 화학요법 등)가 종료되고 재활치료 시기에 암환자가 치과진료를 위해 개인치과에 내원하면, 외모가 초췌하고 전신적으로 쇠약해 보일 경우 의료 사고의 가능성과 전문과별 협진의 문제로 인하여 암환자를 대학병원 치과로 전원하게 되는 경우가 많다. 그러나 대학병원 치과는 현실적으로 너무 분주하여 암 치료로 지친 환자에게 적절한 치과진료를 제공할 여건이 부족한 것이 사실이다. 또한 진료의 관점에서 본다면 의료인은 세분화된 전문분야별 협동진료가 최선이라고 여기고 있지만, 환자의 처지에서는 책임있는 한 사람의 주치의를 원하며(암환자는 자신의 노출을 꺼리고, 복잡한 진료체계에 적응하기 어려움), 그 주치의가 적절한 진료를 주선하여 책임져 주길 바라게 된다. 이런 점에서 암 환자에서 빈발하는 치아우식증이나 치주질환 같은 보편적인 치과진료는 개원치과의사가 적극적으로 수행하는 것이 더욱 효율적이라 생각된다. 다만, 다른 전신질환과 마찬가지로 각종 장기의 암을 진료한 전문의(종양내과, 일반외과, 방사선 종양학과, 구강내과, 구강악안면외과, 이비인후과 등)와의 협진이 필요한 것은 물론이다.

02 기본적 이해

Dental Treatment
for Medically
Compromised Patients

모든 치과진료 시에 고려할 사항이기도 하지만, 특히 암 환자의 치과진료에는 삶의 환경을 종합적으로 배려하여 암 환자가 겪게 되는 스트레스의 내용, 즉 암으로 인해 상실되는 여러 요소들과 그로 인한 생체 반응을 잘 이해하는 것이 무엇보다 중요하다.

표 11-1은 암 환자에게 일어나는 문제와 결과를 예상하여 암으로 인한 스트레스 요소들을 정리한 것이다. 암 환자가 경험하는 상실의 사회 정신적인 합병증은 우울, 고립감, 외로움 등으로 요약할 수 있다. 또한 치과질환까지 발생되어 환자의 고충은 더욱 가중된다. 치과의사는 모든 인체조직의 암으로 인해 발생되는 공통적인 스트레스의 내용과 이로 인한 생리적 반응을 잘 이해해야 한다. 특히 구강합병증이 빈발하는 두경부 수술, 방사선 치료, 항암 화학요법을 시행하는 환자의 구강질환 관리에 만전을 기해야 한다.

수술의 경우, 특히 두경부가 그 대상일 때에는 체액면역과 세포면역에 관련이 많은 림프조직이 절제되고, 조직손상에 따른 혈행의 장애가 발생되며, 방사선 치료를 시행함은 구강점막을 손상시키고, 타액선 손상으로 구강건조증이 초래된다. 또한, 점진적인 혈류의 감소에 따른 면역기능의 약화로 인하여 구강 세균에 의한 감염 가능성이 증가함으로써 치아우식증이나 치주질환의 유병률이 높아진다 (표 11-2).

표 11-1. 암과 관련된 상실(수술, 방사선 치료, 항암 화학요법 등에 수반)

유형	확인된 상실	공포와 염려	목표
생물학적 요소	생리적 기능	자율성 상실, 의존성	변화에 대한 자기관리 능력과 독립심 유지
	감각	감각기능 감소, 의사소통 어려움	의사소통의 방법을 발전시킴
	운동성	감소된 운동으로 인한 의존심	다른 사람으로부터 보조를 모색하고 수용
	감염 저항성	만성질환	불확실한 미래 준비
	동통	지속적인 격렬한 동통	동통 완화 방법의 요청과 수용
	생명, 운명제어	재발, 죽음에 대한 공포와 무력감	자신의 상실 애도함. 죽음, 타협, 미래 수용
심리적 요소	자아인지 변화	훼손	만족할 만한 자기평가를 유지
	신체상	다른사람에게 접근하지 않음	신체상에 대한 영적 지지
	자신감	무력감, 무가치함	주장을 발전시키고 유지함
	대처 능력	실망감	심리적 균형의 유지
	성적 의식	친교감, 애정 부족	성적 만족을 다른 방법으로 표현
	미래의 기대	잠재적 불만	타협 : 작은 목표를 세우고 덜 만족
사회적 요소	지지망 : 정서적 투자, 친구, 친지	외로움, 무력감, 부담, 관계악화	지지관계를 유지, 도움주는 그룹을 활용
	신분, 신망, 생산적 할	불필요성, 포기	사회적 활동에 참여함
경제적 요소	재정적 안정과 직업능력	자신과 가족의 기본적 욕구충족 불능, 고가의 암치료비 등 부채	대안과 지역사회 자원을 찾음 재정적 자원 및 일차적 욕구 알아봄

표 11-2. 방사선 치료 시, 방사선조사 부위 주변의 합병증

1. 급성 합병증(acute side effect)

- 점막염(mucositis)
- 피부 반응(skin reaction)
- 탈모(epilation)
- 미각 소실(loss of taste sensation)
- 구강건조증(xerostomia)
- 감염(infection)

2. 지연성 합병증(late side effect)

- 허혈과 섬유화(ischemia & fibrosis)
- 연조직 괴사(soft tissue necrosis)
- 방사선성 골괴사(osteoradionecrosis)

또한 항암제에 의해 빨리 분열하는 세포들이 손상을 받기 때문에 종양 세포뿐만 아니라 정상 세포에도 악영향을 초래하게 되는데, 과거에 비해 많이 감소하긴 하였지만 아직도 어떤 약제들은 골수강 기능을 억제하면서 구강합병증을 초래하여 환자에게 상당한 고충을 야기한다(표 11-3, 4). 더욱이 방사선조사 치료와 항암제 투여를 병용하는 경우는 구강점막염, 구강건조증, 창상감염, 전신쇠약 등이 더욱 심해져 'radiation recall effect'란 명칭이 있을 정도이다.

표 11-3. 골수 억제(myelosuppression)를 야기하는 약물들

등급분류	약물이름	Granulocytes의 회복시기(일수)	Granulocytes의 최하점(일수)
I (Severe)	Mechlorethaminne	7~15	28
	Busulfan	11~30	24~54
	Carmustine	26~30	35~49
	Lomustine	40~50	60
	Semustine	28~63	82~89
	Cytarabine	12~14	22~24
	Vinblastine	5~9	14~21
II (Moderate)	Cyclophosphamide	8~14	18~25
	5-Fluorouracil	7~14	20~30
	6-Mercaptopurine	7	14~21
	Methotrexate	7~14	14~21
	Actinomycin D	15	22~25
III (Slight)	Vincristine	4~5	7
	Bleomycin	–	–
	L-Asparaginase	–	–
	Cis-dichlorodiammine	–	–
	Platinum II	–	–

표 11-4. 항암 화학요법의 구강합병증

1. 직접적인 영향	2. 간접적인 영향
• 정상조직의 세포용해(cytolysis)에 의한 점막염과 궤양 • 구강건조증 • 치주조직의 신경독성	골수억제, 백혈구 감소증, 혈소판 감소증 • 국소 감염(세균, 바이러스, 진균) • 괴사 • 치은과 점막 출혈

03 치과 진료실에서 대처하기

Dental Treatment
for Medically
Compromised Patients

각종 암으로 수술요법, 방사선 치료, 항암 화학요법을 받은 환자들이 개원치과에 내원하는 시기는 대개 암과 관련된 모든 치료가 끝나고, 암 재발에 대해 추적관찰을 요하는 재활 시기이다. 암의 공포로 인해 심각한 정신적 신체적 고통을 경험한 재활 초기의 환자는 그동안의 스트레스를 이겨냈다는 자신감에 차있고 삶의 열의가 높다. 그러나 시간이 흐름에 따라 차차 가라앉는 심정이 되며, 검진이 닥치면 그때마다 재발과 전이의 악몽에 시달리고 불안이 고조된다. 5년이 무사히 지나면 다시금 용기가 솟아오르지만 두려움이 완전히 소실되지는 않는다.

이런 암 환자에서 치과진료의 원칙은 다른 전신질환자에서의 치과진료 원칙과 동일하지만, 구강을 포함한 두경부 방사선 치료를 시행 받는 경우가 가장 구강합병증이 빈발하므로 별도로 언급하고자 한다. 항암 화학요법을 시행 받는 경우는 약물이 반감기가 있어 입원 당시에는 점막염 등의 구강합병증이 문제가 되지만, 퇴원 후에 전신 상태가 회복되면 구강질환도 함께 개선되는 경향이 있으므로 여기서는 약제의 구강합병증과 방사선 치료 병용시 대책을 기술한다.

1) 암 환자의 치과진료 원칙

암 환자는 치료가 진행됨에 따라 전신질환자로 관리되어야 하며, 치과진료를 위해서는 관련 진료과(주로 의학과)에서 환자의 신체 등급(ASA Class)을 결정하고 각 등급에 맞는 치과진료의 원칙을 적용하되, 치과진료가 가능하다고 판단될 경우 치과진료의 스트레스를 최소로 경감시키는 short, atraumatic, stress reduction protocol에 충실해야 한다. 왜냐하면 암 환자는 암의 치료과정을 장기간 겪으며 이미 상당한 정서적 스트레스 상황에 있는 데다 치과진료 자체가 국소마취에서부터 구강 수술까지 상당한 외상과 동통을 가하여 염증반응을 강화시킬 수 있기 때문이다. 따라서 전신질환자에서 적용하는 통상적인 스트레스 감소법(표 2-7 참조)에 근거하여 진료를 시행하여야 한다.

또한, 치통이 있는 구강질환이 있을 경우에는 가능한 한 출혈을 많이 유발하는 발치 등의 외과적 처치보다는, 출혈을 최소화하면서 치통을 완화하는 근관치료가 바람직하다. 다만, 근관치료를 할 때 유의할 사항은 대부분의 환자들이 수술, 방사선 치료 및 항암 화학요법 등에 심신이 지쳐 있으므로, 일차 근관치료 때에는 발수 및 근관확대를 시행하고, 근관을 개방시켜 배농로로 활용하는 방법이 효과적이다. 이는 근관치료가 일반적인 외과적 원리에 기초하는 것처럼, 감염조직이 있는 경우 철저한 제거(debridement, 근관치료 과정의 근관세정 및 성형에 해당)와 배농술(감염조직 부위를 절개 및 배농술 시행하듯이, 근관을 통한 배농로 형성)이 동일하기 때문이며, 일단 안전한 진료로 감염성 동

표 11-5. 암 환자에게 지도할 전신건강 증진법
1. 규율있는 생활
인체의 장기가 규율있게 기능을 하듯이 생활에 질서와 규칙, 절제가 있을 것
2. 조화있는 식생활
가능한 한 곡류, 콩, 야채, 과일, 해초류, 해산물, 버섯류 등 자연식품 섭취
3. 정신적인 평형(스트레스 관리)
① 마음의 평화와 안정 　　　• 종교(기도, 명상), 철학(의미, 폭넓은 사고), 단전호흡 　　　• 정서 안정(눈, 귀, 코, 혀, 피부의 오감의 자연친화 및 예술활동) 　　② 강인한 정신력 　　　• 직업(일)에 사명감과 열중, 인간 존중심, 위기를 발전의 호기로 봄(긍정적 사고) 　　　• 신체의 전신 근육 운동(단련) 　　　• 하루 50분 정도의 뛰기, 체조, 줄넘기, 수영(목욕) 　　　• 심폐기능 및 혈액순환 증진

통이 해소되어야 식사가 가능해 영양불량에 따른 생체방어의 약화를 방지하고, 술자와 환자 사이에 신뢰가 형성되기 때문이다. 그리하여 치통이 억제된 다음에 통상적인 근관치료를 진행함이 바람직하다.

암 환자의 치과진료야말로 의학과 치의학이 긴밀히 협조하여야 한다. 그렇지 않으면 환자의 삶의 질을 크게 훼손시킬 위험성이 있다. 따라서 의료인 모두는 환자의 전신건강 증진, 특히 삶의 질 관리를 위해 부단히 노력하려는 자세가 요구된다(표 11-5).

2) 두경부 방사선 치료 환자의 구강합병증 관리

방사선 치료를 시행하면 세포분열능이 왕성하고 분화도가 낮은 세포일수록 감수성이 높아 종양세포, 조혈세포, 상피세포, 혈관내피세포 등에 손상을 주게 된다. 또한, 방사선성 골수염 유발에 관련되는 골, 골막, 치아, 점막과 피부의 결체조직, 혈관 등의 세포에도 세포 손상이(방사선의 축적효과로 인해) 초래되고, 점차적으로 미세혈관 손상(동맥 내막염, 혈전 형성, 섬유화)이 일어나 방사선성 골괴사가 발생할 수 있는 우려도 있다.

따라서, 두경부 방사선요법을 받을 환자에서는 철저한 사전 구강검사 및 평가를 해야 하고, 조사 후에는 방사선 합병증을 최소화하기 위한 치과처치를 시행하여야 한다. 그러나 아무리 방사선 치료에 앞서서 구강위생 관리를 철저히 했다고 하여도 고단위 방사선조사(5,000rad 이상)를 시행하면 방사선의 축적 효과와 점차적인 환자의 전신상태 약화로 인하여 구강합병증이 필연적으로 발생한다. 구강암의 방사선조사로 인해 발생할 수 있는 구강내 주요 합병증에는 구강점막염, 구강건조증, 방사선 우식치, 개구장애, 이차적인 감염, 영양장애, 방사선성 골괴사증 등이 있어 각각에 대해 살펴보기로 한다.

(1) 구강점막염

구강점막의 파괴는 방사선 치료 2주 째부터(약 1,000rad 조사 후) 나타나서 조사 완료 2~3주 후에 자연치유된다. 병소부는 궤양이 형성되고 환자는 동통, 연하 곤란, 미각 상실을 호소한다. 만약 주타액선이 조사야에 들게 되면, 구강건조증도 나타나서 동통은 더욱 심해지고 환자는 영양 섭취가 곤란하게 된다(그림 11-1).

처치는 구강청정제를 사용하여 병소부를 청결히 해주고, 도포마취제로 동통을 경감시키며, topical steroid 제제나 Orabase 등을 국소도포하기도 한다. 또한 비타민 투여와 고단백의 액화 음식을 권한다. 의치는 급성기에서는 장착하지 않도록 한다.

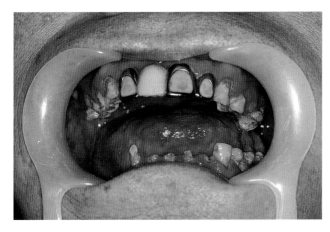

●●● 그림 11-1
방사선 치료 중 발생한 구강점막염

(2) 구강건조증

이하선 등 주타액선이 방사선 조사야에 들게 되면 방사선 치료 3주 경(약 2,000 rads 조사 후)부터 나타나서 만성 상태로 진행된다. 타액 분비의 감소는 구강청결 상태의 불량을 가져와 방사선 우식치의 원인이 되며, 점막염과 같이 나타날 때에 환자는 고통이 심해져 음식 섭취가 곤란하게 된다. 구강건조증의 처치로는 sugarless lemon drops 혹은 sorbitol based chewing gum 등으로 타액 분비를 자극한다. 만일 타액선의 위축이 심할 때는 Taliva 등의 인공타액을 사용한다. 극심한 구강건조증의 경우에는 의치 점막면에 소량의 바셀린(petrolatum jelly)을 도포한다.

(3) 방사선 우식치(치아우식증)

방사선 우식치의 원인은 ① 타액분비 감소와 자정작용 감소 ② 타액의 완충능력 상실 ③ 타액 내 IgA 감소 ④ 타액 내 전해질 부족에 의한 치아의 탈회 촉진 ⑤ 구강상주균 중 우식유발세균(*Strepto-coccus mutans*, Lactobacillus, yeast) 농도의 증가에 기인한다.

이는 보통 만성 치주질환으로 노출된 치근면의 백악질에 호발하며, 진행되면 치관파절을 야기한다(그림 11-2). 초기 방사선 우식의 경우에는 아말감 등으로 보존처치를 한다. 진행된 방사선 우식치는 근관치료를 시행하나 예후는 좋지 않다. 이 경우에 함부로 발치하면, 방사선 골괴사증을 야기할 수 있는 위험이 뒤따른다. 이미 방사선조사 개시부터 fluoride carrier를 이용해서 하루에 5분간씩 겔(gel) 상태의 불소(상품명: Elmex-gelée)를 도포하는 것이 최선이다. 만약 치아과민증이나 초기 방사선 우식치가 발생했다면, 하루에 15분간씩 3회 실시함으로써 과민증의 해소 및 우식 진행을 상당히 방지할 수가 있다.

(4) 개구장애

방사선조사 후의 개구장애는 주로 저작 근육의 혈관 변화를 동반한 섬유증(fibrosis)에 기인한다(그림 11-3). 따라서 방사선조사를 할 경우에는 저작근이나 안면근에 대한 방사선 차폐를 최대한으로 해주며, 자가 관리(home exercise)를 통하여 개구장애가 오지 않도록 교육시켜야 한다. 일단 개구장애가 나타나면 압설자(tongue blades), 개구기(mouth prop) 등을 이용한 운동 프로그램을 통하여 저작 근육의 과도한 섬유 증식화를 방지한다. 이때 저작 근육의 신장 운동은 좌우 양측에 같은 힘으로 최대 편안 개구점(point of maximum comfort opening)을 지나서 동통이 나타나는 선까지 신장시킨다. 이런 운동을 한번에 20회 이상, 하루에도 수차례 반복하도록 한다. 이 때에는 환자의 협

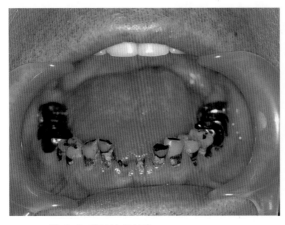

●●● **그림 11-2.** 방사선 우식치

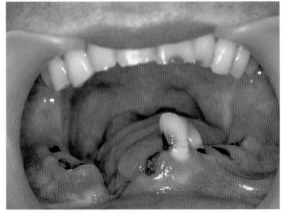

●●● **그림 11-3.** 방사선 치료 후 발생한 개구장애

조가 절대적이며, 구강악안면 근육뿐만 아니라 전신근육의 운동(체조, 뛰기 등)을 병행하는 것이 필수적이다. 이밖에도 dynamic bite opener를 제작하여 장착해 주는 방법도 있다.

(5) 이차적인 감염

방사선 치료 동안의 급성 세균감염은 드물지만, 그래도 방사선 치료가 진행됨에 따라 점막염과 구강건조증이 진행된다. 또한 캔디다증 같은 이차적인 중복감염(superinfection)이 발생되어 동통과 백색 반(plaque) 또는 홍반성 점막을 보이기도 한다. 이를 방지하려고 chlorhexidine gargle을 사용하는데 그 농도는 0.01%로 희석한 것이 좋다. 아울러 구강의 면역성에 대한 폭넓은 안목을 갖고 방사선 치료나 수술에 따른 면역기능의 약화와 감염 가능성에 대비해야 한다.

(6) 영양장애

구강암 환자의 대부분은 수술이나 방사선 치료 후 음식물 섭취에 어려움이 따른다. 그 이유는 점막염, 혀의 미뢰세포 손상에 따른 미각 상실, 구강건조증, 수술로 인한 구강조직의 상실, 혈행 장애에 따른 근육기능 장애 등도 있지만, 정신적인 우울증과 인간 품위의 상실로 인한 식욕 감퇴도 고려되어야 한다. 영양상태와 면역에 관한 연구에 의하면, 영양불량(malnutrition)은 면역계에 영향을 주며 생체의 방어기능을 저하시킨다고 한다. 림프조직계 중에서 영양불량에 의해 처음에 장애를 받는 것은 흉선(thymus)이며, 다음은 비장, 장내막의 림프절, 말초의 림프절이 영향을 받아 위축된다. 또한 음식 섭취가 곤란한 경우 영양불량의 스트레스는 ACTH(adrenocorticotropic hormone)의 분비를 항진시키고 부신피질 호르몬의 생산을 증가시키며 이 호르몬이 흉선에 직접 작용해서 흉선을 위축시키게 된다. 이렇게 흉선이 위축되면 T세포의 생산을 억제하고 세포성 면역의 기능을 현저히 저하시킨다. 따라서 방사선 치료를 받은 환자는 음식물 섭취가 가능하도록 심신의 재활 관리에 많은 도움을 주어야 한다. 또한, 보기에 흉하고 자극적이며 흡인성 폐렴의 위험이 있는 비위장관 급식(nasogastric tube feeding)보다는 정상적인 구강내 저작과 연하를 유도하도록 악안면 보철치료, 재건 수술, 치과진료 등에 만전을 기해야 하고, 음식물은 가능한 한 맛있고 입에 맞으며 준비가 간편한 것을 사용한다. 유의할 것은 유동식(liquid diet)은 연하가 어렵고 맛도 없으므로 반고형의 식품(semi-solid diet)으로 준비하는 것이 좋다. 물론 음식물의 칼로리, 단백질, 비타민, 미네랄은 적당해야 하기에 영양사의 조언을 받는 것도 바람직하다.

(7) 방사선성 골괴사(osteoradionecrosis, ORN)

방사선성 골괴사의 원인은 복합적이어서 방사선량, 치아요소, 감염, 골 조직으로의 악성 종양 침범, 환자의 전신상태 약화 등에 기인한다.

방사선량이 6,000rad 이상에서 주로 발생한다. 기전은 방사선 손상이 조골세포와 파골세포의 분열능 정지(mitotic death)를 초래하여 골이 얇아지고, 혈관내피세포에 대한 방사선의 지연작용으로

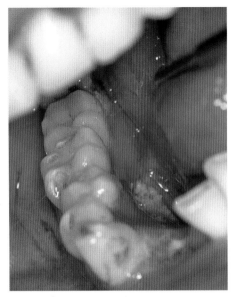

●●● **그림 11-4.** 방사선성 하악 치조골괴사 소견

혈행 감소에 따른 골 손상이 발생된 상태에서 구강내 감염원이 존재함으로로써 발생된다(그림 11-4).

　방사선성 골괴사의 치료원칙은 보존적인 접근법이 선호되는데, 이는 창상세척과 배농술 및 전신상태 개선으로 요약된다. 그리하여 부골이 자연히 분리되어 탈락되도록 해주어야 하지만, 악골 내 혈행 감소로 파골세포의 활동과 실활골의 재흡수에만 수개월~수년이 소요되므로 상당한 인내심을 가진 보존적 처치가 요구된다. Marx 등은 방사선성 골괴사의 병태생리가 3H(Hypoxic- Hypocellular- Hypovascular) 현상에 기인하므로, 이를 근본적으로 반전시키는 고압산소요법(revascularization 촉진, 조골세포와 파골세포의 활동력 증진 효과)을 매일 2시간씩 60일간 시행하여 양호한 치유를 경험했다고 보고하였다. 따라서 대형 종합병원 치과에서는 고압산소요법을 권장하고 있다. 방사선성 골괴사의 예방을 위해서는 방사선 종양학과에서 방사선 치료를 시작하기에 앞서 모든 질병이 있는 치아들은 보존(근관)치료, 치석제거 등 치주치료, 발치 등으로 질병을 제거해 주며, 방사선 치료 기간에는 치과진료를 피하고 방사선 치료 완료후에 지속적인 보존적 관리가 요망된다. 그러나 발치가 적응증이 되는 경우에는(표 11-6)의 원칙(guideline)에 따른 진료가 필수적이다.

표 11-6. 방사선 치료 환자에서의 발치를 위한 guideline
1. 발치의 적응증
• 치주낭이 6mm 이상으로 심한 동요도를 보이고 probing시 출혈이 있는 경우 • 치근단 염증이 존재하는 경우 • 치아가 파절되거나, 수복되어있지 않거나 기능을 못하는 경우 • 환자가 치아를 보존하는데 관심이 없는 경우 • 치관주위염 등 염증을 일으킬 가능성이 있거나 감염성, 악성 골질환과 관련된 치아
2. 발치시 유의사항
• 방사선 치료 2주(이상적으로는 3주) 전 발치(항암제 치료 시는 1주일 전 발치) • 발치시 외상을 적게하고 날카로운 골연은 다듬어 줌 • 1차 폐쇄(primary closure), 필요시 배농관 삽입 • 치조골 내로 packing하는 지혈제는 미생물이 자랄 수 있으므로 사용을 피함 • 혈소판이 50,000/mm^3 이하시 수혈 • 백혈구수치가 2,000/mm^3 이하이거나 절대 호중성 백혈구 수치(absolute neutrophil count)가 1,000/mm^3 이하일 경우는 발치 연기 • 방사선 치료 후 발치는 고압산소요법 시행을 고려하고, 발치 시행전 절개 배농술, 근관개방 배농술 등으로 염증을 감소시킨 후에 발치시행

3) 항암 화학요법 환자의 구강합병증 관리

(1) 항암 화학요법 전의 구강합병증의 예방

① 치료 전 평가

항암치료 전의 치과임상검사 및 예방적 치료, 그리고 강화된 구강위생 관리교육이 초기 치료의 중요한 축을 이룬다. 치태, 치석, 치근단병소, 급성 치성농양, 치주병, 치아우식 그리고 부분매복된 제3대구치와 같이 향후 감염의 원인이 될 수 있는 상태 및 불량 보철물과 같은 자극원들을 항암치료 전에 처치하도록 한다.

급성농양 및 동통을 수반한 치근단병소 또는 심하게 진행된 치주염과 관련된 치아나 수복 불가능한 치아는 항암치료 시작 후 호중구수가 1,000개/mm^3(이하 개수로만 표시)로 떨어지기 최소 10일 전에 발치해야 하며, 이 경우 치조골성형술과 일차봉합을 같이 시행하고, Gelfoam이나 Surgicel 등의 혈액응고 촉진물질은 진균이나 세균의 번식처가 될 수 있으므로 사용하지 않는다. 호중구수가 2,000개 미만일 경우 예방적 항생제를 투여하도록 한다. 발치를 위한 충분한 시간이 없고 적응증이 되는 경우에 한해 근관치료를 시행하되, 호중구수가 1,000개 미만일 경우 최소 7일의 간격을 두도록 한다. 이후 호중구수가 회복되는 대로 발치를 시행한다.

치아우식은 제거하고, 거칠거나 날카로운 치아면은 부드럽게 하여 연조직 자극원을 제거하도록 한다. 교정용 브라켓은 모두 제거하고, 어린이의 경우 모든 흔들리는 유치는 발거함이 원칙이다. 심각한 호중구감소증이 예상되는 경우, 항진균제나 항바이러스제제를 함유한 부드러운 마우스가드를 사용할 수도 있다

② 구강위생관리

치태는 균혈증의 원인이 될 수 있다. 치은염을 방치했을 경우 출혈 및 궤양을 야기하며, 국소적 또는 전신적인 감염의 통로가 될 수 있다. 거의 완벽한 수준까지 치태 및 치석을 제거하도록 환자를 교육하는 것이 무엇보다 중요하며, 이를 위해 정기적 치과검진을 적극 권장한다. 하지만 혈소판수가 40,000개 미만일 경우는 치실사용을 금하고, 가장 부드러운 치솔모로 부드럽게 잇솔질하도록 한다.

(2) 항암 화학요법 중의 치과치료

항암 화학요법 중에는 환자의 혈액학적인 상태를 점검하며, 혈액종양내과 전문의와 상의하여 치료여부를 결정한다. 최소 1,000개 이상의 호중구수와 40,000개 이상의 혈소판수가 기준이 되며, 다른 응고기전에 문제가 없는지 확인한다. 호중구수가 2,000개 미만일 경우 예방적 항생제를 사용하며 항암제의 다음 치료 시행 직전이 치료의 적기이나, 전신적 감염의 위험성이 있는 한, 발치는 금기이다.

(3) 항암 화학요법후의 치과적 관리

① 구내염

구내염은 항암 화학요법의 가장 흔한 급성 합병증의 하나로 항암제에 의한 세포독성의 결과로 발생하며, 항암제 투여 시작 후 빠르면 3일, 보통은 5~7일 이내에 발생한다.

Cyclophosphamide, Bleomycin, Cytarabine, Doxorubicin, Daunorubicin, Etoposide, 5-fluorouracil, Methotrexate, Mitomycin, Mercaptopurine, Vinblastine, Vincristine, Floxuridine 등의 항암제에서 특히 흔하며, 일정 용량을 간헐적으로 주는 경우보다 지속적 주입하는 경우나 자주 반복적으로 투약하는 경우 그 발생률이 증가한다.

항암제는 구강점막 기저세포의 재생률을 저하시켜, 구강점막의 위축, 부종 및 발적을 초래한다 (그림 11-5). 이러한 병소들은 빠르게 궤양화되고 합쳐져서 구강점막이 벗겨진 채로 회백색의 막으로 둘러싸이게 되는데, 추후 궤양이 진행되면서 궤양 중앙부위가 괴사되고 주변으로 발적환(erythematous halos)을 관찰할 수 있다. 이러한 궤양은 특히 입술, 혀의 배면, 구강저, 협점막, 그리고 연구

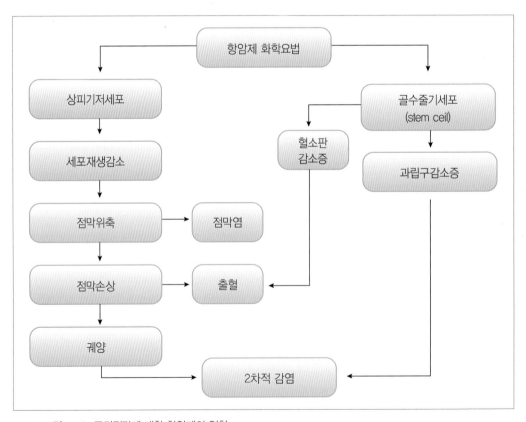

●●● **그림 11-5.** 구강점막에 대한 항암제의 영향

개에 호발하며, 궤양으로 인해 환자는 흔히 심한 동통 및 연하곤란을 호소하고 이는 영양불량 및 탈수증세의 원인이 될 수 있다. 항암치료가 진행되면서 이러한 증상이 더욱 가속화되며, 결국 항암치료의 효과에 부정적인 영향을 끼칠 수 있다. 이상 언급한 항암제의 직접적 독성의 결과를 점막염(mucositis)이라 하며, 이러한 점막염과 더불어 교합, 보철 및 교정장치에 의한 지속적인 자극으로 인한 환자의 구강상태를 구내염(stomatitis)이라고 구분지어 말하기도 한다.

감염성 구내염(infectious stomatitis)은 항암제에 의한 면역억제로 인해 호중구감소증과 더불어 항암제 투여후 약 7~12일 사이에 발생한다. 기존의 치주낭이나 치근단병소에서 기인한 미생물들에 의한 기회감염일 수도 있으며, 변연치은이나 치간유두의 염증이 광범위한 궤양으로 발전하기도 한다. 통상적으로 치료는 관련의학과와 협의해 전신상태의 개선과 구강위생 관리에 주력하며, 식사 직후는 chlorhexidine 가글이 필요하지만 수시로 saline or sodium bicarbonate(중탄산소다) 구강세정이 큰 도움이 된다.

② 감염

면역억제 환자에서의 구강감염은 종종 생명을 위협할 수 있다. 감염의 발생양상은 악성종양의 종류, 항암제에 의한 면역억제의 정도, 그리고 환자의 감수성(susceptibility)에 의해 결정되는데, 진균감염, 세균감염, 바이러스감염 그리고 복합감염의 범주로 나눌 수 있고, 백혈병과 같은 혈액종양의 경우와 편평상피세포암과 같은 고형암의 경우 그 양상이 약간 다르다. 대부분의 감염은 입원환자에서 병원성으로 기회감염에 의해 일어나며, 많은 부분 구강과 관련되는데, 이는 항암제에 의해 구강점막 조직이 직접적으로 손상을 입을 뿐만 아니라 구강 내에는 수많은 자극원들이 존재하기 때문이다.

일반적으로 종양의 침습성이 강하고 항암치료의 강도가 클수록 감염이 잘 생긴다. 혈액종양의 경우 항암치료 중 약 30%의 환자가 구강감염을 경험하고 있으며, 고형암의 경우 항암치료 중 약 10%의 환자가 구강감염을 겪는다. 이러한 차이는 두 종양의 항암치료의 목적이 근본적으로 다름에 기인하는데, 혈액종양의 경우 항암제의 표적이 기본적으로 골수에 있으므로 결국 심각한 골수기능 저하로 인해 범혈구감소증을 일으키게 되는데 반해, 고형암의 항암치료의 경우 골수부전이 그다지 심하지 않고 그 회복또한 더 빠르다. 항암 화학요법 환자의 구강감염의 치료는 혈액종양 내과의와의 긴밀한 협조하에 시행함을 원칙으로 한다.

■ 진균감염

진균은 면역억제 환자의 구강감염에서 중요한 부분을 차지하며, 표재성 혹은 산재성의 감염을 야기한다. 진균군체는 서로 합치고 퍼져나가는 경향을 보이며, 이로인해 점막표면을 광범위하게 잠식하기도 한다.

*Candida albicans*는 약 절반의 인구에서 구강내 보이는 정상균 중 하나이지만, 호중구가 감소되고 정상적인 림프구-단핵구 상호작용이 억제된 항암 화학요법 환자의 경우, 주된 감염원으로 작용한다. 고형암의 감염원 중 약 71%, 진균감염의 감염원 중 약 97%를 차지할 정도로 많은 발생률을 보인다. 가장 호발하는 부위는 혀, 구각부, 협점막, 치은 및 구개점막이며, 위막성, 증식성 그리고 홍반성의 모든 형태가 나타날 수 있고, 구각구순염의 양상을 보이기도 한다. 많은 경우 군체는 음식이나 담배에 의해 황색이나 갈색으로 착색되어 나타난다. *Candida* 외에도 *Histoplasma capsulatum*, *Cryptococcus neoformans* 등에 의한 감염도 보고되고 있다.

진균감염의 치료는 호중구수가 1,500개 미만일 경우 예방적으로 항진균제를 사용한다. 면역억제의 정도에 따라 국소적 혹은 전신적 사용을 검토한다. 니스타틴(Nystatin) 용액을 국소적으로 사용하거나, 클로트리마졸(Chlortrimazole) 정제를 복용한다. 칫솔은 매 사용시마다 소독한다.

■ 세균감염

구강내 정상균총이 감염의 원인균으로서, 면역저하 환자에서는 종종 *Pseudomonas, Proteus, E.coli, Klebsiella* 등의 그램음성 균으로의 균총이동 현상을 볼 수 있으며, 기존의 치주염에서는 혐기성균이나 나선균의 증가를 볼 수 있다. 장기간의 항생제 및 스테로이드제제에 의해 기회감염 균들이 과성장한다.

*Pseudomonas aeruginosa*에 감염된 조직은 잘 경계지어 있으며, 건조하고 흰 빛이 도는 황색의 중심이 주변 조직보다 약간 올라와 있고, 시간이 흐르면서 진한 보라 및 검정색으로 색이 변한다. 적절한 항생제를 사용하였을 경우, 괴사조직이 벗겨지면서 하방의 육아조직을 남긴다. *Staphylococcus aureus, Staphylococcus epidermidis* 그리고 *Streptococcus pyogenes*는 항암치료와 관련된 그램양성 구균감염균 중 가장 흔한 균주로서, 이들 균주들은 보통 화농성이나, 환자의 호중구감소증이 심할수록 건조한 사마귀모양을 띤다.

세균감염은 항암 화학요법 환자에서 가장 치명적일 수 있다. 항암 화학요법 환자에서는 발적 등의 염증징후가 보통의 경우보다 덜 발현된다. 만약 전신적인 감염징후 또는 만성적인 병소나 동통을 느끼는 부위가 있다면, 병원균의 존재를 알기위해 배양검사를 시행한다. 그램음성균에 의한 패혈증을 예방하기 위해 광범위한 항균력을 가진 항생제를 사용하도록 한다. 호중구수가 1,000개 미만일 경우 광범위 항생제의 정주가 필요하며, 환자가 혈액학적으로 안정된 상태일 경우 필요에 따라 절개 및 배농, 발치, 소파술 등의 외과적 처치를 수행한다. 혈소판수가 50,000개 미만일 경우 혈소판 수혈이 필요할 수 있다. 경험적 항생제 처치 후 배양검사 결과에 따라 항생제를 다시 선택하도록 한다.

■ 바이러스감염

단순포진바이러스 및 대상포진바이러스는 항암 화학요법 환자에서 가장 흔한 바이러스감염의 병원체로서, 포진성 치은구내염이나 구순염과 관련이 있다. 병소는 구강내 및 구강근처의 어떤 곳에서도 발병할 수 있으며, 가려움과 작열감을 동반한 동통이 주된 전조 증상으로, 작은 수포들이 터지며 여러개의 궤양을 남긴다. 이러한 궤양들은 항암제에 의한 점막의 직접적인 손상으로 발생한 궤양과 비슷한 양상을 띠며, 주변으로 퍼지며 광범위한 괴사를 일으킨다. 환자의 호중구감소증의 정도에 따라 회복에는 많은 시간이 걸리나 보통 4주 이상이 필요하며 바이러스감염 자체보다 기회 중복감염이 때로 더 심각한 결과를 초래하기도 한다.

바이러스감염의 치료는 흔히 조비락스(Zovirax)라 불리는 Acyclovir를 복용 또는 정주한다. 단순포진바이러스에 대해 혈청학적으로 양성이거나 항암치료를 오래 받았을 경우, 예방적으로 투여할 수 있다. 바이러스에 의한 궤양은 항암제에 의한 구내염과 구분이 어려우므로, 이를 감별하기 위해 배양검사를 시행하도록 한다. 바이러스에 의해 감염된 조직은 진균이나 세균에 의해 이차적으로 감염되기 쉬우며, 이 경우 복합치료를 시행한다.

개발도상국의 경우 악성종양 환자의 약 12%정도가 B형 간염바이러스 보균자이며, 항암 화학요법을 시행할 경우, 이런 바이러스의 재발은 심각한 합병증을 유발할 수 있으므로, 보통 Lamivudine을 예방적으로 사용한다. 하지만 C형 간염바이러스의 경우 그 재발률이 매우 낮아서 항바이러스제제의 예방적 사용은 일반적으로 추천되지 않는다.

4) 두경부 방사선 치료와 항암 화학요법이 연합된 환자의 치과적 관리

두경부 방사선 치료와 골수 억제성 항암 화학요법이 연합된 "Radiation recall effect"를 보이는 환자에서의 합병증은(표 11-7)처럼 정리될 수 있다.

표 11-7. 두경부 방사선 치료와 골수억제성 항암제 치료의 합병증
1. 오심과 구토(급성 발작)
2. 점막염, 미각변화, 구강건조증(약 2주일 경 시작)
3. 궤양과 출혈(C)
4. 2차적 감염(세균, 진균, 바이러스)
5. 방사선성 충치와 과민성 상아질(R)
6. 치수 동통과 궤사(지연 발현, R)
7. 방사선성 골괴사(R)
* C : Chemotherapy시 현저, R : Radiotherapy시 현저

특히 두경부 방사선 치료와 항암 화학요법을 시행받은 환자들은 구강합병증들이 많을 수 있으므로(표 11-8, 9)에 언급된 내용처럼 그 관리의 원칙에 충실한 진료를 시행해야 한다.

표 11-8. 방사선 치료와 항암 화학요법 치료자의 구강합병증 관리원칙

1. 점막염

- 구강내 감염원, 자극물 제거와 구강위생 관리
- 미지근한 식염수나 sodium bicarbonate 용액으로 구강세정 수시 시행
- 식사시 통증있으면 점성의 lidocaine 용액사용을 고려하고, 식사 후에는 0.12% chlorhexidine 가글시행
- 국소적 동통 병소에 Orabase 연고 도포
- 담배, 술, 탄산음료 엄금하고 hydration 유지 위한 이온음료, 생수, 유동식 섭취
- 구강건조시 가습기(humidifier) 사용

2. 구강건조증

- 무설탕 lemon drops이나 sorbitol-base 츄잉껌 사용
- glycerine & water 완충액과 인공타액 사용고려

3. 방사선성 충치(치아우식증)

- 구강위생 관리교육 철저와 주기적 recall
- 충치의 조기발견과 조기 수복치료
- 매일 불소도포(custom tray에 Elmex-gelée 불소 적용)
- 2차적 감염 발달 방지위해 세균배양 검사와 적절한 투약

4. 미각 상실

- 전신 면역성 증가와 Zinc 보충

5. 저작근육 기능저하

- 압설자 등을 이용한 개구훈련과 전신운동 시행

6. 방사선성 골괴사

- 방사선 치료 시행전 구강내 감염원인 제거
- 방사선 치료 완료후 지속적 구강합병증 관리
- 필요시 고압산소요법 시행

표 11-9. 두경부 방사선 치료 환자에서 방사선성 골괴사 예방원칙
1. 발치할 치아는 방사선 치료 최소 2주일전 발치
2. 방사선 치료 기간에는 발치 금지(특히 하악 구치 발치 주의)
3. 감염을 최소화(수술시 예방적 항생제 사용, 수술 후 1주일간 항생제 사용)
4. 방사선 치료 종료후 hypovascularity 최소화 (국소마취시 혈관수축제 적게 쓰고, 시술시 고압산소요법을 고려)
5. 치과치료 중 trauma 최소화(발치보다는 근관치료, 골막층 거상감소, 발치는 1~2개씩 단계적 시행, 창상 식염수 세정과 primary closure, sharp bone은 trimming 등)
6. 양호한 구강위생 유지(불소도포, 가글, 금연, 치료 후 추적관리)

증례 1 | 57세, 남자

주소

하악 우측 견치 및 소구치부 동통과 협측 치은종창(악취 및 구강건조)

병력

약 1년 전, 구강저 편평상피세포암(Stage II)으로 암 적출수술을 권유받았으나 수술을 거부했고, 방사선 치료(전체 조사량 6,000rad) 및 항암 화학요법(Methotrexate & Cisplastin)을 시행 받은 후 6개월째부터 상기 증상이 있었다. 치과의원을 경유하여 종합병원 치과에 내원하였으나 예약이 너무 늦어져 약(항생제 및 소염진통제) 처방만 받아 복용해 오다가 도저히 못 견디어 대학병원 치과로 내원했다.

전신소견

암 치료의 스트레스에도 불구하고 외관상 특기할 이상소견은 없었으며, 전신 면역성의 정도를 알기 위한 일반 종합검사(CBC, urinalysis, liver function test, EKG, chest PA)에서는 간효소치(SGOT & SGPT)의 약간의 상승 소견을 보였다.

구강소견

잔존 치아들 모두에서 방사선 치료 및 항암 화학요법의 후유증으로 방사선성 치아우식증 및 악취를 동반한 구강건조증이 보이고, 특히 하악 우측 견치와 소구치 부위에서는 순, 협측 치은과 점막의 염증 소견과 누공(fistula)을 통한 배농 소견도 있다(그림 11-6).

치료 및 경과

우선 환자의 주소 해결을 위해 약물요법(항생제 및 소염진통제 등 투여)을 경구투약(Cephalexin, Varidase, Tyrenol 등)에다 근육주사(Gentamicin, Tridol, Tarasyn)를 추가했으며, 30분 경과 후 하악 우측 견치 및 소구치부, 순협측 종창부위에 절개 및 배농술을 시행했다(그림 11-7). 종창이 감소된 2일 후에는 일차 근관치료를 했다. 구강건조증에 대해서는 인공타액을 구입해 사용할 경우 경비부담이 많아 환자(보호자)의 형편에 맞지 않으므로, 수시로 약간 따뜻한 생리식염수(warm saline)로 입안을 헹궈내면서, 타액선 기능 개선을 위해 주타액선(이하선, 악하선, 설하선) 외부를 마사지(manual massage)해주고 전신건강 증진법 및 스트레스 관리법의(교육)지도를 통해 해결토록 했다. 3일째 내원 결과, 환자의 치통이 완전히 해소되어 환자에게 재발방지 및 전신건강 개선을 위해 간기능 검사 상 이상소견에 대한 치료가 필요함을 설명(암 환자는 특히 전신건강의 증진에 유념해야 치통도 덜 발생됨 등)하여 소화기 내과로 자문을 의뢰하였다. 근관치료 및 구강건조증에 대한 관리는 지속적으로 시행했다. 그러나 약 2년 경과 후, 환자의 치통은 다시 재발되어 하악 잔존치 모두에서 발수 및 근관을 통한 배농술이 시행되었다. 그후 급성염증 감소 후에 통상적인 근관치료를 계속했다.

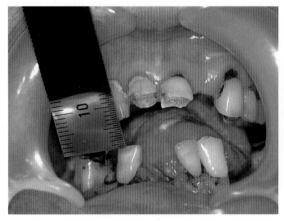

●●● **그림 11-6.** 모든 치아들에서 방사선성 치아우식증과 부분적 농양 및 구강건조증을 보인 환자

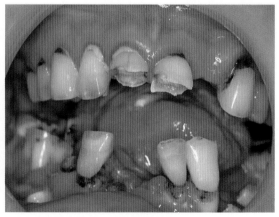

●●● **그림 11-7.** 국소적인 치근단 및 치주 농양(#43,44,45치아) 부위에서 약물요법 하에 일차 근관치료와 절개 및 배농술(고무 드레인 삽입)을 시행한 모습

문제점 검토

암 환자가 방사선 치료와 항암 화학요법을 받은 후 방사선성 치아우식증과 악취가 동반된 구강건조증이 심한 상태에서 개원 치과의원을 내원할 경우 이들을 반갑게 맞이하는 치과의원은 드문 것이 현실이다. 이들 환자들은 우선 대기실에 앉아 있어도 냄새가 나서 주위 환자들이 불편감을 가질 수 있다. 이는 치과진료 시에 치통 억제를 위해 절개 및 배농술과 근관치료를 시행할 경우에도 전신상태의 약화로 예후가 불량하여, 환자(또는, 보호자)와 의료인 사이에 갈등이 발생할 소지가 많기 때문일 것으로 생각된다. 그러나 종합병원이나 대학병원에도 암 환자를 종합적으로 치료할 수 있는 전문 인력이 부족하므로 이는 사회복지 차원에서 개선되어야 할 과제일 것이다. 하지만, 우선은 치과 의사들이 자신의 전문분야 뿐만 아니라 일반 의학과 보건학, 또는 간호학 등의 유관 분야에 대한 폭 넓은 식견을 가지고, 암 환자의 치과진료를 관련 의학과들이 협동체계(team approach)로 시행해 나가는 것이 바람직할 것으로 사료된다.

증례 2 ∣ 48세, 남자

주소

구강내 점막부의 동통, 악취, 구강건조증

병력

약 2개월 전, 좌측 이하선 부위에 암(adenocarcinoma, stageⅢ)이 발생된 것을 알았으나 수술을 거부해 항암 화학요법과 방사선 치료를 시행키로 했다. 그리하여 cyclophos-phamide와 vinblastine을 이용한 항암 화학요법을 우선 시행받고 이하선 주위에 방사선 치료(7,000rad)를 계획하고 시행하던 중 4,000rad 방사선 조사가 끝날 무렵 상기 주소가 발생되었다(그림 11-8).

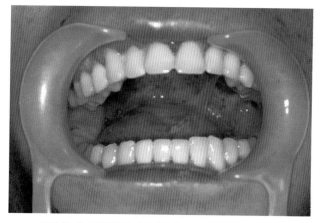

●●● **그림 11-8.** 광범위 구강점막염과 구강건조증을 보인 환자

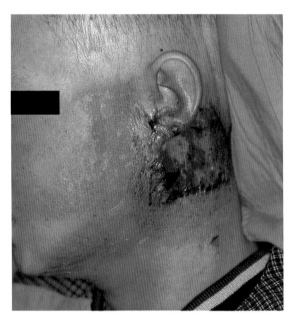

●●● **그림 11-9.** 이하선 후방부에 광범위 피부염 소견을 보인 환자

전신소견

구강점막염으로 인한 음식물 저작과 연하의 불편감에도 불구하고 특기할 전신건강의 이상 검사소견은 없었으나, 좌측 이하선 후방 피부가 표피 탈락을 동반한 염증 소견을 보여 피부과 진료를 시행 중이다(그림 11-9).

구강소견

하악 좌측 협점막부와 후구치 후방의 구후 융기(retromolar pad), 연구개, 설부 모두에서 점막염과 끈적거리는 타액의 정체 소견을 보인다.

치료 및 경과

우선 방사선 종양학과에 방사선 치료가 시급하지 않으면 과도한 구강점막염의 치료를 통해 환자가 음식물의 저작과 연하를 할 수 있게 하고, 방사선 치료를 계속하는 것이 바람직하다고 협조를 구했다. 약 2주일간 지속적인 따뜻한 식염수 구강세척(이럴 경우, tantum 또는 chlorhexidine 용액 같은 화학약품이 첨가된 제제는 자극이 강해 환자에게 더 고통이 됨)과 타액 분비의 촉진 위한 타액 선 마사지, 음식물(야채, 과일 등) 분별, 전신건강 증진법과 스트레스 관리 지도 등으로 상당히 호전 되어 방사선 치료를 계속했고, 그 이후로는 이런 증상의 재발이 없었다.

문제점 검토

대학 종합병원 내에서도 암 환자의 방사선 치료나 항암 화학요법의 후유증(구강점막염, 저작 및 연하장애, 악취를 동반한 구강건조증 등)이 발생된 경우 치과로 협조를 구하면 치과의료 인력의 부족과 관심부족으로 환자 진료가 연기되어 상당한 고통을 감내할 우려가 있는 것이 현실이다. 그래도 입원된 환자의 경우는 주사약제 처방을 받아 통증 조절이 가능하지만, 외래환자의 경우 진료가 지연되어(기존 예약환자가 많아 암 환자도 예약이 지연됨) 큰 불만을 가지기 쉽다. 그러므로 외래 암 환자의 경우라면 치과의원에서 이들의 구강합병증 관리를 위해 동통 조절만이라도 시행한다면 큰 도움을 줄 수 있다.

참고문헌

1. 김경욱 외 18인 : 구강악안면 감염학. 지성출판사, 2007, p.267-299.

2. 김명진 외 17인 : 구강암. 지성출판사, 2002, p.716-805.

3. 김용각 : 구강암 환자의 치과치료. 대한치과의사협회지. 1986; 24(7): 587-595.

4. 백남선 : 항암치료를 통한 암의 치유. 동도원, 2005, p.23-300.

5. 조두영 : 임상행동과학. 일조각, 1985, p.48-217.

6. 한윤복, 노유자, 김문실 : 암환자. 수문사, 1990, p.449-511.

7. Langdon JD and Henk JM : Malignant tumors of the mouth, jaws and salivary glands, 2nd edition. Edward Arnold, 1995, p.60-135.

8. Little JW, Falace DA, Miller CS, Rhodus NL : Dental management of the medically compromised patient, 7th ed. Mosby, 2008, p.35-49.

9. Roitt IM and Lehner T : Immunology of oral disease, 2nd edition. Blackwell Scientific Publications, 1983, p.279-304.

10. Shklar G : Oral cancer. WB Saunders, 1984, p.119-312.

PART 4

전신문제 상황의 치과진료

Chapter 12

이를 뺐는데,
피가 멎지 않아요

| 유재하 |

---

01 문제 제기

임상에서 단순 발치나 외과적 발치를 시행하고 환자에게 상세히 주의사항을 설명했음에도 불구하고, 발치 후에 출혈이 지속되어 뒤늦게 치과외래를 다시 찾는 환자들이 있다. 보통은 발치창상을 세척하고, 다시 젖은 거즈로 압박지혈(gauze biting)을 20~30분 시도하면 지혈이 되는 것이 일반적이다. 하지만, 만약 그렇지 않을 경우에는 환자와 술자 모두에게 곤혹스런 상황이 된다. 즉, 은근히 출혈되는 혈액과 타액을 삼키면 위장관에 자극(gastric irritation)을 주어 구토할 가능성이 크며, 뱉어내게 되면 환자는 피를 눈으로 직접 보기 때문에 불안과 공포로 인하여 실신(syncope)할 우려도 있다. 또한, 발치창상 자체의 술 후 염증반응(동통, 종창 등)은 혈압을 상승시켜 더욱 지혈처치를 어렵게 할 수도 있다.

발치 후에 출혈이 지속되어 술자를 불신하게 된 환자는 종합병원의 치과(주로, 구강악안면외과)를 찾게 되는 경우가 많다. 지혈이 좀처럼 되지 않는다면 입원을 시키고 수액요법과 수혈, 다양한 약물요법 등의 조치가 필요하게 된다. 이런 경우, 진료비 부담은 물론이고 환자의 생업에도 큰 지장이 초래되기 때문에 불미스러운 의료분쟁으로 비화할 소지가 크다.

이에 본 단원에서는 발치 후의 출혈과다의 원인들과 대처법을 살펴보고, 아울러 그 예방법을 검토하기로 한다.

02 기본적 이해

Dental Treatment
for Medically
Compromised Patients

발치를 포함한 모든 수술에서는 혈관손상에 의한 출혈은 피할 수 없다. 하지만, 인체는 혈관수축, 혈소판 기전, 응고기전을 통해 지혈을 이루게 된다. 절단된 혈관에서 혈전이 형성되는 과정은 우선 혈관내피의 손상이 혈전 형성의 발단이 되며, 혈소판은 점착성이 있게 되어 혈관 벽과 다른 혈소판에 붙게 된다. 또한 섬유소원은 섬유소로 변환되며, 섬유소는 그물을 형성하여 더 많은 혈소판을 달라붙게 하여 혈전을 만들게 된다. 그러나 발치되는 치아의 주위조직 감염이나 비타민 C 결핍에 의한 혈관 벽의 약화, 혈소판 감소증이나 기능장애, 간질환이나 항응고제 사용 등에 의한 혈액응고 장애 등은 발치과정에 과도한 출혈 장애(bleeding disorders)를 야기한다(표 12-1). 특히 치주염이 과도했거나, 골수염 및 화농성 육아종(pyogenic granuloma) 등으로 발치창 주위조직(골조직과 연조직)에 감염증이 심한 경우에는 인접한 골과 치은점막 혈관들이 충혈(hyperemia) 상태가 되기 때문에 더욱 문제가 된다. 즉, 발치로 인한 손상으로 혈관 수축력(contractility)과 혈액 응고(clotting)에 장애가 되는 저산소증(hypoxia) 및 혈액의 수소이온지수 변화(즉, 산성화)가 초래되어 발치를 시행하는 과정 중이나 발치 후에 출혈의 가능성이 높아진다. 또한, 출혈 가능성이 높은 전신질환(표 12-1)이 동반되거나 환자의 전신상태가 상당히 약화된 경우(고령자, 거동이 불편한 장애자, 장기간의 스트레스에 노출된 암 환자 등)라면 더욱 발치 후에 창상감염의 가능성이 높고, 혈관의 수축력 및 혈액응고 지연반응 등으로 인하여 출혈(주로, oozing)의 우려가 있다.

표 12-1. 출혈성 질환의 분류

1. 비혈소판 감소성 자반증	2. 혈소판 감소성 자반증	3. 응고의 결함
① 혈관벽의 변화 • 괴혈병 • 감염 • 화학제 • 알레르기 ② 혈소판 기능의 결함 • 유전성 결함 • 약제–아스피린 • 알레르기 • 자가면역질환	① 일차성 ② 이차성 • 화학제 • 신체적 인자–방사선 • 전신질환–백혈병 등	① 선천성 • 빌레브란트 질환 • 혈우병–Ⅷ인자 결핍 • 크리스마스질환–Ⅸ인자 결핍 • 기타 ② 후천성 • 간질환 • 비타민 결핍 – 담즙관 폐쇄, 흡수 불량, 광범위 항생제의 장기간 사용 • 항응고제 – 헤파린, 쿠마딘 유도체 • 기 타

03 치과 진료실에서 대처하기

Dental Treatment
for Medically
Compromised Patients

발치 후 출혈이 심해 환자가 다시 치과에 내원하면 환자는 불안과 공포, 염증반응에 따른 동통 등으로 상당한 고통을 겪게 된다. 술자는 우선, 구강 내의 피를 흡인해 낸 후 3% 과산화수소수(H_2O_2)와 생리식염수로 창상을 세척하고, 젖은 거즈를 물려 지혈을 시도한다. 이 때, 거즈의 위치가 너무 연구개 쪽으로 치우치면 구역반사(gag reflex)를 자극하게 되므로 주의해야 한다(그림 12-1).

이때 거즈 물림이 너무 강하여 창상이 자극되면 동통이 유발된다. 통증으로 인하여 충분한 압박을 가하기 어렵다고 판단될 경우에는 국소마취를 하고 시행하는 것도 좋은 방법이다. 환자가 20~30분간 거즈를 물고 있는 동안 술자는 환자 본인 또는 보호자를 통하여 전신질환 병력에 대해 확인하도록 한다. 또한 스트레스 과다, 수면 부족 등과 같은 전신상태를 약화시킬 만한 최근의 생활양상에 대해서도 점검한다. 최근에 특기할 신체검진을 받은 적이 없다면, 인근 병·의원을 통하여 혈액학적 이상 소견을 확인하기 위한 이학적 검사(일반 혈액검사에서 Hemoglobin & Hematocrit, PT=Prothrombin time, PTT=Partial Thromboplastin time, INR = International Normalized Ratio, 등)를 시행하는 것도 도움이 된다(그림 12-2, 3).

그러나 이런 혈액학적 이학적 검사는 추가 비용이 소요되고 환자도 불편해 하기 때문에, 우선은 발치창상의 출혈을 억제시키고 차후에 검사를 시행하여도 된다. 환자가 거즈를 물고 있는 동안 술자는 지혈 처치에 필요한 기구(suture set, hemostats & mosquito, bone rongeur, curette 등)와 재료들(bone wax, gelfoam, surgicel, collagen 등)을 준비한다. 출혈이 과도한 환자에서는 수술

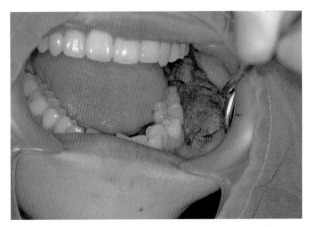

●●● **그림 12-1.** 하악 지치 발치 후에 출혈이 과도했던 발치창에 젖은 거즈를 압박한 모습

일반혈액검사결과지			H1
주민등록번호 ○○○○○-○○○○○○○		등록번호 98296763 환자성명 ○○○	
성별/ 진료과/ 병실 F Dent		접수번호 04-0239 접수일자 011214	
상병분류기호		의사코드 의사명	
검사명	참고범위	결과치	단위
WBC		5.45	×10³/μL
RBC		4.26	×10⁶/μL
Hb		12.5	g/dL
Hct		38.3	%
MCV		90.0	fL
MCH		29.4	pg
MCHC		32.7	g/dL
RDW			%
PLT		257	×10³/μL
PDW			%
LPLT	PLT CLM		
ANISO	nRBC		
MICRO	HC VAR		
MACRO	RBC FRAG		
HYPO	RBC GHOSTS		
HYPER			
WBC differnetial count			×10³/μL
Neutrophils		46.9%	2.55
Lymphocytes		41.6%	2.27
Monocytes		4.1%	0.22
Eosinophils		3.8%	0.21
Basophils		0.3%	0.02
LUC		3.3%	0.18
Blast		%	
Promyelocytes		%	
Myelocytes		%	
Metamyelocytes		%	
Band neut.		%	
Atyp. lym.		%	
Immature forms		%	
nRBCs			/100WBCs
IRF(M+H)			%
Reticulocytes		%	
Reti.,C			%
MCVr			fL
CHr			pg
ESR			mm/hr
Comments			
			1542
보고일자			011214
보고자			○○○
○ ○ 병원		임상병리과(☎1574)	

특수혈액검사결과지			8H
주민등록번호 ○○○○○-○○○○○○○		등록번호 03023340 환자성명 ○○○	
성별/ 진료과/ 병실 M Dent		접수번호 01-0053 접수일자 030125	
상병분류기호		의사코드 의사명	
검사명	참고범위	결과치	단위
PT	70-130%	12.4 sec	103 %
control	INR : <1.25	12.6 sec	INR : 0.98
aPTT	A : 22-35, 2-10세<43	30.9	s e c
control		29.8	sec
Factor VII	70-120		%
Factor VIII	70-150		%
Factor IX	70-120		%
Bleeding time	3-5min	min	sec
D-dimer	<0.5		μg/mL
FDP	<10		μg/mL
보고자/보고일자			030125
○ ○ 병원		임상병리과(☎1574)	

●●● 그림 12-3. 출혈의 가능성을 보는 P.T., P.T.T., I.N.R. 검사의 결과지로서, 정상 참고범위를 감안해 판독

●●● 그림 12-2. 임상에서 흔히 시행되는 일반 혈액검사(CBC) 결과지로서, 혈소판 수치와 빈혈 여부 등을 확인(정상치는 옆에 기재되어 있어 참고)

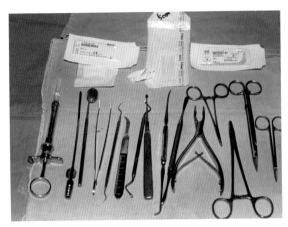

●●● 그림 12-4. Bone wax, gelfoam, surgicel, iodoform gauze 등의 지혈 처치에 쓰이는 재료와 기구들(suture set)

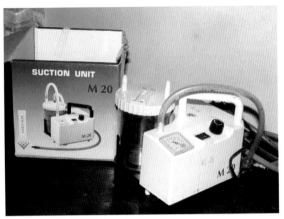

●●● 그림 12-5. 출혈 부위의 명확한 시야확보를 위해 별도로 필요한 이동형 흡인기(portable suction unit)

시야가 제한된다. 따라서 출혈 지점(bleeding point)을 정확히 확인하기 위해 기존의 흡인기 이외에 성능이 좋은 흡인기(suction apparatus)를 한 대 더 준비해 두는 것이 큰 도움이 된다(그림 12-4, 5).

만약 20~30분에도 출혈이 계속되면 흡인을 하면서 출혈감소를 위해 국소마취(가능하면 전달마취와 침윤마취를 같이)를 다시 시행한다. 그리고 발치창 내의 혈액 응괴(clots)를 소파하면서 출혈 지점을 확인한다. 이때, 출혈 지점이 치조골 부위라면 bone wax를 큐렛에 발라서 압박해주면 된다. 만약 치은이나 점막, 골막 등의 연조직 부위의 혈관에서 출혈이 일어나는 활동성 출혈(active bleeding)이라면 mosquito 등의 지혈겸자(hemostats)로 혈관을 잡아 결찰(tie)해야 한다. 또한, 넓은 범위에서 미만성으로 스며 나오는 양상(diffuse oozing type)의 출혈이라면 우선은 창상 봉합술(wound suture with 3-0 black silk)을 시행하여 압박효과를 높인다. 창상의 이차적인 감염(출혈되는 발치창은 감염의 가능성이 매우 높음)을 방지하기 위해 창상 내부에 배농재(주로, iodoform gauze, 상품명 Nu-gauze)를 삽입하는 것이 큰 도움이 된다(그림 12-6). 그 후 다시 젖은 거즈를 1~2시간 물도록 지시한다.

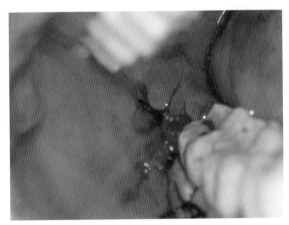

●●● 그림 12-6. 과도한 출혈이 있던 하악지치 발치창상 부위를 봉합하고, Nu-gauze drain 삽입으로 배농로를 설정한 모습

이렇게 노력하여도 출혈이 지속된다면 환자는 실혈량 과다와 정신적 스트레스로 인하여 쇼크나 실신의 가능성이 있을 뿐만 아니라 술자에 대한 불신도 더욱 커지게 된다. 따라서 부득이한 경우에는 환자를 종합병원 치과(구강악안면외과)나 응급실로 전원시켜 수액요법, 수혈, 약물요법 등으로 전신상태의 악화를 미연에 방지해야 한다.

발치 후의 출혈로 환자가 거즈를 물고 있는 상태에서 배출되는 타액을 삼키게 하는 것이 좋은 지, 아니면 뱉어내게 하는 것이 좋은 지가 논란이 될 수 있다. 양이 적다면 삼켜도 별 문제가 되지 않지만, 많을 경우에는 오심과 구토(nausea & vomiting)를 일으킬 가능성이 크다. 반면에 뱉어내면 타액에 섞인 피를 환자가 직접 목격해서 계속 출혈이 있는 것으로 오인하기 때문에 불안과 공포가 가중되고 혈압도 상승되는 단점이 있다. 환자를 안심시키는 것이 가장 중요하다. 따라서 거즈 물림을 유지한 상태에서 나오는 타액은 휴지로 닦아내되, 피 색깔이 어려 있어도 실제 피의 양은 얼마 되지 않고 그 대부분이 침이라는 사실을 환자(보호자)에게 잘 설명해 주도록 한다. 거즈를 계속 물고 있으면 환자의 저작근육(특히 폐구근)이 피곤해질 수 있으므로, 손으로 턱밑을 받쳐 주도록 권고해 준다.

질병의 예방이 치료보다 중요하듯이, 발치 후의 출혈 관리도 역시 사전에 이런 상황이 발생되지 않도록 주의하는 것이 최선이다. 따라서 노약자나 전신질환을 가진 환자가 내원하면 병력청취와 신체검사에 주의를 기울여야 함은 물론이고, 먼저 주위조직의 감염증(과도한 치근단 농양, 육아종, 진행성 치주염이나 농양, 골수염 등)을 조절하고 난 후에 발치 등의 치과치료를 시행하는 것이 출혈 방지의 핵심이다. 감염증이 심한 치아를 발치해야 할 경우에는 먼저 절개 및 배농술, 근관을 통한 배농술(pulp extirpation & opening canal drainage), 교합삭제 및 조정술 등을 통해 감염상태를 감소시킨 다음, 약 1~2주일 후에 발치를 시행하는 것이 출혈방지에 중요한 대비책이 될 것이다(그림 12-7, 8).

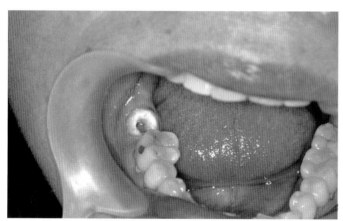

●●● **그림 12-7.** 심한 치주염을 보인 하악 우측 제 2대구치의 발치에 앞서, 술 후 출혈을 방지하기 위해 일차 근관치료(발수 및 근관을 통한 배농술)를 시행하고 치관을 완전히 삭제한 모습

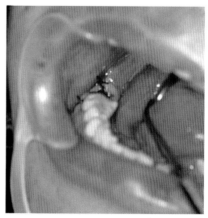

●●● **그림 12-8.** 1차 근관치료 완료 후 1주일 이상 경과한 후 발치 및 봉합술을 시행한 모습 (발치 중의 출혈 및 술 후 출혈도 감소됨)

증례 1 | 26세, 남자

주소

하악 좌측 매복지치 주위 동통과 종창

병력

특이사항 없다.

전신소견

특이사항 없다.

구강소견

통상적인 하악지치 주위염증 소견을 보이고, 파노라마 사진에서 매복지치 후방에 골흡수 소견을 보인다.

치료 및 경과

항생제(amoxicillin), 소염진통제(pontal, varidase), 소화제(phazyme)를 투여한 후 하악 좌측 매복 지치를 약 40분간 발치하고 귀가시켰는데, 2시간이 지나고 나서 후출혈이 과도하여 본 치과로 다시 내원하였다(그림 12-9). 내원 즉시 국소마취 하에 젖은 거즈 물림으로 압박지혈을 시도한 다음 발치창상 내부의 출혈지점을 조사한 결과, 설측의 치조골편이 파절된 부위에서 골막과 근육층의 출혈이 과도했다(그림 12-10). 따라서 파절된 설측의 치조골편을 제거하고 지혈을 위해 설측 점막골막 피판을 봉합했으며, 혈종 형성의 방지와 배농 효과를 위해 발치창 내부에 Nu-gauze(iodoform gauze)를 삽입(그림 12-11)하고 다시 젖은 거즈 물림을 시행했다.

문제점 검토

하악 매복지치(특히, 수평 매복과 근심으로 경사된 경우)의 발거를 위해 bur로 치아절제술(odontectomy)을 시행한 후에 잔존된 치아부에 발치기자(elevator)의 압력이 가해지면 얇은 설측 치조골이 골절될 우려가 크다. 따라서 발치 시에 주의를 기울여야 한다. 만약 설측 치조골이 골절되어 골절편의 고정(fixation)이 불가능할 정도로 움직인다면, 이를 제거하고 긴밀하게 창상을 봉합하는 것이 지혈에 도움이 된다.

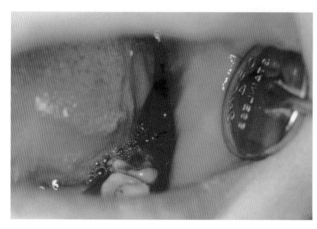

●●● **그림 12-9.** 발치 후 2시간 째 출혈되는 하악 좌측 매복 지치의 발치창상

●●● **그림 12-10.** 국소마취 하에 발치창상 내부의 출혈 근원을 확인하는 모습(흔히, 발치창 주위의 골편 파절부 감염에 의함)

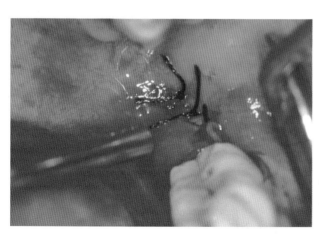

●●● **그림 12-11.** 출혈의 원인이 된 설측 치조 골절편을 제거하고 봉합한 모습으로서, 조직손상이 과도하여 종창과 발적이 많다.

증례 2 | 76세, 남자

주소

상악 전치부(#11, 21, 22, 23)를 발치한 다음날 출혈이 계속되었다.

병력

특기할 전신질환은 없었다. 상악의 잔존치근을 발치하고 보철치료를 시행하기 위해, 개인 치과의원에서 상악치아 4개(#11, 21, 22, 23)를 발치한 후(봉합술은 시행치 않음) 출혈이 계속되어 (blood oozing) 다음날 본 치과로 내원했다(그림 12-12).

전신소견

특이사항 없다.

구강소견

발치창 부위에 감염소견(동통과 종창)을 보이고, 잔존 치은연의 불규칙한 양상

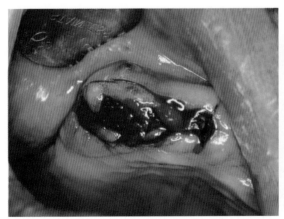

●●● **그림 12-12.** 발치 후에 blood oozing을 보이는 창상

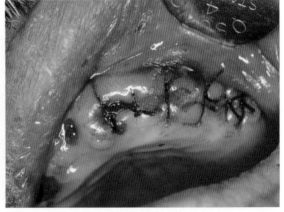

●●● **그림 12-13.** 국소마취 하에 발치창 봉합술과 iodoform gauze drain을 삽입한 모습

치료 및 경과

우선 젖은 거즈로 압박지혈을 시도한 후에 혈액응고 관련검사(CBC, Platelet count, PT, PTT)를 시행했다(이후 결과는 정상). 또한, 의식과 생징후가 정상 범주임을 확인한 후에 국소마취 하에서 창상 봉합술과 iodoform gauze drain 삽입술을 시행했다(그림 12-13). 항생제 및 소염진통제 요법을 실시하고 1시간 경과 후에 지혈을 확인하고 국소마취가 풀린 후 혈관 확장에 따른 후출혈을 방지하기 위해 다시 습윤거즈로 압박지혈을 시도했다. 지혈 처치동안 환자의 생징후는 정상 범주였고, 의식도 명료해 환자 관리에는 큰 지장이 없어서, 지혈 달성 후에도 혹시 집에서 후출혈 방지위한 압박지혈 방법을 교육하면서, 만약 수면 중에 또 치은부 출혈이 있으면 2×2inch 폭의 습윤거즈를 출혈부에 넣고 거즈 biting을 하는 방법을 구체적으로 지도했다. 아울러 그동안 수면부족으로 잠을 자고 싶으면 수면 중에 후출혈을 방지하기 위해, 2×2inch 폭의 습윤거즈를 접은 다음에 치실(dental floss silk)로 거즈를 묶어서 치은출혈부 거즈 biting을 하되, 거즈흡인(aspiration)의 위험을 방지하기 위한 조치들을 다른 환자의 경우로 예를 보여드리면서 교육했다(그림 12-14, 15).

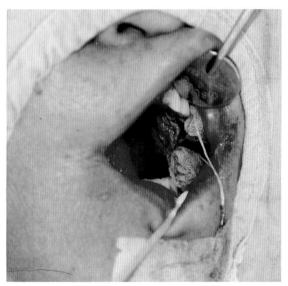

●●● **그림 12-14.** 가정에서 후출혈시 습윤거즈 압박을 위해 치실로 묶인 거즈를 입속에 넣는 모습을 다른 환자 증례로 설명한다.

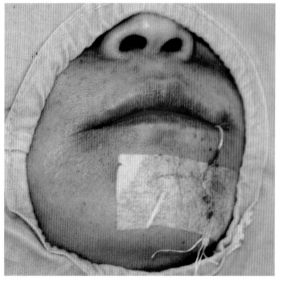

●●● **그림 12-15.** 압박된 거즈의 수면 중 흡인(aspiration)을 방지하기 위해, 거즈 biting 후에 입 밖으로 나온 치실을 종이반창고(테이프)로 부착한 모습으로, 환자 본인이 시행할 수도 있지만 보호자가 시행하기 쉽도록 구체적인 실행방법을 반복적으로 교육함이 중요하다.

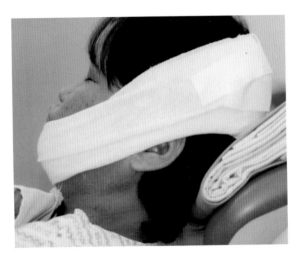

●●● **그림 12-16.** 수면 중에 본인도 모르게 압박된 습윤 거즈가 헐렁해 지면서, 탈락되는 것을 방지하기 위한 Barton씨 탄력붕대를 장착한 모습으로, 다른 환자의 예를 평소에 준비했다가 퇴원시 환자와 보호자에게 구체적으로 지도함이 충분한 수면과 지혈에 도움이 된다.

즉, 수면중에는 거즈 biting이 느슨해질 우려가 있으므로, 습윤거즈가 치실에 묶여 있어도 탈락되지 않고 biting을 유지시키기 위해, 탄력붕태(Barton's bandage) 장착법까지 세밀하게 지도했다(그림 12-16). 아울러 2차적인 감염방지를 위한 경구용 투약(항생제, 소염진통제, 소화제 등) 처방을 받고 퇴원했으며, 다음날 내과와 치과 외래에서 계속적인 가료(드레싱, 투약조정 등)를 시행케 했다.

염증 소견이 사라진 3일 후에 드레인을 제거했으며, 출혈 없이 양호한 치유경과를 보였다.

🏥 문제점 검토

먼저 76세 노인에서 시행하는 발치는 혈관의 취약성과 수축력 부족으로 출혈(oozing type) 가능성이 높고, 감염에 대한 전신저항력 약화로 인해 창상감염의 우려가 크다는 사실을 인식했어야 했다. 따라서 단순 발치의 증례라고 하더라도 발치창의 봉합은 물론 발치창상을 통한 배농술(iodoform gauze drain 등 이용)을 시행하여 출혈과 감염방지에 주력했어야 했다. 뒤늦게 창상 봉합술과 Nu-gauze drain 삽입을 통한 배농술을 시행하여 지혈 및 창상의 치유는 가능했지만, 환자(보호자)에게 심신의 고충을 야기했기에 주의할 일이었다.

참고문헌

1. 김경욱 외 10인 : 최신 구강악안면외과학, 제 3판. 나래출판사, 1999, p.392-417.

2. 대한구강악안면외과학회 : 구강악안면외과학교과서, 제 2판. 도서출판 의치학사, 2005, p.139-159.

3. 임성삼 : 임상근관치료학. 도서출판 의치학사, 1994, p.1-15.

4. 유재하, 강상훈, 김현실, 김종배 : 구강내 과다출혈로 내원한 응급환자에 관한 임상적 연구. 대한구강악안면외과학회지, 2002; 28: 383-389.

5. 유재하, 최병호, 홍순재, 남웅, 김종배, 윤정훈 : 전신질환자에서 과도한 감염치아 발치 시 스트레스 감소법 : 문헌적 고찰 및 증례보고. 대한구강악안면외과학회지, 2000; 26(1): 85-92.

6. Conley JJ : Complications of head and neck surgery. WB Saunders, 1979, p.66-80.

7. Falace DA ; Emergency dental care. Williams & Wilkins, 1995, p.228-233.

8. Grossman LI : Endodontic practice, 8th edition. Lea and Febiger, 1974, p.151-168.

9. Kruger GO : Textbook of oral and maxillofacial surgery, 6th ed. CV Mosby, 1984, p.229-254.

10. Little JW, Falace DA, Miller CS, Rhodus NL : Dental management of the medically compromised patient, 7th ed. Mosby, 2008, p.396-432.

The Guideline of Dental Treatment for Medically Compromised Patients

Chapter 13

잇몸 염증도 없는데,
피가 많이 나요

| 김 진 |

01 문제 제기

Dental Treatment
for Medically
Compromised Patients

대부분의 치과치료에는 출혈이 동반된다. 따라서 치과의사는 자연출혈과 날카로운 기구에 의한 손상성 출혈을 포함한 모든 치은출혈에 대해 주의를 기울여야 한다. 자연출혈을 호소하는 경우에는 환자가 전신질환을 앓고 있는 지를 반드시 치과치료 전에 미리 확인해야 한다. 자연출혈이 아니라 하더라도 다른 환자들에 비해 출혈이 심하다고 판단될 때에는 하던 치료를 멈추고 출혈성 전신질환에 대해 반드시 조사해야 한다. 무방비 상태에서 치료를 계속할 경우 자칫 지혈이 되지 않아 크게 당황하는 응급상황이 발생할 수 있다.

02 기본적 이해

Dental Treatment
for Medically
Compromised Patients

출혈이 멎기 위해서는 혈관의 수축, 혈소판의 역할, 혈장 내 응고인자의 작용이 모두 삼위일체가 되어야 순차적으로 지혈이 된다. 우리가 흔히 만날 수 있는 출혈성 질환은 재생 불량성 빈혈, 백혈병

그리고 혈소판 감소증 등으로서, 이 책에서는 이러한 출혈성 질환을 의심할 수 있는 혈액학적 검사에 대해 주로 언급하고자 한다.

1) 일반 혈액검사(complete blood count)

혈액검사는 자동혈구계산기를 이용하여 자동으로 검사되며, 백혈구 수치, 적혈구 수치에 대한 결과와 헤모글로빈(hemoglobin, Hb), 적혈구 용적(hematocrit, Hct), 적혈구 지수(RBC index : MCV, MCH, MCHC), 혈소판 수치까지 총 8가지를 일반적으로 판독한다. 요즈음은 백혈구 5종의 각각 세포에 대한 감별계산(differential count)이 포함된다. 모든 검사에서 정상치가 판독지에 함께 적혀 있으므로 모두 암기할 필요는 없으나 적혈구, 백혈구, 혈소판 수치 정도는 외워두는 것이 편리하다(표 13-1).

표 13-1. 혈액검사의 기준치

RBC	남 410~530×10⁴ /μL 여 380~480×10⁴ /μL
Hb	남 14~16g/dL 여 12~14g/dL
Hct	남 42~47% 여 36~44%
MCV	80~90fL
MCH	27~32pg
MCHC	32~36g/dL
RDW	11.5~15%
WBC	4,000~10,000/μL
혈소판	15~40×10⁴/μL
호중구	1,500~7,500/μL(36~66%)
호산구	40~400/μL(1~4%)
호염기구	10~100/μL(0~1%)
단핵구	200~800/μL(4~8%)
림프구	1,500~3,500/μL(22~40%)

주) lMCV : 평균 적혈구 용적(mean cell volume), 단위 femtoliter
   MCH : 평균 적혈구 헤모글로빈(mean cell hemoglobin), 단위 picogram
   MCHC : 평균 적혈구 혈색소 농도(mean cell hemoglobin concentration), 단위 g/dL
   RDW : 적혈구 분포폭(RBC distribution width)

적혈구 수치, 적혈구 용적, 헤모글로빈 수치는 빈혈을 판단하는 기준이 되며, 적혈구 지수는 빈혈의 원인과 종류를 진단할 수 있다. 즉, MCV(mean corpuscular volume)은 적혈구 하나 하나의 용적을 계산한 것으로 정상 수치보다 낮을 경우 소구성 빈혈(microcytic anemia), 높을 경우 대구성 빈혈(macrocytic anemia)로 진단한다. MCH(mean corpuscular hemoglobin)는 적혈구 하나 하나가 가지는 헤모글로빈 양의 평균치이며, MCHC(mean corpuscular hemoglobin concentration)은 적혈구 하나가 가지는 혈색소 농도의 평균 %로서 저색소성(hypochromic), 고색소성(hyperchromic)으로 분류한다. 이 지수를 통하여 소구성 저색소성 빈혈인 경우 철분 결핍이나 납 중독이 빈혈의 원인임을 알 수 있고, 대구성 빈혈인 경우 악성 빈혈이나 항암제 투여로 인한 빈혈일 수 있으며, 정상 적혈구 모양과 정상 헤모글로빈 농도를 가진 경우는 급성 출혈이나 용혈성 빈혈인 경우가 많다.

일반 혈액검사에서 알 수 있는 백혈구 수치는 급성 염증이나, 만성 염증 등 감염성 질환에서 환자의 면역 상태를 판단하는 중요한 기준이 된다. 즉, 감염성 질환에서 일반적으로 백혈구 증가증을 보이고, shift to left라 하여 metamyelocyte 등의 미성숙 백혈구가 말초혈액에 나오는 현상(leukemoid reaction)으로 골수에서 감염성 질환에 대한 저항력이 있음을 의미한다. 그러나 너무 백혈구 수치가 증가하거나 아주 심하게 감소하는 경우는 환자가 감염에 저항할 능력이 상실되고 있음을 의미한다. 감별계산(differential count)이란 중성 백혈구, 호염기성, 호산성 백혈구의 각각 수치 비율을 관찰하는 것으로 감염의 원인균에 따라 각 세포의 비율이 달라지므로 이 감별계산을 통하여 질환의 원인을 찾아낼 수도 있다. 일반적으로 세균 감염에는 중성 백혈구 수치가 높아지지만, 바이러스 감염에서는 림프구의 비율이 높아지고 기생충 감염이나 알러지성 질환의 경우는 호산구의 비율이 높아진다.

2) 적혈구 질환

적혈구 수치, 헤모글로빈, 적혈구 용적 수치를 정상치와 비교하였을 때, 10%이상 감소된 경우에 빈혈(anemia)로 진단할 수 있다. 다음은 MCV, MCH, MCHC 로서, 적혈구 세포의 용적, 헤모글로빈 양, 농도 등을 알 수 있는 적혈구 지수가 있다. 국내에 가장 흔한 빈혈인 철 결핍성 빈혈인 경우는 소구성 저색소성(microcytic hypochromic anemia)으로서 적혈구 수치 이외에 헤모글로빈 수치와 MCV, MCHC가 감소하며 출혈을 초래하지는 않는다. 항암제 투여로 인한 대구성 빈혈(macrocytic anemia)인 경우에는 MCV 상승, MCHC 정상이다. 반면, 모든 혈구세포의 감소증을 특징으로 하는 재생불량성 빈혈인 경우는 적혈구 수치, 헤모글로빈, 적혈구 용적 이외에 백혈구, 혈소판 수치도 모두 감소하여 자발적 출혈 내지는 자극이 가해지면 심한 출혈을 일으킨다.

항생제 장기투여, 항암제 투여, 방사선 치료 등 원인이 있는 경우도 있으나, Fanconi's anemia 같은 유전적이거나 원인 불명인 경우도 많다. 골수 검사에서는 저세포증(hypocellularity)을 특징으로 한다. 그림 13-1은 일반 혈액검사로 적혈구 질환을 찾아가는 과정을 간단히 표현하고 있다.

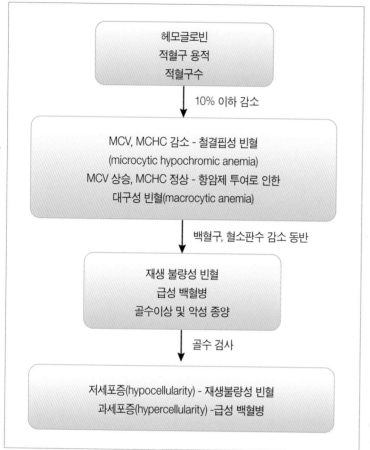

●●● 그림 13-1
일반 혈액검사로 본 빈혈의 진단

3) 백혈구 질환

백혈구의 수치와 각 세포의 감별계산이 염증 반응과 백혈병 등의 진단에 중요한 단서가 된다. 급성 염증이 있는 경우에 약간의 백혈구 수치의 증가와 미성숙 세포가 출현하면, 환자가 염증반응에 잘 대항하고 있음을 알리는 단서가 된다. 하지만, 백혈구 수치가 현저히 증가하거나 metamyelocyte 이하의 미성숙 세포(myeloblast)가 과다하게 출현하는 것은 환자가 염증 반응에 견디지 못하고 있음을 나타낸다.

백혈병(leukemia)이란 미성숙 백혈구가 혈액, 골수 및 여러 장기에 침범하는 악성 종양으로서 골수성 백혈병과 림프성 백혈병으로 구분되며, 각각 급성과 만성으로 나누어진다. 림프성 백혈병은 발생 연령이 특이하여 급성 림프성 백혈병은 어린 연령에 호발하며, 만성 림프성 백혈병은 성인 연령층에서 발생된다. 급성 골수구성 백혈병은 유전적 요인, 벤젠(benzene)과 농약 등의 화학 약품에 노출된 경우, 알킬화 약물(alkylating agent) 등이 원인으로 알려져 있으며, 연령이 증가할수록 발병률이 높아진다. 급성 골수구성 백혈병은 M0부터 M7까지 세분되며, 미성숙 세포(myeloblast)가 20%

표 13-2. 급성 백혈병을 의심할 수 있는 구강증상
1. 자연적인 치은출혈
2. 안면부, 혀, 입천장 등에 출혈 반점
3. 전반적인 치은증식
4. 괴사성 구강궤양
5. 경부 임파절 비대

이상일 때에 급성 골수구성 백혈병으로 진단하게 된다. 이 때, 정상 적혈구세포 수치는 오히려 감소하여 빈혈 현상을 보이며, 혈소판의 수치가 감소되어 자발적 출혈 또는 자극에 심한 출혈을 초래하게 된다(표 13-2). 만성 골수성 백혈병은 서서히 진행되는 질환으로서, 미성숙 백혈구가 5~10%에 이르고 백혈구 수치가 현저히 증가하게 된다. 이는 필라델피아(philadelphia) 염색체라 하여 염색체 22의 이상으로 발생되며, 초기에는 혈소판 수치가 오히려 증가하게 된다. 모세포성 발증(blast crisis)이라 하여 미성숙 세포가 20%이상 증가하게 되면 예후가 불량하다.

4) 출혈성 질환

혈소판 수치는 혈액 응고의 초기에 가장 중요한 요소이므로 혈액검사에서 반드시 확인해야 할 사항이다. 150,000~450,000/μL가 정상 수치이며, 50,000/μL 이하인 경우는 출혈을 초래할 수 있는 치과치료를 금한다. 발치나 소파술 등의 간단한 치과치료는 50,000/μL 이상이면 할 수 있으나, 큰 수술인 경우에는 100,000/μL 이상이어야 한다. 혈소판 수치는 정상인에서도 다양하여 여성의 배란(ovulation) 시기에는 증가하고, 생리기간 중에는 혈소판이 감소한다. 또한 전신적인 염증성 질환이나 종양, 출혈이 있을 때는 다소 증가하게 된다. 비정상적으로 혈소판이 감소되는 경우는 골수에서의 형성 감소, 비장에서 격리(sequestration) 증가, 혈소판의 파괴 등을 들 수 있다. 우선 혈소판의 형

표 13-3. 혈소판 감소증을 초래하는 약제
1. 항암제 : alkylating agent, carboplatin, antimetabolites
2. 항생제 : sulfonamides, penicillins, cephalosporins
3. Heparin
4. 항고혈압 약제 : thiazide diuretics

성이 감소되는 경우는 골수의 섬유화 혹은 종양성 증식에 기인하는 것으로써 이때는 적혈구, 백혈구 등도 함께 감소한다. 비장이 비대하여 이를 절제하면 약 30% 정도의 혈소판 수치가 증가한다. 혈소판의 파괴로 인한 혈소판 감소증은 비면역학적 기전에 의한 혈관염이 그 원인이며, 면역학적인 경우에는 자가항체, 면역복합체, 보체 등에 결합된 혈소판이 탐식작용으로 파괴된다. 혈소판 감소증에 관여하는 약제로는 항암제, 헤파린(heparin), 고혈압 약제인 thiazide diuretics 등이 있다(표 13-3).

출혈을 초래하는 혈소판 관련 유전 질환으로는 혈소판의 응고 기능에 중요한 역할을 하는 폰 빌레브란트(von Willebrand disease, vWD) 질환이 있다. 이 질환은 유전성 질환으로서, vWD factor의 유전적 결손으로 인하여 발생되며, 혈소판 수치는 정상임에도 출혈시간(bleeding time)이 심하게 지연된다. 유전성 질환으로 factor Ⅷ 감소로 인한 혈우병(hemophilia)이 있다. 이때는 초기에는 혈액응고가 시작되다가 응고가 단단해지지 못하고 출혈을 일으키게 되는 것이 특징이며, 외상으로 인한 심부 출혈로 인하여 골 관절 기형 등이 동반되어 있다.

5) 항응고제 장기 복용에 의한 출혈

재발성 혈전증을 방지하기 위하여 쿠마딘(cumarin, warfarin)을 복용하는 환자 혹은 심근경색증이나 뇌경색증을 예방하기 위하여 장기적으로 항혈액응고제를 복용하는 환자들이 늘고 있다. 이 외에도 고관절 치환 수술을 받은 경우도 장기적으로 항혈액응고제를 복용하며, 류마치스성 관절염 환자의 경우도 장기적으로 aspirin을 복용하고 있기 때문에 치과치료 시 출혈성 위험이 높아진다. 따라서 치과치료 전 환자 병력에 대한 상세한 검토가 필요하다.

출혈성향을 높이는 약물은 크게 항혈소판제제(Antiplatelet Agent)와 항응고제(Anticoagulant)로 나눌 수 있으며, 질병에 따라 쓰이는 약물과 치료 전략이 달라지게 된다. 심장판막질환과 같이 철저히 항응고상태를 유지하기 위해서는 쿠마딘 같은 항응고제를 사용하지만, 쿠마딘 약물로 인한 독성도 무시할 수 없기 때문에, 항혈소판제제로 좋은 효과를 보이는 경우, 항응고제를 사용하지 않고 항혈소판제제를 사용하는 경우가 증가하고 있다.

치과의사가 응고기전에 관련된 약물을 복용중인 환자에게 출혈이 유발되는 시술을 하는 경우에는 우선적으로 주치의에게 자문을 구해서 약물의 종류와 투약 이유, 그리고 약물을 일시적으로 중단할 수 있는지를 확인해야 한다. 출혈과 관련된 약물을 조절하는데에 있어서의 가장 중요한 점은 "환자의 이익"을 최우선적으로 고려하는 것이다. 발치등 출혈이 발생하는 술식을 함에 있어서 약물을 일시적으로 중단하는 것이 시술하는 입장에서는 좋으나, 중단하는 과정에서 심장, 뇌, 판막 등에 이상이 발생하여 환자의 생명을 위협하는 상황이 발생하는 것도 바람직한 일은 아니다. 그러므로, 환자의 내과적인 상태를 면밀히 판단하고, 시술시 발생할 수 있는 출혈의 양, 출혈이 되었을 때 국소적 출혈 조절방법의 대처 등을 통합적으로 고려하여 약물을 중단할 것인지, 투약하면서 치료할 지를 결정해야 한다.

고혈압, 당뇨등의 환자나 초기 관상동맥질환을 가진 환자인 경우 아스피린과 같은 항혈소판제제를 예방적으로 복용하는 경우가 있는데, 이 경우에는 5일에서 7일 정도 약물을 중단하고 시술하는 것이 추천된다. 이에 비해서, 관상동맥 스텐트시술(PTCA, Percutaneous Transluminal Coronary Angioplasty)을 받은 환자에서는 재협착을 방지하기 위해서 항혈소판제제를 끊지 못하는 경우도 있고, 특히 6개월 이내에서는 중단할 수 없으므로, 6개월 이후로 치료를 미루거나, 미루지 못한다고 하면 출혈을 예상하고 국소적인 지혈준비를 시행한 후 발치한다. 국소적인 지혈준비는 지혈제 준비외에 국소적인 염증 제거를 위한 항생제 연고 도포, 전신적인 항생제 전투약, 근관치료 또는 치주치료 등을 이용한 염증 감소 등이 방법이 될 수 있다.

쿠마딘과 같은 항응고제를 복용중인 환자 역시 환자가 가지고 있는 질병에 따라 일시적으로 끊고 시술할 수 있는 경우가 있고, 입원하에 치과치료를 해야하는 경우도 있다. 일시적으로 중단하고 외래로 시술할 수 있는 대표적인 질환은 부정맥, 특히 심방세동(Atrial Fibrillation)이 대표적인 질환인데, 심장의 리듬이 불규칙한 경우 이로 인해 혈전이 발생할 수 있고, 이것이 신체의 중요한 혈관을 막게 되면 심각한 합병증을 일으키기 때문에 이를 예방하기 위해 쿠마딘을 복용하는 경우가 있다. 이 경우 주치의와 상의하여 2~3일 쿠마딘을 중단하고 시술이 가능하며, 시술 당일 다시 쿠마딘을 투여한다. 그에 비해 중단하기 어려운 심장판막질환인 경우, 쿠마딘을 중단하는 사이에 항응고효과를 유지해야 하므로, 반감기가 짧은 Heparin을 입원하에 정맥로로 투여하거나, Exoperin과 같은 분자량이 낮은 피하로 주사하는 방법을 이용하여 치료한다.

항혈소판제제와 항응고제를 끊는 시기와 재복용 시기를 결정하는 것은 약물에 따라 약간의 차이가 있지만, 시술 전 중단기간은 약물의 반감기와 관련이 있으며, 시술 후 재복용 시작 시기는 약물 투약 후 언제 유효농도로 올라가는지와 관련된 약동학과 관련이 있다. 항혈소판제제인 경우 시술 전 3~7일 전에 끊고, 재복용시작은 출혈이 조절되었다고 판단한 후에 다시 투여하는 것이 좋은데, 이 약물들은 대개 약물 투약 후 곧 그 효과가 발현되기 때문이다. 그에 비해 쿠마딘은 조금 다른데, 약 2~3일 전부터 중단하고, 시술 당일 약물을 다시 투약하게 된다. 그 이유는 쿠마딘의 반감기가 항혈소판제제보다 짧고, 유효농도에 도달하기까지 시간이 소요되기 때문이다. 쿠마딘을 중단하는 동안 항응고효과는 떨어지게 되고, 이것으로 인한 문제를 예방하기 위해서는 입원하에 헤파린을 투여하거나, Low Molecular Heparin Therapy를 이용하여 환자에게 발생할 수 있는 문제를 예방해야 한다.

6) 간질환

간은 혈액응고제 factor II, VII, IX, X이 형성되며, vitamin K 의존성이므로 만성 간질환이 있는 경우 치과치료에 심한 출혈을 초래할 수 있다. 이 경우의 대처법에 대하여는 9장에서 소개하였다.

7) 출혈성 질환의 screening에 필요한 검사

치과에서 우선 처방하여야 하는 적격 검사(screening test)는 prothrombin time(PT), acti-vated partial thromboplastin time(aPTT 또는 PTT)와 혈소판 수치이다(표 13-4). 정상 수치의 80%까지를 정상 범위로 간주한다.

치은출혈이나 발치 후의 심한 출혈은 혈소판 감소증, 응고 인자 부족 모두에서 나타나는 증상이다. 차이점으로는 혈소판 감소증의 경우에는 표면에 쉽게 출혈되어 출혈 반점이 생기는 반면에, 응고 인자의 부족으로 인한 출혈은 심부의 출혈과 시간이 경과한 후에 상처에서 출혈이 일어나는 경향이 있고 관절부위 혈종으로 인하여 관절 기형이 발생된다. PT, aPTT 모두 지연된 경우에는 factor의 부족 때문인지 아니면 inhibitor의 과다로 인한 것인지를 확인하기 위하여 mixing PTT assay(정상 혈장을 섞어서 검사)를 시행한다. 결과적으로 PT, PTT가 회복되면 factor의 부족으로 간주하며, 수치가 회복되지 않을 경우에는 전신적 홍반성 낭창(systemic lupus erythematosus) 등의 질환으로 간주한다.

표 13-4. 출혈성 질환의 검진에 필요한 검사 및 질환

적격검사(screening test)	질환(diseases)	징후(symptoms)
• Platelet count 감소	• 혈소판 감소증 • 급성 골수구성 백혈병 • 재생불량성 빈혈	• 상체에 심한 출혈 • 혈뇨 • 과월경(hypermenorrhea) • 점상출혈(petechiae) • 반상출혈(ecchymosis) • 치은출혈 • 발치 후의 심한 출혈
• Prothrombin Time(PT)지연	• Factor VII deficiency • Vitamin K deficiency	• 혈뇨 • 과월경 • 치은출혈 • 발치 후의 심한 출혈 • 심부출혈 • 지연출혈 • 관절부 자연출혈
• Activated Partial Thromboplastin • Time(aPTT)지연	• Factor XII, XI, IX, VIII deficiency	
• PT, aPTT 지연	• Factor II, V, X deficiency • Vitamin K deficiency (간장의 기능 저하)	

03 치과 진료실에서 대처하기

Dental Treatment
for Medically
Compromised Patients

치과치료를 시행하기 전에 출혈성 질환과 약물 복용에 대한 병력을 반드시 확인해야 한다. 치료 도중에 출혈성 질환이 의심되는 경우에는 출혈성 치과치료를 즉시 중단하고 앞서 언급한 일반 혈액 검사와 screening 검사를 의뢰한다. 치과치료의 가능여부를 판단하는 가장 중요한 기준으로, 혈소판의 수치가 50,000/µL 이상이면 간단한 치과치료를 할 수 있다. 그러나 간장의 질환으로 PT, aPTT 검사가 비정상일 경우에는 혈소판 수치에 상관없이 치과치료를 중단하고 내과에 의뢰하여야 한다. 심한 경우는 보존치료를 위하여 마취제를 주사한 자리에도 출혈이 되는 수가 있다.

출혈성 질환의 원인과 상관없이 모든 출혈성 질환이 의심되는 환자에서 진단 및 치료계획은(그림 13-2)와 같다. 특히 치과치료 후 aspirin계 약물의 처방을 금한다.

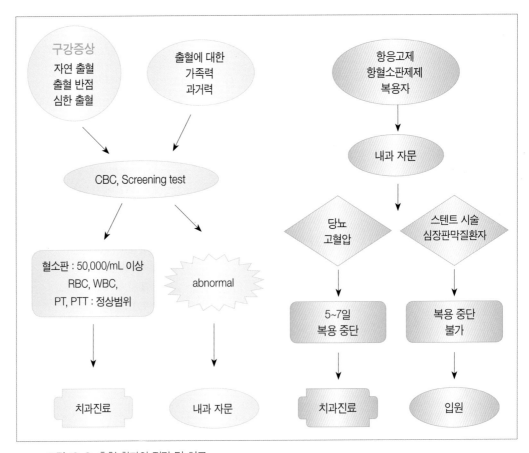

●●● **그림 13-2.** 출혈 환자의 진단 및 치료

증례 1 | 약물에 의한 혈소판 감소성 자반증 (drug induced thrombocytopenic purpura), 58세, 남자

주소

치은출혈 및 혈종

병력

난방공사 직업을 가지고 있어 지속적인 상기도 감염 때문에 항생제를 장기 복용했다. 하루 1갑 정도의 흡연과 30년 간 하루 소주 1병 정도의 음주 경력을 가졌다

구강소견

협점막에 혈종 및 출혈 반점이 관찰되었다(그림 13-3).

혈액학적 소견

Hb(15.2) / MCV(103.8) / MCH(33.2) / WBC(5,960) /Plt(12,000)

PT/PTT : 100%

Total protein(7.2) / albumin(4.5)

SGOT(35) / SGPT(6)

HBsAg(−) / Ab(−)

치료 및 경과

내과로 의뢰되어 스테로이드 치료 후, 혈소판 수치와 치은출혈 증상이 크게 호전되었다.

문제점 검토

위의 환자는 항생제 장기복용으로 인해 혈소판 감소증이 온 경우이다. 이 때는 PT/PTT는 정상이므로 응고인자(coagulation factor)의 부족 혹은 간질환으로 인한 출혈을 감별할 수 있다. 혈소판 감소증을 유발하는 약제로는 항암제로

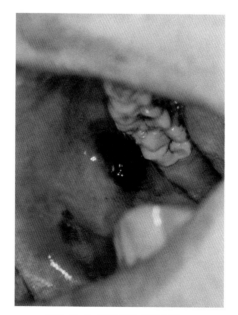

●●● **그림 13-3.** 협점막에 생긴 혈종

191

cytosine arabinoside, daunorubicin, cyclophosphamide, methotrexate, 항생제로 sulfa-thiazole, novobiosin 등이 있고, 폭음을 한 경우도 순간적으로 혈소판 감소증이 올 수 있다. 복용을 중단하면 7~10일 경과 후 회복되어 대개는 특별한 치료를 필요로 하지 않는다. 그러나 혈소판이 10,000~20,000mm³ 이하로 감소된 경우는 glucocorticoid, plasmapheresis, platelet transfusion 등이 필요하다. Phenytoin, gold salt 등으로 혈소판 감소증이 온 경우는 복용을 중단해도 약제가 몸속에서 제거되는 시간이 걸린다. 약제를 복용하고 혈소판 감소증이 온 적이 있는 환자들은 앞으로 절대 같은 약의 복용을 금해야 한다. 적은 양이라도 일단 체내로 흡수되면 면역반응에 의하여 혈소판 감소증이 재발하게 된다.

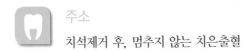

증례 2 | 재생불량성 빈혈(aplastic anemia), 34세, 남자

주소
치석제거 후, 멈추지 않는 치은출혈

병력
고등학교 시절부터 치주염으로 항생제를 자주 복용하였고, 치은의 염증이 점차 심해져 2주 전에 치석제거(scaling) 시술을 받았다. 그 후 출혈이 멈추지 않았는데, 과거에 지혈이 안 된 적은 없었다.

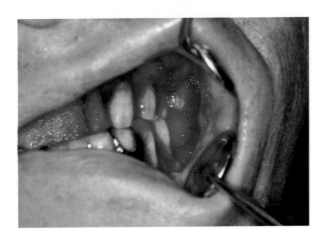

●●● 그림 13-4
Scaling 후 지속되는 치은출혈

구강소견

치석 제거 후 멈추지 않는 치은출혈(그림 13-4)

혈액학적 소견

Hb(7.5) / Hct(22.3) / MCV(93.5) / MCH(31.5) / MCHC(33.7) / WBC(2,100) /
Plt(7,000)

Reticulocytes : 0.3%, Differential counts : poly.(33%), lymph.(62%), mono(5%)

치료 및 경과

본 환자는 내과로 의뢰되어 골수이식수술을 받았다. 위의 환자는 항생제 장기 복용으로 인한 골수기능의 저하로 인하여 적혈구, 백혈구, 혈소판이 모두 감소되었다. 재생불량성 빈혈은 조혈세포를 형성하는 줄기세포(stem cell)가 파괴되어 골수 내 모든 종류의 세포가 감소된 것을 말한다. Benzenes, insecticides에 대량으로 노출된 경우, alkylating agents, chloramphenicol, sulfa drug, gold compound 등이 원인이 될 수 있다. 또한 바이러스에 의한 간염, 전신적 홍반성 낭창(systemic lupus erythematosus) 등도 재생불량성 빈혈을 초래할 수 있다. 혈소판의 감소로 구강점막에 자연출혈이 올 수 있으며, 심한 빈혈과 백혈구 감소로 인한 구강감염도 동반되었다.

증례 3 ㅣ 급성 백혈병(acute leukemia), 73세, 여자

주소

치은증식 및 치은출혈

병력

환자는 2개월 전부터 잇몸이 심하게 붓고 전신에 통증을 동반하는 피부 발진이 있어, 치과의원에 내원하여 4차례 치은절제술을 시행하였다. 병력에서 10년 전 고혈압 진단을 받고, 약을 복용한 것 외에 특별한 증상 없이 지내왔다고 한다.

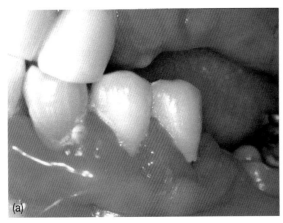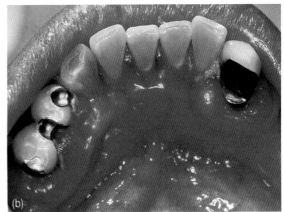

●●● **그림 13-5.** 급성 백혈병 환자의 치은증식(a), (b)

 구강소견

구강검사 소견에서 전악에 걸친 심한 치은증식으로 저작이 곤란하고, 심한 구취가 있다. 파노라마와 치근단 방사선사진 촬영에서 전반적으로 중등도에서 고등도의 치조골 소실이 관찰되며, 잔존치아들의 치주인대강이 다소 넓어져 있는 상태이다. 도재금관 치아들에서 잘 맞지 않는 보철물로 인한 것으로 여겨지는 치근단 병소가 관찰된다(그림 13-5).

혈액학적 소견

RBC(2.49x106) / Hb(7.7) / Hct(22.7)

WBC(6,648) / Plt(3x104)

Differential counts(%) : blast form(51 104), promyelocyte(7), myelocyte(8),
　　　　　　　　　　　　metamyelocyte(9), band form(1), seg. form(7),
　　　　　　　　　　　　lymphocyte(10), monocyte(7)

치료 및 경과

본 환자는 내과로 의뢰되어 항암제 치료를 받았다. 급성 백혈병의 구강증상은 치은에 종양 세포 침윤으로 인한 치은비대가 발생하거나 혹은 구강에 심한 감염 형성을 할 수 있다. 또한, 골수가 미성숙 백혈구로 대치되어 있어 정상 조혈작용이 감소되므로 빈혈이 초래되고, 혈소판 감소로 인한 출혈반점 및 자연출혈이 오며, 정상 백혈구의 감소로 감염이 쉽게 된다. 젊은 연령층에 발생하는 급성 단핵성 백혈병의 경우는 치은비대 및 치은출혈을 초기 증상으로 하여 치과에 내원하게 되는 경우가 있으므로 치과의사는 주의 깊게 관찰하여 조기 발견을 해야 할 책임이 있다. 미처 진단이 안 된

상태로 치과를 내원하였을 때 청결한 위생 상태임에도 불구하고 치은비대, 출혈 반점 등이 나타나면 백혈병을 의심할 수 있는 소견이며, 구강검진 시에 심한 출혈도 진단에 도움이 된다. 일반 혈액검사만으로도 진단이 가능하므로 의심이 되는 경우에는 치과진료를 중단하고 반드시 혈액검사를 시행하는 것이 좋다.

참고문헌

1. 대한가정의학회 : 가정의학, 임상편. 계축문화사, 2003, p.993-1003.

2. 대한진단검사의학회 : 진단검사의학, 4판. E-Public, 2009, p.87.

3. 연세대학교 치과대학 : 임상구강병리토론집. 이론과 실제 응용, 제 8집. 청양문화사, 2001, p.39.

4. 최영수, 강상훈, 김문기, 이천의, 유재하 : 간경화증과 치주염으로 과도한 치은출혈을 보인 응급환자에서 최후 지혈방법으로 치관제거와 치근관 배농술 : 증례보고. 대한구강악안면외과학회지, 2010; 36(3): 221-227

5. Handin RI : Disorders of the platelet and vessel wall. In Harrison's principles of internal medicine edited by Kasper DL, Braunwald E, Fauci AS, Hauser SL, Longo DL, Jameson JL, 16th ed. McGraw-Hill, 2006, p.673.

6. Young NS : Aplastic anemia, myelodysplasia, and related bone marrow failure syndromes. In Harrison's principles of internal medicine edited by Kasper DL, Braunwald E, Fauci AS, Hauser SL, Longo DL, Jameson JL, 16th ed. McGraw-Hill, 2006, p.617.

7. Wetzler M, Byrd JC, Bloomfield CD : Acute and chronic myeloid leukemia. In Harrison's principles of internal medicine edited by by Kasper DL, Braunwald E, Fauci AS, Hauser SL, Longo DL, Jameson JL, 16th ed. McGraw-Hill, 2006, p.631.

8. Little JW, Falace DA, Miller CS, Rhodus NL : Dental manifestation of the medically compromised patient, 7th ed. Mosby, 2008, p.396-432.

Chapter
14

The Guideline of Dental Treatment for Medically Compromised Patients

이 뺀 곳이 아물지 않아요

|김 진|

01 문제 제기

Dental Treatment
for Medically
Compromised Patients

치아가 심하게 흔들리면 치과의사나 환자나 모두 발치를 먼저 생각하게 된다. 그러나 문제의 치아가 동요하게 된 원인을 발치하기 이전에 반드시 확인하는 과정이 매우 중요하다. 만약, 그렇지 않고 무심코 발치한 경우에 발치창이 장기간 낫지 않거나 오히려 커지는 등의 심한 후유증을 겪는 사례가 드물지 않게 발생하고 있다.

가장 흔한 발치창 치유불량의 원인은 창상감염이므로, 발치를 시행할 때에는 항상 창상감염에 관련된 요소들을 명심해야 하며, 감염과 외상을 줄이기 위한 노력이 가장 중요하다. 그러나 자칫 이러한 국소적인 원인만 생각하다가 예기치 못하게 발치창이 낫지 않거나 오히려 점점 창상이 커지는 경우도 겪게 된다. 치은에 암종이 발생되어 치아가 흔들릴 경우, 발치 후 갑자기 치은이 커지기 시작하는 바람에 환자가 치과의사의 잘못된 발치로 인한 현상으로 오인하여 의료분쟁으로 이어지는 경우가 종종 있다. 이 때 치과의사의 발치가 구강암 등 발치창 치유 지연을 일으킨 질환의 원인을 제공하지는 않았다 하더라도 미리 악골에 발생된 질환의 존재를 의심하지 못한 책임까지 면하기는 어렵기 때문이다. 본 장에서는 발치창이 낫지 않는 원인을 전신질환과 관련지어 살펴보았다.

02 기본적 이해

발치창이 낫지 않는 때에는 환자에게 전신질환이 있거나, 발치 부위의 국소적 병소로 인한 경우, 즉, 발치전에 있었던 pericoronitis, 발치 시의 심한 외상, 여러 치아를 발치한 경우, vertical incision한 후, 치조골조직 손상, distoangular impaction된 경우, 발치 후 감염 가능성이 높아져 발치 후 치유가 늦어지거나 합병증을 초래할 수 있다. 최근에는 골다공증 예방을 위하여 처방하는 bisphosphonate 제제를 장기복용한 경우 발치 후 심한 악골괴사를 초래하는 경우가 증가하고 있으며, 이는 '20장'을 참고하기 바란다

가장 흔한 발치창 후유증으로 발치 시 심한 손상으로 인하여 발치창에 치조골염이 생길 수 있고 (표 14-1), 잔존 염증조직을 남겨둔 경우 화농성 육아종이 형성되기도 한다.

발치한 치아 주위에 급성 염증이 있는 경우에는 발치로 인하여 오히려 염증이 파급될 우려가 있다. 또한 급성 염증은 없어도 폐결핵을 앓고 있던 환자의 발치창에 기관지를 통하여 폐로부터 배출된 가래에 섞여있던 결핵균에 의해 감염이 일어나 발치창의 치유가 지연될 수 있다.

발치창 치유에 영향을 미치는 전신적인 질환으로는 백혈병이나 혈소판 감소증 등의 혈액 질환이 있는 경우에 지속적인 출혈이 있을 수 있다. 이는 출혈성 질환에 설명되어 있으므로 여기서는 생략한다. 백혈병이 있을 때 발치를 하게 되면 출혈 이외에 암세포의 증식으로 인한 종양성 성장도 있을 수 있다. 발치창은 특히 캔디다증(candidiasis), 국균증(aspergillosis), 모균증(mucormycosis) 등 진료의 기회감염이 저항력 감소로 인하여 있을 수 있고, 이로 인하여 심한 괴사성 궤양이 초래되기도 한다. 또한 치유를 지연시키는 전신질환으로 당뇨병이 있으며, 이 부분도 앞의 장에서 설명하였다. 발치창의 치유에 직접적으로는 관련이 없어도 발치할 때 초래되는 일시적인 패혈증(septicemia)이 심장판막증이나 선천적 질환, 류마치스성 심장질환, 판막의 석회화 등의 이상이 있는 경우에 심내막염으로 이행되어 치명적일 수 있으므로 철저한 병력 조사와 예방이 중요하다. 감염성 심내막염의 예방을 위한 치과처치법은 1장에 설명하였다.

표 14-1. 발치 후 치조골염의 국소적 원인	
1. 발치 전의 기존 감염	4. 발치와 내로 세균 오염
2. 발치 과정 중의 치조골 손상	5. 경화성 치밀골 존재
3. 국소마취 시 사용된 혈관수축제의 지혈효과	6. 과도한 발치와 세척과 흡인(suction)으로 인한 혈액응괴 상실

치수염이나 치주염 등의 일반적인 문제가 아닌 이유로 치아를 발치하게 되면, 이로 인하여 오히려 증상이 악화될 수 있다. 그 대표적인 원인으로 치은에 편평세포암종이 있던 경우에 발치 후에 갑작스러운 종양성 증식을 일으킬 수 있으며, 랑게르한스 세포조직구증(Langerhans' cell histiocytosis)의 경우에는 치주염으로 인한 치조골 손상과 구분이 되지 않아 발치 후 골수염과 유사한 양상으로 나타난다.

03 치과 진료실에서 대처하기

Dental Treatment
for Medically
Compromised Patients

가장 흔한 발치창 치유불량의 원인은 창상감염이므로 발치를 시행할 때에는 항상 창상감염에 관련된 요소들을 명심해야 하며, 감염과 외상을 줄이기 위한 노력이 가장 중요하다(표 14-2).

발치 후의 문제를 줄이기 위해서는 우선 발치 전에 자세한 병력에 대한 검토가 필요하다. 가장 중요한 질환이 심장질환, 고혈압, 당뇨병 등이다. 이 중 심장질환으로 심내막염이 우려되는 환자에서는 항생제의 예방적 투여가 필수적이다.

치은에 편평세포암종이나 랑게르한스 세포조직구증으로 인하여 치아가 심하게 흔들릴 경우에 무심코 발치를 하게 되면, 발치창이 치유되지 않고 오히려 점점 심각해질 수 있다. 치수염이나 치주염의 분명한 증거가 없는 치아를 발치할 때에는 반드시 치주조직에 대한 육안적 관찰, 방사선 소견의

표 14-2. 창상감염에 관련된 요소	
1. 국소 요소	세균의 수, 세균의 독성, 실활 조직, 혈액공급 감소, 이물질(임플란트) 등
2. 전신 요소	패혈증, 숙주의 저항성 감소 (당뇨병, 영양장애, 항암제 사용 후 세포독성, 악성종양)
3. 환경 요소	수술방 출입자 많음, 환기가 안 되는 방, 소독의 부적절, 술자의 위생상태
4. 내인성 요소	환자의 피부와 머리털, 수술 부위에 감염된 조직 존재, 환자의 구강과 인두에 저항성 세균 존재
5. 외과적 요소	불충분한 지혈, 사강(dead space)의 존재, 좌멸괴사조직의 제거(debride-ment)의 부적절, 봉합이나 견인 시 조직의 괴사, 드레인의 부적절한 장기 사용, 과도한 수술시간, 감염된 창상의 1차 봉합

검토가 필수적이다. 또한, 필요하다면 발치 전에 생검(biopsy)이 큰 도움을 줄 수 있다. 육안적 소견으로 치아우식증이나 치주염이 없는 건전한 치아가 심한 동요를 보이거나 치은종창이 심하며, 동통이 없거나 구취가 심한 경우에는 암종을 의심할 수 있다.

 발치 후의 특수감염증으로 인해 발치창의 치유가 불량할 수 있다. 즉, 진균감염이나 결핵감염이 그 예로서, 진균감염은 백혈병이나 당뇨 등의 전신질환이 있는 경우에 저항력 저하로 모균증, 국균증 등의 기회 감염이 올 수 있다. 가장 중요한 것은 항암치료를 받기 전, 치주치료나 치아우식증 수복치료 혹은 근관 치료를 하여 미리 기회감염을 예방하는 것이다. 전신질환이 있음을 모르고 발치하여 진균감염이 초래된 경우는 심한 구취와 골괴사가 동반되므로 가급적 빨리 항진균제 처방을 하는 것이 필요하다. 구강결핵은 항생제에 잘 반응하지 않고 장기적인 발치창의 치유지연을 초래하므로 장기간 낫지 않는 발치창은 반드시 이차성 구강결핵을 의심해야 한다. 즉, 폐결핵이 있다가 발치창으로 객담에 섞여있던 결핵균이 감염된 경우이므로 흉부 방사선 촬영으로 폐결핵 병력을 확인해야 한다. 구강결핵의 진단은 발치창에 대한 생검이 도움을 준다. 생검에서도 결핵균이 발견되지 않을 경우, 타액이나, 치태 혹은 병소에서 polymerase chain reaction(중합효소 연쇄반응)으로 결핵감염을 확진할 수 있다. 일반 항생제에는 효과가 없으며, 결핵 치료를 위한 처방으로 발치창은 치유되지만 적어도 6개월 이상 복용해야 한다.

증례 1 | 발치창의 결핵감염, 70세, 남자

주소
하악 우각부의 둔통 및 개구장애

병력
40여일 전 하악 대구치 발치

구강소견
발치와는 치유되지 않았고, 주위 치은은 동통을 수반하는 경화성 종창이 있다(그림 14-1).

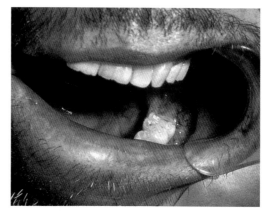

●●● **그림 14-1.** 장기간 치유되지 않은 발치창상

진단
구강결핵

치료계획
흉부방사선 촬영, 객담검사, 생검

치료 및 경과
보건소로 의뢰되어 결핵약을 복용함으로써 구강궤양은 쉽게 치료되었다.

문제점 검토
구강결핵은 주로 이차성으로 발생한다. 즉, 폐결핵이 있다가 구강내 발치와 혹은 궤양 등의 결손부위로 객담에 섞여있던 결핵균이 감염되어 일어난다. 구강결핵은 항생제에 잘 반응하지 않으며 지속적으로 궤양 혹은 발치와 치유 지연으로 나타난다. 흉부방사선 촬영으로 폐결핵을 확인하며, 결핵약 복용으로 구강병소는 치유되었다.

증례 2 | 편평세포암종, 53세, 남자

주소
발치창이 낫지 않으며 붓는다.

병력
3개월 전 하악 구치가 흔들려서 발치했다.

구강소견
발치와는 심하게 부어 있었고, 궤양과 괴사를 동반하였으며, 악취가 심하다(그림 14-2).

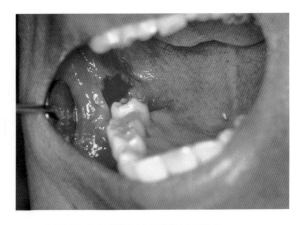

●●● **그림 14-2.** 3개월간 낫지 않은 발치창상

진단
편평세포암종

치료계획
생검으로 병명을 확인한 후, 외과적 절제를 시행하였다.

치료 및 경과
종합병원으로 의뢰되어 외과적 절제를 시행한 후, 화학요법을 병행했다.

문제점 검토
구강에 발생하는 편평세포암종은 증상이 다양하며, 주위에 백반증이 동반되어 있거나 단기간에 조직이 커지는 현상이 진단에 도움을 준다. 구강암종을 미리 인지하지 못한 채 발치를 한 경우에는 발치와가 낫지 않고 붓는 것이 일반적인 증상이다. 발치할 때 소파술까지 병행하면 암종이 골수로 빨리 퍼져 심각한 수준까지 초래할 수 있다. 따라서 아무리 발치하기 쉬운 증례라 하더라도 발치할 치아의 원인 요소를 따져보고, 심한 치아우식증이나 치주염과 같은 흔한 원인이 없다면 발치 전에 반드시 방사선사진 촬영을 시행하여 골내 병소의 유무를 확인해야 한다.

증례 3 ┃ 법랑모세포종, 17세, 남자

주소
이 뺀 자리가 아물지 않는다.

병력
2주일 전 하악 우측 대구치를 발치

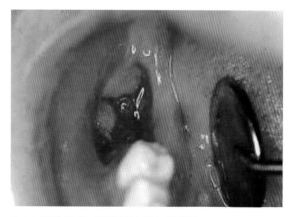

●●● **그림 14-3.** 삼출물이 나오는 발치창

구강소견
발치와로부터 삼출물이 나온다(그림 14-3).

방사선 소견

하악 우측 대구치 부위에 경계가 명확한 방사선 투과상 병소가 관찰된다 (그림 14-4).

진단

방사선 촬영 및 생검

치료 및 경과

연령을 고려하여 악골절제술 보다는 병소적출술을 시행하고, 골 이식을 하였다.

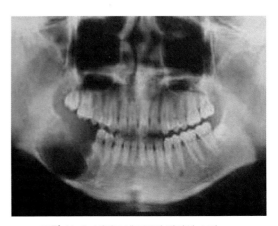

●●● **그림 14-4.** 법랑모세포종의 방사선 소견

문제점 검토

방사선사진 촬영으로 확인하지 않고 발치를 할 경우, 치근단 부위의 치성 낭 및 종양 등의 병소를 제거하지 못하고 발치와 내에 그대로 남겨둘 수 있다. 이런 경우 발치와에서 지속적으로 삼출물이 나오거나, 수복한 보철물이 맞지 않아 불편감을 호소하게 된다.

////////// **참고문헌**

1. 연세대학교 치과대학 : 임상구강병리토론집. 이론과 실제 응용, 제 1집. 도서출판 고려의학, 1992, p.61.

2. 연세대학교 치과대학 : 임상구강병리토론집. 이론과 실제 응용, 제 3집. 도서출판 고려의학, 1994, p.67.

3. Bhatt AP, Jayakrishnan A : Tuberculous osteomyelitis of the mandible, a case report. In J Pedia Dent, 2001; 11: 304-308.

4. Eguchi J, Ishihara K, Watanabe A, Fukumoto Y, Okuda K : PCR method is essential for detecting mycobacterium tuberculosis in oral cavity samples. Oral Microbial Immunol, 2003; 18: 156-159.

5. Martinez D, Burgueno M, Forteza G, Martin M, Sierra I : Invasive maxillary aspergillosis after dental extraction, case report and review of the literature. Oral Surg Oral Med Oral Pathol, 1992; 74: 455-458.

6. Noma H, Kaneko Y.(윤중호, 이충국 역) : Color atlas 발치의 이론과 실제. 지성출판사, 1995, p.2.

7. Salisbury PL, Caloss RJr, Cruz JM, Powell BL, Cole R, Kohut RI : Mucormycosis of the mandible after dental extractions in a patient with acute myelogenous leukemia. Oral Surg Oral Med Oral Pathol Oral Radiol Endod, 1997; 83: 340-344.

8. Malkawi Z, Al-Omiri MK, Khraisat A : Risk indicators of postoperative complications following surgical extraction of lower third molars. Med Princ Pract, 2011; 20: 321-325.

9. Koorbusch GF, Fotos P, Goll KT : Retrospective assessment of osteomyelitis. Oral Surg Oral Med Oral Pathol, 1992; 74: 149-154.

Chapter 15

치과치료 후에
입이 벌어지지 않아요

| 유재하 |

01 문제 제기

근관치료나 발치 등의 치과치료를 시행한 후에 개구장애(아관긴급, trismus)가 발생할 수 있다. 이런 경우 환자는 불안과 두려움을 갖게 되고, 억지로 입을 벌리려고 애를 쓰다가 결국은 치과에 다시 내원하게 된다. 치과의사는 왜 이런 현상이 오는지, 그냥 두면 어떻게 되는지, 뚜렷한 치료법은 없는지, 치료를 받으면 확실하게 낫는지 등의 여러 질문을 받게 된다. 술자가 확실히 그 원인을 알고 적절히 관리하여 개구장애가 개선되면 다행이지만, 만약 그렇지 못하고 그 상태가 오래 지속되면 환자와 보호자는 술자를 불신하게 된다. 또한, 이로 인한 스트레스는 저작근막 부위에도 악영향을 주어 저작근막 동통증후군(myofascial pain dysfunction syndrome)까지 유발되어 저작기능의 감퇴로 인한 소화 장애를 초래할 수도 있다. 심지어는 이전에 없던 개구장애가 치과진료 후에 발생되었다는 오해로 인하여 과오 시비 등의 의료분쟁으로 비화될 소지도 있다.

이 장에서는 치과진료 후에 발생 가능한 개구장애의 원인들과 그 치료법을 살펴보기로 한다.

02 기본적 이해

Dental Treatment
for Medically
Compromised Patients

개구장애의 원인에 대해서는 Thoma 등이 표 15-1처럼 다양하게 정리한 바 있다. 그러나 이 가운데 치과진료 후 조기에 발생 가능한 원인으로는 국소마취나 구강내 수술 후에 저작근육(주로, 폐구근)부를 침범하는 세균감염이 그 주종을 이루며, 2~3주일 이상 경과한 이후에 뒤늦게 발현되는 개구장애는 파상풍(tetanus)이나 화골성 근염(myositis ossificans) 등의 원인으로 초래될 수 있다.

저작근육을 침범한 감염이 가장 흔한 술 후 개구장애의 원인으로서, 개구 시의 동통과 근경련(myospasm)을 유발한다. 이 때 침범되는 근막간극(fascial space)들은 그림 15-1에 명시되어 있다. 즉, 하악구치부 협측으로는 협전정부간극(buccal vestibular space)과 협근 간극(buccinator space)이 있고, 후방으로는 교근 내측과 하악지(ramus) 사이에 교근하 간극(submasseteric space)이 위치하며, 하악구치부의 설측 후방으로는 내측익돌근과 하악지 사이에 익돌하악간극(pterygo-mandibular space), 내측익돌근과 상인두수축근 사이에 외측인두간극(lateral pharyngeal space)이 자리를 잡고 있어 술 후 감염이 파급되는 경로가 된다. 또한 처음에는 익돌하악간극 부위로 감염이 파급되었다고 하더라도 익돌하악 간극은 해부학적으로 악설골근(mylohyoid muscle) 후방부에서 악하간극(submandibular space)과 인접되어 있어서 익돌하악간극농양이 발생될 경우에는 악하간극농양도 유발될 가능성이 매우 높다(그림 15-2, 3). 따라서 익돌하악간극농양이나 봉와직염(cellulitis)이 발생된 경우에는 인접된 악하간극으로의 침범 여부를 확인해야 함은 물론이고, 그림 15-1에 표시된 바와 같이 외측인두간극(lateral pharyngeal space, parapharyngeal space) 부위로의 감염 확산을 면밀히 조사하여 대비해야 한다.

표 15-1. 개구장애(trismus)의 원인들
1. 악골 거상근(elevator muscle)에 인접된 감염 → 근육성 개구장애
2. 하악골 기능장애 → 근육성 위축 또는 섬유화
3. 손상(국소마취, 외상 등) → 화골성 근염(myositis ossificans)
4. 파상풍균(Clostridium tetani)의 감염 → 파상풍(lock jaw)
5. 저칼슘혈증(hypocalcemia) → 강축증(tetany)
6. 신경증, 간질, 뇌종양, 연수의 색전성 출혈 → 신경성 개구장애(neurogenic closure)
7. 정신성 기원 → 히스테리성 개구장애(trismus hystericus)
8. 과두 또는 관상돌기의 골병변(외골증, 연장, 골종, 골연골종)

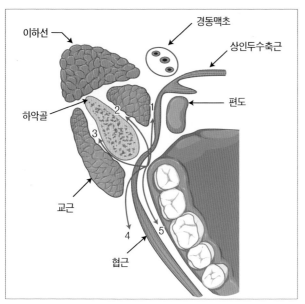

●●● **그림 15-1.** 하악지치를 중심으로 술 후 감염의 파급 경로들 (spaces)

1 : parapharyngeal space
2 : pterygomandibular space
3 : submasseteric space
4 : buccinator space
5 : buccal vestibular space

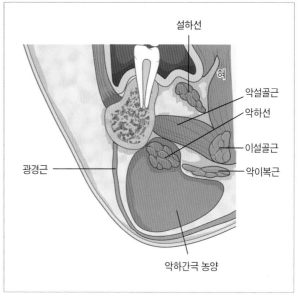

●●● **그림 15-2.** 악하간극 농양의 가상적 모식도로 악설골근 (mylohyoid muscle) 하방에 간극농양(space abscess)이 위치되어 있다.

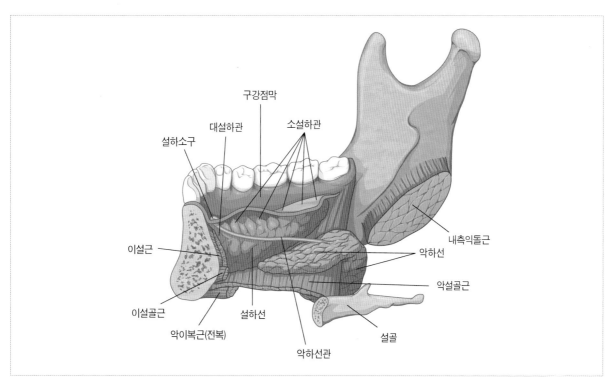

●●● **그림 15-3.** 하악 제 3대구치 설측부 골막 감염이 해부학적으로 내측익돌근과 하악지 사이의 익돌하악간극이나 악설골근 (mylohyoid muscle) 하방의 악하간극으로 동시에 퍼질 수 있음을 보여주는 해부도

통상적으로 하악구치부 치과진료(하치조신경 전달마취 후의 발치, 근관치료, 치주치료 등) 후에 개구장애가 주로 발생되지만, 상악대구치부 발치 후에도 협간극이나 측두간극 부위로 감염이 파급되어 개구장애가 유발될 수도 있다. 즉, 상악대구치 치근단 상부로 감염이 확산되어 협측골이 파괴되면 협간극(buccal space)으로 감염이 파급되고(그림 15-4), 상악 제 3대구치 후외방으로 파급된 감염은 익돌판(pterygoid plate)에 부착된 내·외측익돌근(pterygoid muscle) 주위로 파급되어 측두하간극(infratemporal space)과 천측두간극(superficial temporal space)이나 익돌하악간극, 심지어 심측두간극(deep temporal space)으로까지 확산되어 개구장애를 악화시킬 수 있다(그림 15-5).

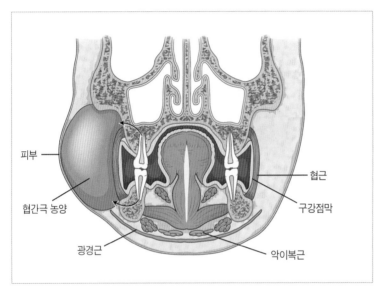

피부

협간극 농양

광경근

협근

구강점막

악이복근

●●● **그림 15-4.** 상하악 구치부 감염이 흔히 파급되는 협간극(buccal space)을 나타내는 해부도

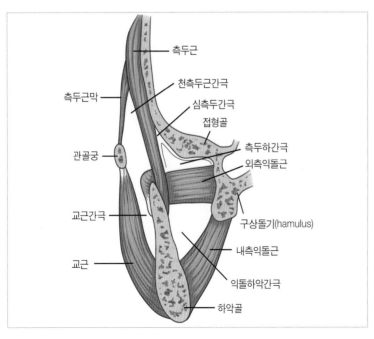

측두근

천측두근간극

측두근막

심측두간극

접형골

관골궁

측두하간극

외측익돌근

교근간극

구상돌기(hamulus)

교근

내측익돌근

익돌하악간극

하악골

●●● **그림 15-5.** 상하악 구치부 감염이 후외방으로 확산될 경우 침범 가능한 천측두간극과 심측두간극 및 측두하간극을 보여주는 해부도

03 치과 진료실에서 대처하기

Dental Treatment
for Medically
Compromised Patients

치과진료 후에 발생할 수 있는 개구장애에 대한 가장 확실한 대비책은 술 후 감염이 발생되지 않도록 최선을 다하는 것이다. 따라서 급성 감염상태의 치아나 주위조직 상태의 손상을 최소화할 수 있는 방법들(약물요법, 절개 및 배농술, 발수 및 근관 통한 배농술 등)을 이용하여 먼저 감염을 조절하고, 그 이후에 발치 등의 외과적 처치를 시행하는 것이 바람직하다. 왜냐하면 구강 내에는 항상 많은 병균들이 상주하고 있어서 발치 등의 외과적 시술로 인해서 감염에 노출될 우려가 클 뿐만 아니라, 외과적 처치로 인한 출혈과 술 후 동통은 환자에게 상당한 스트레스를 유발하여 환자의 면역성을 저하시켜 감염 가능성이 더욱 높아지기 때문이다.

만약 부득이하여 상하악 지치 발치나 구치부의 근관치료 및 치주수술 후에 감염으로 인한 개구장애가 발생하였다면, 우선 감염의 정확한 위치와 그 정도를 파악하는 것이 긴요한데, 개구장애로 인해 병소부의 확인이 어려워 경험이 적은 치과의사의 경우 어려운 입장에 처할 우려가 있다.

치료는 우선 감염 증상을 완화시키기 위한 약물요법(항생제 및 소염진통제 등의 투여)이 필요하고, 음식물 섭취 특히 저작과 연하 불편감으로 인한 탈수 및 영양장애를 방지하기 위해 소화 흡수가 잘되는 음식물(예를 들어, 요구르트, 이온음료, 따뜻한 죽 등)의 섭취를 권장한다. 그리하여 급성 감염증의 여러 증상(pain, swelling, heat, redness 등)이 완화되는 시기부터는 온습포(hot bag)를 시행하여 관련된 근육의 이완(muscle relaxation)과 동통의 완화를 도모하고, 급성 감염증이 사라졌다고 판단되는 시기(통상적으로 3~5일 후)에는 압설자나 손가락 등을 이용하여 개구 훈련을 지도한다(그림 15-6, 7). 그러나 시술부위의 감염증이 과도한 경우에는 약 5일 이상이 경과되어도 개구

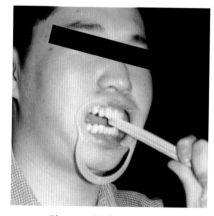
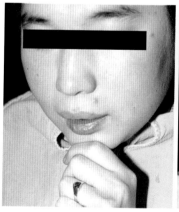
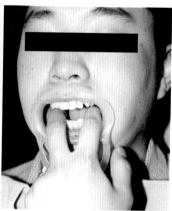

●●● **그림 15-6.** 압설자를 이용해 개구훈련을 하는 모습으로, 개폐구 운동뿐만 아니라 측방운동도 시행하게 된다.

●●● **그림 15-7.** 저작근육의 등장성 운동(isometric exercise)을 위해 하악부에 손가락 저항을 가하면서 개구와 폐구운동을 시행하는 장면

장애가 호전되지 않고, 환자는 음식물 섭취의 어려움과 전신면역성 약화로 고열(fever)증세까지 나타낼 가능성이 있다. 이런 경우에는 개인 치과의원에서 환자를 관리하기에는 시설과 장비가 부족한 상태이므로(전신 면역성 확인 위한 임상병리 검사와 dextrose solution등의 수액요법 주사실 부족), 빨리 환자를 종합병원치과(구강악안면외과)로 이송하는 것이 원칙이다. 왜냐하면 치과적인 시술 후 개구장애가 발생되어 며칠이 경과되어도 호전되는 기미가 보이지 않는다면 환자(보호자)는 음식물의 저작과 연하장애뿐만 아니라 불안 공포 등 정서장애가 가중되면서 MPD syndrome(저작근막 동통 증후군)이 유발되고 술자를 불신해 환자 관리에 더 큰 난관(의료 분쟁 등)이 발생될 우려가 있기 때문이다.

개구장애가 지속된 환자가 종합병원 치과(구강악안면외과)로 의뢰된 경우의 치료는 우선적으로 수액요법(5% dextrose, Hartman Ringer solution 등) 과 약물요법(항생제와 소염진통제 등의 정맥주사, 근육주사, 경구투약 등)을 시행하면서 전신상태의 평가를 위한 검사들(일반 혈액검사, 간기능 검사, 소변 검사, 심전도, 흉부 방사선사진 검사 등)을 시행하게 된다. 그리하여 이상 소견이 발견되면 관련 의학과(주로 내과, 소아과)와 협의 진료를 시행하며, 전신상태가 안정되고 급성 감염의 소견이 완화되는 대로 감염부의 절개 배농술을 시행하게 되고(그림 15-8), 통상적인 물리치료와 개구훈련을 지속하게 된다.

일반적으로 종합병원 치과 임상에서 치과진료 후 감염증이 과도해 개구장애가 발생된 환자의 진료는 약물과 수액요법 및 전신상태의 증진을 위해 입원치료를 원칙으로 하며, 개구장애의 개선에도 장기간(최소한 약 2주일)이 소요되는 만큼 술자와 환자(보호자) 모두 인내심이 있는 진료자세가 요청된다.

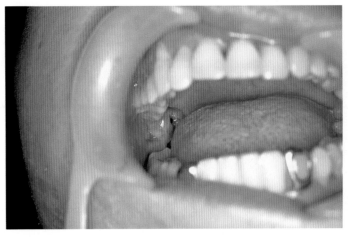

●●● 그림 15-8. 하악지치 발치 후에 감염된 익돌하악간극 농양 부위를 절개 및 배농술로 치료하는 모습

증례 1 | 42세, 남자

주소

약 1주일 전 개인 치과의원에서 지치주위염이 있던 하악 우측 제 3대구치를 발치한 후 동통과 개구장애(개구 19mm)가 지속되고, 연하(swallowing) 불편감도 있어 종합병원 치과에 내원하였다.

병력

약 10년 전 폐결핵으로 약물요법을 시행받은 적이 있고, 5년 전 일반외과에서 탈장수술을 받았으며, 1년 전부터는 고혈압 약제를 복용 중이었다.

전신소견

외관상 특기할 이상소견은 없었으나, 생징후에서 혈압 150/100mmHg, 맥박 92회/분이었고 호흡수와 체온은 정상이었다.

구강소견

발치창 주위 치은과 점막부가 종창과 발적 소견을 보이고, 발치창 내부를 탐색한 결과 쉽게 출혈이 되면서 동통과 연하장애를 보였다. 방사선 사진에서 잔존 치근은 없었으나 근첨부가 하치조신경혈관 다발부에 근접된 소견이다(그림 15-9, 10).

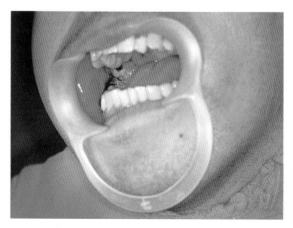

●●● **그림 15-9.** 발치 후 1주일 째 개구장애와 창상감염 소견을 보인 환자모습

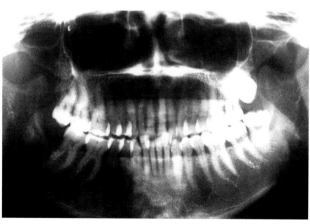

●●● **그림 15-10.** 내원 당시 종합병원 치과에서 촬영한 파노라마 사진

진단

(1) 발치창 주위 골염(osteitis)과 골막염(periosteitis)

(2) 익돌하악간극 농양

치료계획

(1) 약물 요법(항생제 및 소염진통제 사용)

(2) 발치창 내부를 통한 배농술과 창상세척

(3) 전신상태 개선(필요시 수액요법과 익돌하악간극 농양부 절개 및 배농)

치료 및 경과

우선 발치창상 주위의 감염소견을 억제하기 위해 1차 약물요법(항생제인 Gentamicin 1 ampule을 근육주사하고, 혀 밑에 혈압강하제인 Adalat 10mg 주입)을 시행하고, 30분 경과 후에 국소마취 하에 발치창 내부의 배농술(iodoform gauze drainage)을 시행했다(그림 15-11). 그리고 경구투약(통상적인 항생제, 소염진통제, 소화제 사용)을 지속할 것을 지시했다. 3일 후 내원했을 때는 동통과 종창 및 연하장애는 감소되었으나 개구장애는 지속되어서 이때부터 가정에서 물리치료(구강 외부의 hot bag과 구강 내부로 따뜻한 생리식염수 양치를 하면서 입을 벌리는 연습을 시행함)를 지속할 것을 권유하였다. 다시 3일 후 내원했을 때는 최초 발치창 내에 주입했던 iodoform gauze

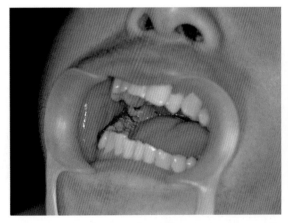

●●● **그림 15-11.** 발치창(#48) 내부에 iodoform gauze drain을 삽입한 모습

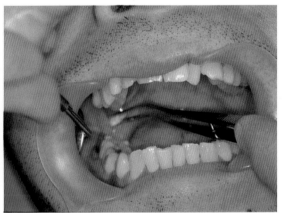

●●● **그림 15-12.** 발치 후 4주일 째 창상내부에서 누출된 bone wax의 일부 조각을 보이는 구내 소견

drain을 교환했으며, 1주일 후에는 개구 상태가 개선되는 소견(개구 25mm)을 나타냈다. 그 후 1주일마다 다시 내원시켜 개구훈련의 지도와 발치창상 내 드레싱(iodoform gauze drain 교환)을 지속했는데, 발치한 날로부터 4주일 째 발치창 내부에서 하얀 이물질이 탈락되어 나와서 제거한 결과 발치창 내 출혈방지를 위해 주입되었던 bone wax로 판명되어 드레싱 시행 때마다 제거했고(그림 15-12), 개구 상태도 발치 후 약 5주일 경과되었을 때엔 정상소견이 되었다.

문제점 검토

최초 하악지치의 발치를 개인 치과의원에서 시행하기에 앞서 발치 후 합병증을 설명할 때 하치조신경 손상과 염증소견에 대해서는 자세히 말해주지만, 개구장애나 연하장애(dysphagia)에 관한 내용은 흔히 설명을 빠뜨려 환자와 보호자가 이런 소견 발생 때 당혹한 기색이 역력했다. 다행히 통상적인 발치창 감염부 처치법과 가정에서의 물리치료법 실천으로 약 1개월 후 완치되긴 했지만, 예측하지 못한 장기간의 내원으로 자신의 사회생활에 지장을 가져온 것은 사실이다.

증례 2 ㅣ 45세, 여자

주소

하악 우측 제 3대구치 발치 후 3일째 동통, 종창, 개구 및 연하장애가 있으며, 식사 때 더 아프다.

병력

약 5년 전부터 당뇨병과 간염이 있어 경구투약 등의 내과치료를 받아왔다.

전신소견

외관상 특기할 이상소견은 없었으나, 혈액화학적 검사에서 백혈구 증가, 혈당 상승(150mg/dL), SGPT 63으로 다소 이상소견을 보였으며, 혈압과 맥박은 정상이었고 약간의 체온상승(37.9℃) 소견이 있었다.

구강소견

개구장애(개구12mm)로 하악 우측 제 3대구치 부위의 염증소견을 자세히 확인할 수 없었고, 통상적인 치과 방사선사진 검사에서는 뚜렷한 감염파급의 범위를 확인할 수 없어 하악골 전산화단층촬영 사진검사(그림 15-13)를 시행한 결과 익돌하악간극(pterygomandibular space) 및 교근하간극(submasseteric space)농양과 급성이하선염 소견으로 우측 이하선 도관 입구 협점막부에서는 타액이 배출되지 않았다.

진단

(1) 발치창 주위 골수염(osteomyelitis)
(2) 익돌하악 간극 및 교근하 간극 농양
(3) 급성 이하선염

치료계획

(1) 입원 하에 수액 및 약물요법(고단위 항생제 및 소염진통제 투여)
(2) 구강내 절개 및 배농술과 물리치료
(3) 구강외부 절개 및 배농술 고려

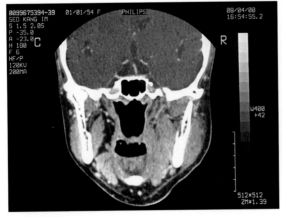

●●● **그림 15-13.** 우측 익돌하악간극과 교근하간극농양 및 하악골수염 소견을 보이는 하악 C-T 소견

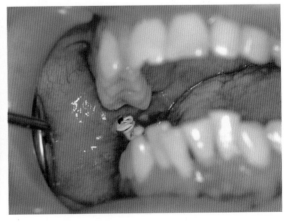

●●● **그림 15-14.** 내원 초기에 시행한 교근하간극 및 익돌하악 간극 농양 부위 절개 및 고무 드레인(rubber drain) 배농술 모습

치료 및 경과

우선 당뇨병과 간염 등 전신질환이 있고, 개구장애와 발치창 감염소견이 과도하므로 구강악안면외과로 입원하에 관련 내과(내분비내과, 소화기내과)의 자문을 받고서, 수액 요법(normal saline 2,000cc/day 정맥주입)과 약물요법(cephalosporin 1세대, gentamicin, metronidazole 주사)을 시작하였다. 다음날 구강내 접근법으로 국소마취 하에 교근하간극 및 익돌하악간극 농양부의 절개 및 배농술을 시행했다(그림 15-14). 그 후 매일 1일 2회에 걸쳐서 구강내 창상세척술을 시행하면서 개구훈련을 지도했으나 10일이 경과되어도 개구상태의 개선이 지연되고, 악하부 간극(submandibular space) 농양의 징후도 나타나 부득이 11일째 구강외 피부로 악하간극부의 절개 및 배농술을 시행했다(그림 15-15). 이튿날부터 환자는 음식물의 연하가 편안해졌고 발치창 주위 감염소견도 호전되어 개구훈련을 적극적으로 시행해 본원 내원 3주일 경에 개구상태가 28mm로 개선되고, 이하선 도관부의 타액도 정상적으로 분출되는 소견을 보여 퇴원했다(그림 15-16). 그 후 1주일에 1회씩 통원치료로 절개 및 배농술을 시행한 부위의 창상 드레싱(warm saline irrigation)을 시행 받아 6주일 경에 완전히 회복되는 경과를 보였다.

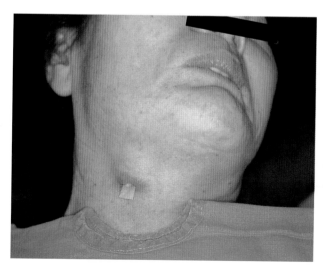

●●● **그림 15-15.** 구강외부로 시행된 악하간극 농양부의 절개 및 고무 드레인 배농술 모습

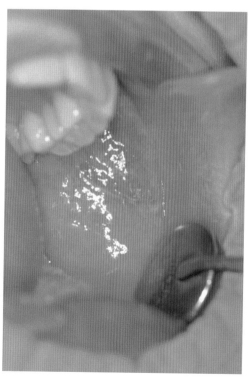

●●● **그림 15-16.** 내원 3주일 경, 정상적인 이하선 타액의 배출과 개구상태가 개선된 모습

문제점 검토

최초 개인 치과의원에 환자가 내원했을 때 환자는 자신이 당뇨병과 간염이 있었음에도 불구하고 치과의사에게 그 사실을 말하지 않았고(다른 치과에서 말했다가 발치를 안 해 주기에 발치를 하고 싶어서 전신질환의 존재를 숨김), 개인 치과의원에서는 하악지치 발치의 경우 젊은 나이에 발치를 시행할 때와 중노년기에 발치를 시행할 때의 술 후 합병증에서 큰 차이점이 있음을 예기치 못하고 똑같은 발치법과 술 후 처치를 시행한 것이 문제점으로 보인다. 즉 젊은 나이인 15~25세 때의 하악 매복 지치발치의 경우는 발치 시 다소의 외과적 손상에도 창상감염의 빈도가 낮지만, 중노년기(40대 이상)에서는 기존의 지치주위염도 상당히 만성적으로 오랫동안 진행되어 염증 정도가 과도할 뿐만 아니라, 발치 시 조직손상이 있을 경우 출혈도 잘되고 감염 가능성도 매우 높으며, 전반적인 신체의 탈수(dehydration)현상과 전신건강의 약화로 술 후 합병증 우려가 매우 높다. 이런 면에서 본 환자의 경우는 병력청취와 신체검진에 보다 유의를 했어야 했다. 다행히 발치 후 개구장애 등 합병증이 위중함을 간파해 종합병원 치과(구강악안면외과)로 빨리 환자를 전원했고, 임상병리 검사에서 당뇨병과 간염 등 전신질환의 존재를 확인해 내과적 관리를 겸했기에 비교적 양호한 치유경과를 보였으며 의료분쟁도 없었다.

▬▬▬ 참고문헌

1. 김경욱 외 18인 : 구강악안면 감염학. 지성출판사, 2007, p.65-121.

2. 유재하 : 발치후의 구강감염증. 대한치과의사협회지, 1997; 35(9): p.650-656.

3. Falace DA : Emergency dental care. Williams & Wilkins, 1995, p.227-253.

4. Kaban LB, Pogrel MA, Perrott DH : Complications of oral and maxillofacial surgery(third molar surgery). WB Saunders, 1997, p.59-67.

5. Thoma KH : Oral surgery, Vol2. CV Mosby, 1969, p.671-686.

6. Topazian RG and Goldberg MH : Management of infections of the oral and maxillofacial regions. WB Saunders, 1981, p.329-350.

Chapter 16

충치나 잇몸병도 없는데, 이가 아파요

| 유재하 |

---

01 문제 제기

Dental Treatment
for Medically
Compromised Patients

치통은 진행된 치아우식증이나 치주염에 의해 발생되는 것이 일반적이다. 그러나 간혹 환자(특히, 전신질환자나 중노년기 환자) 가운데는 이러한 원인에 의하지 않고도 치통을 호소하는 경우가 있다. 이런 경우 외상성 교합(trauma from occlusion), 치관균열(crown crack)에 의한 치수염, 치은퇴축에 의한 치수과민반응 등으로 추정하게 되고, 약물요법(주로 항생제 및 소염진통제 사용)이나 근관치료 등을 시행해 보게 된다. 그러나 처음에는 치통이 완화되는 듯하지만, 시간이 경과되면서 치통이 다시 재발되어 술자와 환자 모두를 곤혹스럽게 만든다. 결국 환자를 종합병원 치과(구강내과, 구강악안면외과), 신경(내)과, 통증클리닉 등으로 전원시켜 자세한 검사를 받아보면 특이한 3차 신경통, 저작근막 동통 증후군과 관련된 치통, 상악동염 기원성 치통, 정신성 고통(psychalgia), 전신질환 기원성 치통 등으로 진단이 내려지게 된다. 이렇게 되면 처음에 치통이 있던 치아를 근관치료(심지어는 발치) 했던 치과의사의 입장이 난감해지고 더 나아가 의료분쟁으로 이어지기도 한다.

따라서 환자가 치통을 호소할 경우에는 치수염이나 치주질환에 의한 동통으로 확진이 되는 경우가 아니라면, 반드시 비치성 기원(non-odontogenic origin)의 치통을 감별진단하여 치료에 임해야 한다. 왜냐하면 구강악안면 영역은 해부학적으로 감각신경의 분포밀도가 매우 높으며, 혈행이 풍부하여 혈관 벽에 분포된 자율신경(교감신경과 부교감신경)의 분포도 많으므로, 전신질환의 존재, 중노년층 연령, 스트레스 과다상황 등에 환자가 노출된 경우는 경미한 국소적 질병이라도 예민한 치아 주위 신경의 자극증상(동통, 이상감각증 등)을 나타낼 수도 있기 때문이다.

기본적 이해

치통을 호소하는 환자의 감별진단에서 우선적으로 고려할 사항은 병력과 임상소견 및 방사선사진 검사를 통해 치아 자체에 질환(주로 치수 및 치주질환)이 있는 지를 먼저 파악하는 것이다.

치성 동통을 유발하는 병인에는 치아에 분포되는 감각신경과 혈관 벽에 분포된 자율신경의 자극을 초래하는 감염(infection), 압박(compression), 부식(erosion) 등의 국소적 병변(신경자극, 신경염)이므로 이를 찾는 노력을 기울여야 한다. 신경염(neuritis)이란 신경자체의 염증은 아니고 신경조직이 주위조직의 변화로 급성 가역성 자극(acute reversible irritation)을 받아 예민한 반응을 보이는 것이다. 동통에 관련된 감각신경과 자율신경이 신경염의 상태가 되면 중추성 관문 조절기전(central gate control mechanism)의 변화로 인하여 동통의 역치(threshold)가 낮아지고, 뇌간(brain stem)의 시냅스 부위를 감작(sensitizing)시키는 효과가 나타나 동통자극에 더욱 민감하게 된다. 이런 현상이 지속되면 퇴행성 및 비가역성 신경병(degenerative & irreversible neuropathy)이 초래될 우려도 있다(표 16-1).

표 16-1. 급성 신경염 병소들과 관련된 질환들

1. 치성감염(치아우식증, 치주질환)	5. 부비동 질환(상악동염 등)
2. 악골-골막질환(낭종, 골수염 등)	6. 타액선 질환(타액선염, 타석 등에 의한 도관폐쇄)
3. 저작근막 동통 증후군	7. 혈행장애 질환(편두통 등)
4. (틀니하방) 점막염	

표 16-2. 신경장애에 관련된 전신요소들

1. 대사장애(빈혈, 당뇨병, 고혈압, 뇨독증)
2. 결합조직 장애질환(관절염, scleroderma, lupus erythematosus, Sjögren's syndrome)
3. 중독성 질환(중금속, 화학물질, 약물, 알콜, 식중독)
4. 영양장애
5. 감염성 장애(뇌막염, 매독, 나병, 디프테리아, herpes zoster)
6. 혈행장애질환(관상동맥질환, 고혈압, temporal arteritis, Raynaud's syndrome)

또한 전신질환(특히, 콜라겐 장애를 초래하는 당뇨병, 홍반성 낭창, 류마티스성 관절염 등과 같이 전신대사와 영양장애를 초래하는 질환)이 존재하는 경우에는 감각신경의 분포밀도가 높은 구강악안면부의 감각이상을 가중시키므로, 이를 고려한 관리가 선행되어야 한다. 특히, 구강악안면부에 분포된 삼차신경의 분지들은 수초가 발달된 신경섬유들(myelinated axons)로 구성되고, 수초의 유지에 중요한 슈반세포(Schwann cell)는 허혈(ischemia)에 큰 영향을 받으므로, 전신적인 혈행의 장애여부(대사, 영양장애 등)를 종합적으로 고려하는 안목이 필요하다(표 16-2). 따라서 신경장애를 유발하는 전신질환이 존재하면 치통의 양상도 정상인과 다르다는 점(둔통이나 예통을 이상하게 느낌)을 이해하여 적절히 관리해야 한다.

따라서 환자가 치통을 호소하면 치아우식증이나 치주질환만을 생각해서는 안 된다. 치아자체의 질병이 확인되지 않는다면 치통의 원인이 치아가 아닌 다른 신경관련 구조물의 이상에서 기인한 비치성 동통이므로, 치아에 손상을 주는 어떠한 치과치료도 시행치 말고 비치성 동통의 감별진단을 우선적으로 시행해야 한다. 감별을 요하는 비치성 동통의 원인으로는 상악동 및 비강점막 질환, 3차 신경통과 같은 신경병성 동통(neuropathic pain), 저작근막 동통, 그리고 혈관성, 심장병성, 정신병성 기원의 치통들이 있다(그림 16-1).

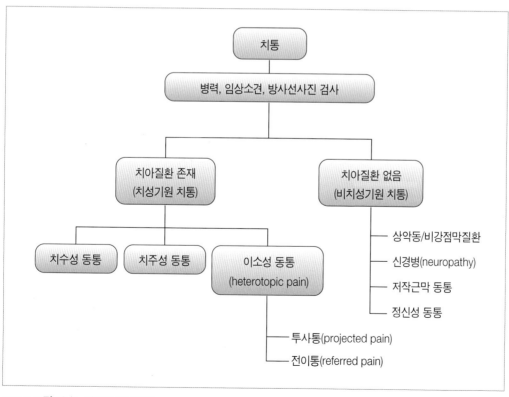

●●● **그림 16-1.** 치통의 감별진단

03 치과 진료실에서 대처하기

Dental Treatment
for Medically
Compromised Patients

통상적으로 치통은 치성 원인(흔히, 치아우식증이나 치주염에 의한 치수감염)에 의해 발생되며, 심할 경우 이소성 동통(heterotopic pain으로 치통이 인접치아나 주위조직으로 전이됨)이 느껴지기도 한다. 그러나 때로는 치통이 치성 병변이 없이도 치아나 그 주위조직에서 느껴진다. 여기에는 상악동과 비강점막질환, 저작근막 동통, 신경병성 동통, 혈관성 동통, 심장성 동통, 정신성 동통이 있다. 이들 가운데 편두통 같은 혈관성 동통, 협심증에서 기원하는 심장성 동통은 통상적인 치통과 감별이 용이하므로 논외로 하고, 여기서는 임상에서 감별이 애매할 수 있는 상악동 질환성 치통, 저작근막성 동통, 정신성 치통, 3차 신경통과 같은 신경병성 동통 등의 특성을 살펴본다.

1) 상악동, 비강점막 질환성 치통

상악대구치 또는 소구치가 상악동과 긴밀히 연관되어 상악동염(sinusitis)이 있는 경우에 관련된 여러 치아에서 지속적인 둔통, 압통 및 불편감(constant dull, aching pressure or discomfort)이 느껴진다. 이들 치아들은 타진, 저작, 차가운 자극에 민감하다. 환자는 상기도 감염, 비강충혈(nasal

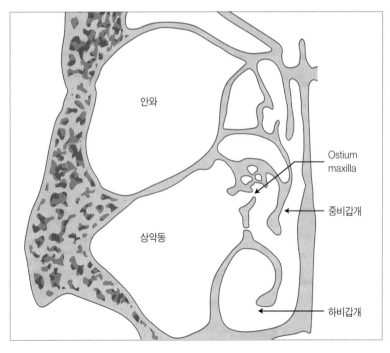

●●● **그림 16-2.** 상악동은 middle turbinate 하방 ostium maxilla 주위 점막의 염증과 종창으로 인해 폐쇄될 수 있음을 보이는 모식도

congestion), 부비동(sinus)질환의 병력이 있는 경우가 많고(그림 16-2), 상악동 상부를 촉진하면 압통(tenderness)이 있고, 환자가 자세를 앞으로 구부릴 때 동통이 증가되는 성향이 있다. 워터스 방사선사진(Waters' view)에서 공기-유체 경계가 나타나거나 점막이 비후된(air-fluid level or thickened mucosa) 모습을 보인다(그림 16-3). 만약 비강점막이 부종(edema)상태가 되면 비갑개(turbinate)의 종창과 상악동 소공(ostium)의 폐쇄로 인해 항생제(Amoxicillin 250-500mg, 1일 3회 10일간 복용) 사용과 도포성 충혈제거제(decongestant 등) 투여도 필요하기에 이비인후과의와 협진을 하는 것도 필요하다(표 16-3).

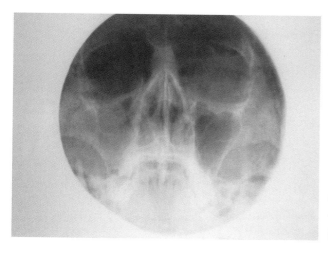

● ● ● **그림 16-3.** 치성 상악동염으로 편측 상악동의 '연무현상(haziness)' 소견을 보이는 워터스 방사선사진(Waters' view)

표 16-3. 상악동과 비강점막 기원성 치통의 특성
1. 기원(origin)
• 상악동 또는 비강점막의 감염
2. 임상양상
• 지속적 둔통 또는 압박감 • 냉, 타진, 저작에 예민 • 다수 상악 소구치 및 대구치 동통
3. 국소마취
• 비강점막 도포마취 → 상악전치 동통 감소 • 구치부 침윤마취 → 상악구치 동통 감소
4. 치료
• 항생제(amoxicillin 등) 10~14일 처방 • 필요시 decongestant 도포

2) 저작근막 기원성 치통(toothache of myofascial origin)

어떤 치통은 저작근육 내에 위치한 저작근막 발통점(trigger point)으로부터 전이된 동통의 결과일 수 있다. 저작근막성 치통의 부위는 애매하고, 경험적 관찰과 Travell & Simons의 보고에 근거

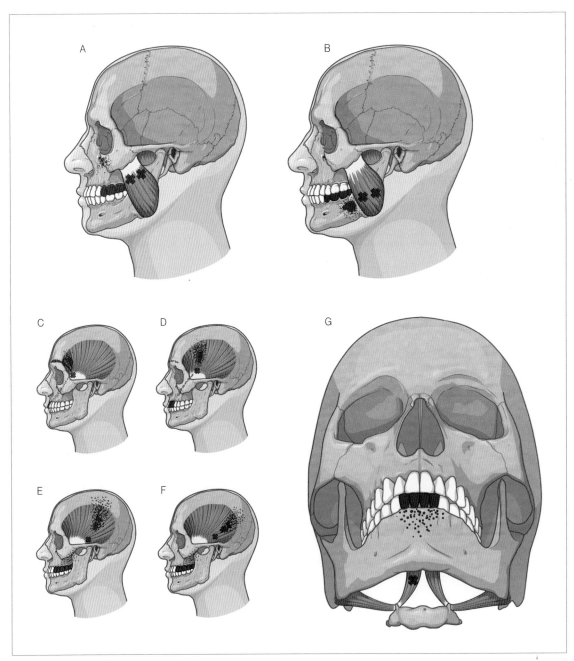

●●● **그림 16-4.** 저작근육 내 발통점(trigger point '✖'로 표시)과 치아부위로 동통이 전이되는 양상(검은색 표시)
A: 교근 상부, B: 교근 중간부, C: 측두근 전방부, D,E: 측두근 중앙부, F: 측두근 후방부, G: 악이복근 전복

했다. 교근, 측두근, 악이복근 전복(anterior belly of digastric muscle) 부위 동통이 치아들 쪽으로 전이성 동통을 나타내는 발통점들을 가지고 있다(그림 16-4). 치아에 치아우식증이나 치주질환 등의 질병이 없는 상태에서도 저작근육 내의 발통점 부위에서의 동통이 치아부위로 전이되는 만큼 최초 동통을 호소한 저작근육부 발통 부위를 먼저 확인하여 치료하는 것이 필요하다(표 16-4).

표 16-4. 저작근막 기원성 치통의 특성

1. 기원(origin)

- 저작근(주로 교근, 측두근, 악이복근 전복)의 trigger points로부터 동통 전이(referral)

2. 임상양상

- Nonpulsatile, 다양하고 주기적인 동통.
- 정신적 스트레스와 저작근 사용 시 동통 증가

3. 국소마취

- 치아의 국소전달마취 시도 동통 지속
- Trigger point 국소마취는 동통 경감

4. 치료

- 혈류증진 노력, 국소마취제 주입, 근육 stretch, 물리치료 등이 trigger points 제거

3) 정신병 기원성 치통(toothache of psychogenic origin)

드물게는 정신병(히스테리성 전환 또는 정신성 환각, hysteric conversion or psychotic hallucination)에 근거한 치통을 경험하기도 한다. 이런 환자들은 비정상적 기괴한 행위(bizarre behaviour)를 보이거나, 과거에 정신병 치료를 받은 병력을 가지고 있다. 경고성 증상으로는 치통이 여러 치아로 옮겨 다니고, 동통의 불편감이 변화가 많으며, 해부학적으로나 생리학적인 양상을 따르지 않고, 치료 후에 반응이 거의 없거나 애매하다(표 16-5). 따라서 이런 환자는 신경정신과적 관리가 될 수 있도록 환자를 의뢰하는 것이 원칙이지만 환자(보호자)의 거부감이 클 수 있으므로, 우선 치과만으로는 해결이 어렵다는 점과 신경계의 종합적 진단과 치료가 필요할 수 있음을 설득하여 신경(내)과로 환자를 의뢰하는 것이 바람직하다. 실제로 신경과에서는 중추신경계의 질환을 종합적으로 관리하면서 정신과 문제가 의심되면 정신과와의 자문을 우호적으로 시행하고 있다.

표 16-5. 정신병 기원성 치통의 특성	
1. 기원(Origin)	3. 국소마취
• 정신병에 기원	• 효과가 애매함
2. 임상양상	4. 치료
• 기괴한 행위, 정신과 치료병력 • 다수 치아들로 동통 전이(migration) 및 양측성 동통 • 동통이 해부학적, 생리학적 양상과 부조화 • 치료에 예기치 않은 부적절한 반응	• 신경정신과 의사에게 의뢰함

4) 신경병 기원의 치통(toothache of neuropathic origin)

(1) 3차 신경통

신경통(neuralgia)은 신경병성 동통의 한 형태로서, 수초에서 수분 동안 지속되는 과도한 쇼크 같은 급작스런 발작성 동통이 특징이다. 신경통은 신경축색들(axons) 사이에 절연 기전(insulating mechanism)의 파괴로 인하여 발생되는데, 말초병소 부위에서 동통을 야기하는 이유는 구심성 신

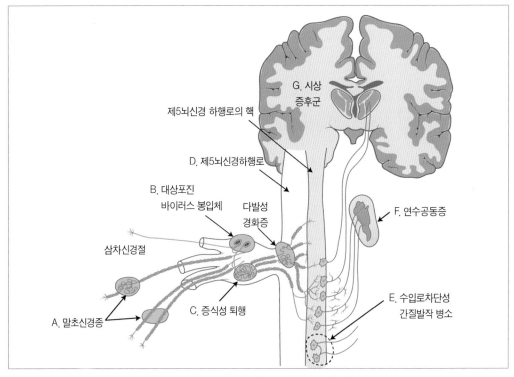

●●● **그림 16-5.** 악안면 신경통의 부위들과 병인들(A~G)로서 치과적인 원인은 말초신경종(peripheral neuroma)에 불과하므로 종합적인 원인의 검토가 필요하다.

경기능 불균형(afferent imbalance)과 삼차신경 하행로 핵들, 특히 간질 발작핵(epileptogenic foci)에서 2차적인 중심뉴런의 비정상적인 정체(pool) 때문이다(그림 16-5).

3차 신경통은 주로 상하악 신경을 편측으로 침범하여 발통부위(trigger area)를 건드리거나 양치질, 저작운동 시나 또는 저절로 동통이 발작된다. 관련된 신경을 국소마취할 경우는 신경통성 동통이 정지된다. 악성종양에 의한 동통과는 감별을 요하는데, 악성종양의 경우 신경을 잠식하므로 무감각증(numbness)과 근육위약(weakness)이 동반된다. 악안면부의 신경통의 원인에는 여러 가지 사항들이 고려되는 만큼 일상적인 투약(Tegretol, Dilantin 등의 항전간제)으로 완치되지 않을 경우에는 보다 전문적인 종합적 처치를 위해 신경과나 신경외과의 자문이 필요하다(표 16-6, 그림 16-6).

표 16-6. 신경병 기원 치통(3차 신경통)의 특성	
1. 기원(origin)	• 삼차신경 상하악지가 분포되는 치아의 신경들의 비정상적 기능
2. 임상양상	• 미세한 superficial provocation으로 자극되는 편측성, 전기성 쇼크같은 과도한 발작성 동통으로 치아와 주위조직에서 지각함.
3. 국소마취	• 원인 신경 root의 전달마취가 동통차단 점막과 피부의 발통부 도포마취도 동통감소
4. 치료	• Tegretol, Dilantin 등 약제사용 또는 신경과나 신경외과 전문의에게 의뢰

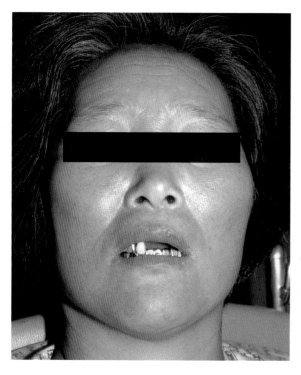

●●● 그림 16-6. 상악소구치 부위에 3차 신경통 양상의 동통을 보여 약제투여(Tegretol, Dilantin 등)를 1개월간 했음에도 계속 재발되어 신경과로 의뢰된 후 결국에는 신경외과에서 뇌수술(삼차신경과 소뇌동맥을 격리하는 수술)을 시행받고 완치된 환자

(2) 비정형적 치통(atypical odontalgia)

이런 치통은 발치, 근관치료, 보철 등의 치과적인 외상(dentoalveolar trauma)을 받은 중년 여성에서 주로 호발한다. 흔히 구치부나 무치악 부위에서 4개월 이상동안 지속적인 작열성 동통(continuous, burning, aching pain)을 나타낸다. 환자가 근관치료나 보철치료 등을 다시 받기 원하게 되어 다시 치료를 시도하지만 동통은 그대로 지속되는 경우가 많으며, 국소마취마저도 동통 제거에 완벽한 효과를 나타내지 못한다. 원인은 척수의 수질(medulla dorsalis)에서 신경원 내부에 변화를 초래하는 수입로 차단(deafferentiation)으로 생각되며, 치료는 쉽지 않지만 삼환식 항우울제(tricyclic antidepressants)가 성공적일 때가 있다. 그러나 항우울제의 사용은 구강건조증을 유발하여 환자의 불편감을 가중시킬 수 있으며, 중년기 후반의 여성들은 구강작열감 증후군(burning mouth syndrome)도 초래될 수 있으므로 통증치료과와의 긴밀한 협조가 요망된다(그림 16-7).

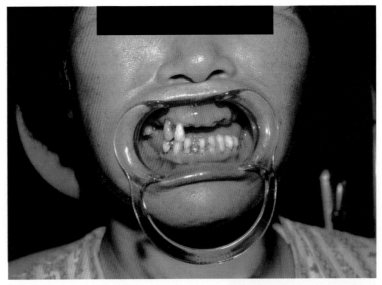

●●● **그림 16-7.** 구강작열감 증후군과 함께 비정형적 치통을 보인 55세 여자환자로서. 스트레스 관리법 지도와 통증치료과에서의 교감신경절 주사요법으로 증상이 상당히 개선됨

증례 1 | 상악동, 비강점막 질환성 치통, 42세, 남자

주소

상악 좌측 구치부(#27, 28) 치통

병력

약 2년 전 알레르기성 비염(rhinitis)을 앓은 후 치유되었다.

전신소견

외관상 특기할 전신상태의 이상소견은 없었고, 파노라마사진에서 상악 좌측 구치부 치근단이 상악동 내부로 함입되고, 워터스 방사선사진에서 좌측 상악동 부위가 연무(haziness) 소견을 보였다(그림 16-8).

구강소견

치아우식증이나 치주질환은 없고, 구치부가 타진 시에 민감한 반응을 나타냈다(그림 16-9).

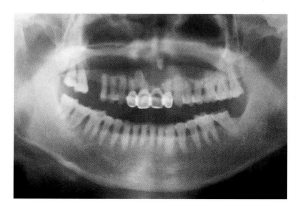

●●● **그림 16-8.** 상악구치부 치근단이 상악동 내부로 함입된 양상을 보이는 파노라마 사진

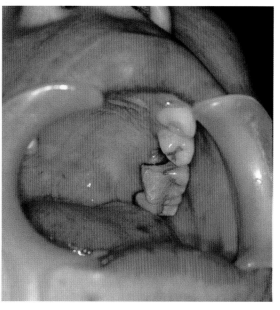

●●● **그림 16-9.** 상악 좌측 대구치부 치통을 보인 환자로 치아우식증이나 치주질환은 없었음

225

치료 및 경과

환자에게 치통의 원인이 상악동 질환으로 생각된다고 설명하고서 이비인후과에 자문을 구한 결과 상악동염으로 판명되어 Amoxicillin 등 항생제와 소염진통제를 2주일 간 투여해 상악동염 뿐만 아니라 치통도 해결되었다.

문제점 검토

치과 방사선사진 검사(panoramic view & periapical view)에서 치근첨부가 상악동 내부로 함입된 경우는 반드시 상악동 관련 질환을 확인하기 위한 워터스 방사선사진 또는 부비동 방사선사진(paranasal sinus view) 검사가 중요하다. 이 사진을 참고로 이비인후과의 자문을 받으면 치성 또는 비치성 상악동 질환을 정확히 평가할 수 있을 것이다.

증례 2 | 저작근막 기원성 치통, 72세, 여자

주소

상악 좌측 소구치(잔존치근) 동통 및 좌측 측두근 중앙부 동통

병력

특이사항 없다.

전신소견

다소 쇠약한 모습 이외엔 특이사항이 없다.

구강소견

심한 치아우식증으로 인한 상악소구치 잔존치근 부위의 만성 염증소견

치료 및 경과

통상적으로 항생제 및 소염진통제 투여 하에 발치를 시행했는데, 다음날 환자는 발치 부위도 아프지만, 측두근 중앙부가 더 아프다고 호소하여 저작근막 동통 증후군으로 진단해 물리치료,

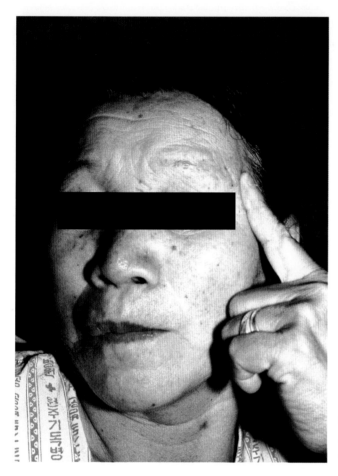

●●● **그림 16-10.** 상악소구치 발치 후, 좌측 측두근육 부위에 근막동통 증후군을 나타낸 환자

약물요법(소염진통제 등), 스트레스 관리법 지도 등으로 1주일 간 치료해 측두근 중앙부의 동통뿐만 아니라 발치창 동통도 사라지는 양호한 경과를 보였다(그림 16-10).

➕ 문제점 검토

환자가 잔존치근 부위의 동통을 호소했기에 통상적인 치아우식증에 의한 치통으로 단정해 발치를 시행했는데, 본 환자의 경우 기존의 저작근막 동통 증후군이 내재되어 있었음을 간과한 것이 문제였다. 따라서 치통이 있을 경우 미리 저작근막 동통 증후군의 존재를 확인해 둠이 필요했다. 이 경우에 우선 저작근막 동통 증후군과 치성감염에 공동효과가 있는 약제(소염진통제, 필요시 항생제와 진정제)를 먼저 투여하여 동통조절을 시도하면서 저작근막 동통 증후군의 가능성을 인식하고 발치를 시행했다면 환자와의 갈등 해소에 도움이 되었을 것이다.

증례 3 ㅣ 3차 신경통, 76세, 여자

주소

간헐적인 찌릿찌릿한 발작성 동통(상악 좌측 구치부)

병력

무릎과 허리 부위의 관절염으로, 3년째 투약 중이다.

전신소견

특이사항 없다.

구강소견

발작성 동통이 약 1개월 전 시작되어 개인치과의원서 상악구치부(#25, 26)의 발치를 시행했으나 동통은 때때로 지속되어 당혹스런 상태였다.

치료 및 경과

우선 3차 신경통 진단 하에 Tegretol 3T #3 Sig; p.o. t.i.d. for 5days를 처방하고서 경과를 관찰한 바, 상당히 호전된 증상을 보여 약제투여를 10일 간 더 연장하고 치료를 종결하였다. 그러나 3개월 후 다시 재발되어 중추신경계 원인을 찾기 위해 신경과로 의뢰하였다(그림 16-11).

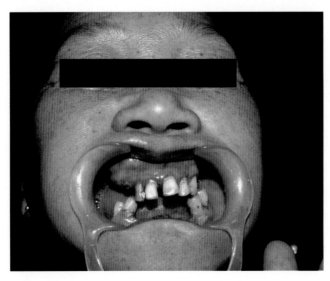

●●● **그림 16-11.** 환자가 발작성 치통을 호소했던 상악구치부(#25, 26)를 발치했음에도 3차 신경통성 동통이 지속된 환자

문제점 검토

최초 발작성 동통이 있었을 때 관련치아를 발치하는 것보다는 그 원인을 정확히 찾을 때까지 발치를 연기함이 바람직하다. 3차 신경통 약제(Tegretol, Dilantin 등)의 투여가 진단에도 도움이 되기 때문에 발작성이고 원인이 애매한 치통의 경우에는 3차 신경통 약제의 초기 처방이 병명 진단에도 바람직할 것으로 사료된다. 그리하여 3차 신경통으로 진단되면 보다 자세한 다양한 원인을 찾기 위해 신경(내)과 전문의와의 협진이 양호한 결과를 가져오리라 사료되었다.

참고문헌

1. 김경욱 외 10인 : 최신 구강악안면외과학, 제 3판. 나래출판사, 1999, p.696-735.

2. 대한마취과학회 : 마취통증의학, 개정판. 여문각, 2010, p.327-398.

3. 대한구강악안면외과학회 : 구강악안면외과학 교과서, 3판. 도서출판 의치학사, 2013, p.535-588.

4. 이종흔, 김중수 : 구강생리학, 제4판. 신광출판사, 1994, p.1-39.

5. Falace DA : Emergency dental care. Williams & Wilkins, 1995, p.1-24.

6. Kruger GO : Textbook of oral and maxillofacial surgery, 6th ed. CV Mosby, 1984, p.700-746.

7. Irby WB : Current advances in oral surgery. CV Mosby, 1980, p.253-283.

The Guideline of Dental Treatment for Medically Compromised Patients

뇌성마비 장애인인데, 치아가 아파요

| 최길라 |

01 문제 제기

Dental Treatment
for Medically
Compromised Patients

뇌성마비(cerebral palsy)가 있는 사람들은 일반적으로 비협조적이고 대하기 어려운 것으로 여겨져 왔다. 따라서 뇌성마비 환자를 위험과 어려움을 감수하며 자신의 진료실에서 치료하기를 원하는 치과의사들은 많지 않다. 이로 인해, 환자가 이전의 치과의사로부터 받은 불만족스러운 경험 때문에 환자 자신이나 보호자는 또 다시 치과치료를 받는 것을 주저하게 된다. 또한 불안, 수치, 우울 등과 같은 정신 사회적 상태들이 환자가 치과치료를 받기를 꺼리게 만들 수 있다. 경제적인 부담에서 오는 스트레스 등도 흔한 장벽이다.

뇌성마비가 있는 경우 안면근육의 부조화로 인한 불충분한 자정작용의 영향으로 구강병이 발생할 위험이 더 높기 때문에 예방적 관리가 매우 중요하다. 그러나 예방적 관리 또한 손동작의 불편함으로 인하여 잘 이루어지기 어렵다.

02 기본적 이해

뇌성마비란 하나의 질병이 아니라, 비슷한 임상적 특징을 가진 증후들을 집합적으로 일컫는 용어이다. 즉, '미성숙한 뇌에 대한 비진행성 병변 혹은 손상으로 인하여 생기는 운동과 자세의 장애를 보이는 임상 증후군'으로 정의할 수 있다. 그러나 정신발달 지체, 간질, 언어장애, 청각 및 시각 장애 등의 동반 증상의 빈도가 높고 예후에 큰 영향을 미치므로, '운동과 자세의 장애를 보이는 임상 증후군'을 '신경근육계의 결함과 여러 동반 증상을 보이는 임상 증후군'으로 정의를 내리기도 한다.

뇌성마비는 전체 인구 중 0.2~0.25%의 빈도로 나타나며, 연간 10만 명당 7명의 비율로 새롭게 발생한다. 유병률은 생후 12개월에 1,000명 당 약 2~5명 정도에서 뇌성마비 증상을 보이지만, 7세까지 추적 관찰한 결과 약 50%의 환아에서 신경근육계의 증상이 소실되었다고 보고되고 있다. 뇌성마비를 유발하는 뇌손상은 출산 전과 도중 그리고 직후에 발생할 수 있는데 그 원인은 매우 다양하며, 그 가운데 대표적인 원인은 표 17-1과 같다.

뇌성마비는 근육의 긴장도를 조절하는 뇌의 영역이 손상됨으로써 나타나는데, 근육이 과도하게 강직되거나 근육 수축력이 떨어지거나 또는 근육의 조화가 어려운 상태가 된다. 이와같이 뇌의 손상 부위에 따라 다양하게 나타나는 신경운동 유형의 임상적 분류는 다음과 같다.

표 17-1. 뇌손상을 유발하는 요인들

기시	잠재적 뇌손상 유발요인
출산 전(prenatal)	자궁내 출혈, 모체 감염, 조산 또는 산소 결핍, 모체 당뇨, Rh 혈액 부적합
출산 도중(perinatal)	분만시 외상, 산소 결핍
출산 직후(postnatal)	출혈, 감염, 두부 손상

1) 강직형(spastic type)

뇌성마비의 약 70~80%를 차지하며 대뇌피질의 손상에 의한 근육의 수축장애이다. 이 경우, 사지가 뻣뻣해지는 경직성 마비를 나타내며 누워있을 때, 팔을 구부리고 다리는 뻗치게 된다. 마비된 부위에 따라 편마비, 양측마비, 사지마비로 분류한다.

(1) 강직성 편마비

양측의 비대칭성으로 인하여 비교적 조기에 발견된다. 발달 단계는 정상보다 4~6개월 정도 뒤떨어지게 되며, 보행 가능성이 높아 3세 경에는 대부분 걷게 된다. 편마비측 상지의 기능이 떨어지지만, 심한 지능 장애가 없으면 독립적 생활이 가능하다. 자주 동반되는 근골격계 장애는 편마비측 아킬레스건의 구축, 족부 변형, 전완 회내근의 구축, 와관절과 수지의 굴곡 구축, 기능성 척추 측만증 등이 있다.

(2) 강직성 양측마비

뇌성마비 유형 중에서 가장 흔하며, 출생 직후는 근 긴장도의 저하를 보이나 6개월 내지 1년에 경직형이 되며, 어릴 때는 신근의 경직이 우세하다가 나이가 들면 굴근의 경직이 강해진다. 보행 가능성은 높아 일반적으로 약 4세 경 걷게 되며, 80%의 환아에서 사회적 보행이 가능하고, 18%에서 보행을 위한 외적 보조 용구가 필요하며, 2% 정도는 걷지 못한다. 상지의 신경학적 침범은 경미한 경우가 대부분이므로, 심각한 지능 장애가 없으면 독립적 일상생활이 가능하다. 고관절의 내전, 내회전, 굴곡 구축과 족관절의 첨족 변형, 족부의 외반 등의 근골격계의 문제가 잘 온다.

(3) 강직성 사지마비

보통 하지가 더 심하게 침범되지만 사지의 경직성 마비를 보이며, 양측이 비대칭적인 경우도 흔하다. 초기에는 저긴장성, 그 후 운동 장애기를 거쳐 경직성으로 되기도 한다. 이 유형에서는 양측 대뇌 반구에 광범위한 신경학적 손상으로 인한 경우가 대부분으로 마비의 정도가 심하다. 이와 연관된 근골격계의 장애와 다른 동반 장애도 더 흔하여 시각 장애, 사시, 간질 등이 잘 동반되고, 가성 연수마비로 인한 구음장애, 연하장애, 빨거나 씹기의 어려움, 침 흘리기 등의 양상을 보이기도 한다. 강직성 양측마비와 같이 만 2세에 앉거나 18개월 이전에 원시 반사가 소실되면 보행 가능성이 높다고 본다. 이들의 약 1/4은 걷지 못하고, 일상생활동작도 불가능하며, 약 1/3은 보조 용구를 사용해야만 걸을 수 있고, 약 1/3은 보행과 독립적 일상 활동이 가능하다.

2) 무정위성 또는 운동이상형(atheoid or dyskinetic type)

뇌성마비의 약 10~20%를 차지하며 뇌의 기저부, 뇌간의 손상에 의한다. 가장 특징적인 소견은 느린 행동과 불수의적인 운동이다.

운동장애의 정도는 강직형과 반대로 하지보다 상지를 더 심하게 침범하는 경우가 많고 불수의 운동형이 가장 흔한데, 근 긴장도 이상형 등 다른 운동장애를 동반하거나 변해가는 양상도 볼 수 있다. 불수의 운동형에서는 관절 구축은 볼 수 없으나, 근 긴장도 이상형에서는 첨내번족(발의 앞쪽 끝부분이 안으로 구부러짐), 척추 측만증 등이 올 수도 있다. 상지를 더 많이 침범하므로 보행 가능성은 높아, 약 3/4의 환아에서 보행이 가능하고, 그 중 반수는 3세 전에 걸으며 보행이 가능하여도 일상생활 동작에서 장애를 갖는 경우가 있다. 무정위성 동작은 긴장하거나 흥분한 상태에서 더욱 심하고, 일부에서는 혀와 안면근육에 이상을 초래하며 침흘림이나 찡그림, 구음장애 등이 나타난다.

3) 운동실조형(ataxia type)

뇌성마비의 5~10%를 차지하며 소뇌의 손상에 의하며, 평형감각의 장애나 협동운동의 장애가 특징이다. 똑바로 앉아있기가 어렵고 걸을 때는 균경감각 감소를 보상하기 위하여 다리를 넓게 벌리고 뒤뚱거리는 모습을 보인다.

4) 저긴장형(hypotonic type)

매우 드문 유형으로 사지의 근 긴장이 저하되어 수동적 운동에 저항이 없으며 저긴장형에서는 개구리 다리 자세로 관절 구축이 잘 오므로 휠체어에 앉기도 힘들게 되는 경우가 많다. 움직임이 매우 적고 잘 울지 않으며 울음소리도 작아서 단지 순한 아이로 오인되기도 한다.

5) 혼합형(mixed type)

강직형과 불수의 운동형이 혼합되어 사지를 모두 침범하는 유형이 가장 많다. 임상 결과는 강직형 사지마비를 보이다가 불수의 운동형으로 진행하거나, 그 역의 과정을 거치는 양상을 보인다. 약 50%에서 보행이 가능하다.

뇌성마비가 있을 경우에 동반되는 장애는 다음과 같다.

① **지능 장애** : 발생률은 40~60%로 높으며 사지마비일 때, 강직형에서 지능이 낮을 확률이 가장 많고, 무정위형에서는 비교적 심하지 않다.
② **경련, 발작** : 30~50%에서 가끔 증상을 보이며 10% 정도는 후에 간질로 남는다. 강직성 편마비, 강직성 사지마비에서 발생률이 높고 의식소실과 함께 팔다리의 경련, 배뇨 등의 대발작을 일으키는 경우가 많다. 단순 소발작은 음식 씹는 것과 유사한 동작이 일시적으로 나타나며 복잡 소발작은 환상, 불수의적 운동 등이 나타난다.
③ **시각 장애, 안구운동 장애** : 사시가 가장 흔한 장애로서 전체의 20~60% 또는 40~45%라 하며, 특히 경직성 양지마비와 사지마비에서 높다. 내사시가 외사시보다 더 많고 깊이 인식이나 입체감각의 장애를 초래한다.
④ **의사소통 장애** : 청각장애, 발음 발성기관의 운동장애, 중추성 언어장애, 인지능력의 결함으로 인한 언어발달 지체 등으로 의사소통이 안 된다. 6~16%에서 청력 소실이 있으며 감각신경성 손상이 특징적인 청력소실이다. 불수의 운동형에서 경직형보다 청력소실이 4배 높다.
⑤ **지각기능 장애** : 편마비에 많고 손의 기능과 협동운동에 더욱 지장을 초래한다. 뇌성마비의 42%에서 한 개 이상의 감각장애를 갖는다.
⑥ **행동 장애, 학습 장애** : 과잉 운동증, 주의 산만, 감정조절 장애 등이 있으며, 정상아보다 4~5배 행동장애가 더 많다.

치과 진료실에서 대처하기

뇌성마비는 뇌의 손상으로 인해 초래되기 때문에 뇌손상시 동반되는 법랑질 형성부전이나 안면근육 부조화 등의 구강영역의 특징이 있을 수 있다. 또한 근육의 부조화에 따른 이갈이, 부정교합, 구토반사, 자정작용 감소 등이 치과적 고려사항이 된다. 그리고 치료 약물에 의한 부작용으로 인한 치은비대, 타액분비 감소 등이 나타날 수 있다.

뇌성마비가 있는 경우 나타날 수 있는 치과적 특징은 표 17-2와 같다.
뇌성마비로 인한 여러가지 신체적 특징 때문에, 치과 진료실에서 특별히 고려해야 할 사항은 다음과 같다.

표 17-2. 뇌성마비 환자에게 나타나는 치과적 특징
1. 치주질환 및 치은비대
2. 부정교합 : 2급 전치부 개교합 및 이갈이
3. 구호흡 및 혀 내미는 습관
4. 일반 인구집단에 비해 약간 높은 치아우식 경험도
5. 법랑질 형성부전, 치아손상, 치아파절
6. 악관절 장애
7. 구토반사 및 구강주위 조직 민감성 증가
8. 구강위생 불량
9. 타액분비 감소
10. 유연(침흘림)

1) 비정상적인 근육운동

어떤 환자들은 비정상적인 근육반응이 불수의적이며, 자세에 따라 종종 발생하는 반응이나 반사들이다. 특히, 치과 유니트체어에서 환자의 자세에 따라서 발생하며 머리를 돌리게 했을 때 종종 나타난다. 강직형에서는 머리를 뒤로했을 때 목의 위치가 불안정해지며, 몸 전체가 최대 신전되며 팔도 무엇인가를 움켜쥐려는 듯이 뻗으며 다리도 뻣뻣해진다. 이를 tonic labyrinthine reflex라 하며 환자를 휠체어에서 옮기거나 치과 유니트체어에 똑바로 누일 때 가장 흔히 발생한다. 등과 다리가 신전되면 체위유지와 균형을 잃게 되고, 팔과 목의 신전으로 인해 구강으로의 물리적 접근 및 시야가 방해받는다.

비대칭적인 목의 경직 반사(asymmetric tonic reflex)는 고개를 옆으로 돌리거나 신체 중앙선에서 옆으로 움직일 때 발생한다. 고개를 돌리면 팔과 다리가 얼굴 쪽으로 신전되고 어떤 경우에는 뻣뻣하게 똑바로 펴진다. 한쪽 팔다리가 신전되면 다른 쪽 팔다리는 굴전한다. 이 반사는 반드시 기억해 두어야 하는데, 이는 치과치료 시에 고개를 돌리게 할 수 있기 때문이다.

운동실조형인 경우에는 불수의적인 반사보다도 협조가 안 되는 것이 가장 큰 어려움이다. 이 경우에는 자세를 바꾸는 등 어떤 요구에 대하여 매우 천천히 그리고 힘들게 반응하기 때문에 협조가 안 될 뿐만 아니라 환자는 불안해지게 된다.

목, 두부, 구강 및 혀의 운동과 연관된 근육들의 조절은 뇌성마비 환자를 치료하는 치과의사나 보조원들에게는 매우 중요한 관심사이다. 뇌성마비 환자의 근육운동이나 반사를 조절하는데 도움이 되는 여러 가지 고안된 기구들이 있지만, 그러한 기구의 구입이 어려울 경우에는 치과의자에 콩주머니 등을 이용하면 환자 위치고정에 도움이 될 수 있다. 때로는 보호자가 붙들어 주거나 물리적 속박장치를 사용하기도 하는데, 이에 대하여 보호자에게 충분히 설명을 하는 것이 필요하다. 또한 술자는 되도록 환자의 뒤쪽에서 머리와 턱을 술자의 팔과 손으로 끌어안고 치료를 함으로써 갑작스러운 움직임에 대비할 수 있고, 보조원은 술자 대신 머리 고정을 돕거나 반사로 인하여 신전된 팔과 다리를 천천히 구부리거나 어깨를 주물러서 긴장을 풀도록 돕기도 한다.

2) 비정상적인 구강반사

구토반사, 기침, 교합반사, 연하 등이 불수의적으로 일어날 수 있어서 이에 대한 대비가 필요하다. 이러한 반사들로 인하여 구강내 이물질이 기도로 흡인될 수 있기 때문에 러버댐과 흡입기 사용이 필수적이다. 이러한 반사를 최소한으로 하려면 되도록 고개를 앞으로 숙여서 턱이 가슴에 닿게 하거나 인후부에 도포 마취를 하기도 한다. 삼킬 때 혀를 앞으로 내미는 습관이 있기 때문에 무리하게 개구기를 사용하거나 하악을 과도하게 누르면 숨이 막히거나 물에 빠지는 것과 같은 공포를 느낄 것이다. 이러한 반사를 줄이기 위해서는 기구를 구강 전방부에서 넣기보다는 측면으로 접근하는 것이 바람직하다.

3) 의사소통의 어려움

뇌성마비가 있는 경우, 언어장애 및 정신지체가 동반될 수 있기 때문에 의사소통에 문제가 있을 수 있으며, 그렇지 않더라도 발음이 정확하지 않아서 의사전달이 제대로 안 되는 경우도 많다. 그러나 보통은 지각능력에는 결함이 없고 표현보다는 이해가 빠르기 때문에 단순한 표현을 한다고 어린애 취급을 해서는 안 된다. 따라서 치과치료에 앞서서 환자의 인식수준과 의사소통 방법을 파악하는 것이 중요하며, 여유있는 의사소통이 필요하다.

4) 내과적 문제와 약물복용

전신적인 내과 병력을 알아보고, 필요하면 내과의에게 자문을 구하는 것이 환자에게 발생할 수도 있는 후유증을 예방하는데 필수적이다. 경련성 장애가 있는 경우가 많기 때문에 이에 대한 이해도 필요하다. 다양한 약물을 복용 중인 환자는 행동조절을 위하여 치과에서 약을 처방할 필요가 있으면 주의 깊게 파악되어야 한다.

5) 예방치과적 관리의 어려움

구강주위근육의 부조화는 혀나 다른 구강구조의 비정상적인 조절이나 반사 양상을 포함한다. 구강구조물들의 부적합한 조절로 인하여 치아, 점막 및 구개면에 음식물 잔사가 제대로 제거되지 않아 청결한 구강위생 상태를 유지하기 어렵다. 이런 경우 음식물을 씻어내기 위하여 구강 내를 헹구는 것이 어떤 환자들에게는 불가능하므로 자주 칫솔질을 하는 방법이 권장된다. 또한 입술 근육이 약하여 계속 침을 흘리고 구호흡을 하여 치석 형성이나 치은 염증 및 출혈을 초래한다.

대개의 뇌성마비 환자들은 특별한 변경 없이 보존치과치료와 예방적 관리를 받을 수 있다. 상지 동작이 부자유스러운 경우 구강위생관리가 어렵고, 경련이나 이갈이로 인한 손상으로 가철성 보철물 사용이 위험할 수도 있다. 따라서 심미성보다는 유지력이 강한 보철물을 시술해야 한다.

속박법은 환자의 편리를 위해 고려될 수 있으며, 근육강직을 일으킬 수 있는 갑작스런 동작은 피해야 한다. 예방적 치과관리가 강조되어야 하며 변형된 칫솔이나 전동 칫솔도 유용하다. 치면 열구전색이 요구되며 불소나 클로르헥시딘 사용이 권장된다. 법랑질 형성부전은 치아우식 발생이 잘되므로 최대한의 예방과 예방적 수복도 필요하다. N_2O를 이용한 진정과 근육이완제가 들어있는 진정제도 유용하다. 정신지체가 동반된 뇌성마비 환자는 육체적 장애뿐만 아니라 인지 장애도 고려되어야 하지만, 반면에 인지에 문제가 없는 뇌성마비 장애인이 대부분임을 인식하고 있어야 한다.

증례 1 | 15세, 남자

주소
하악 우측 구치부 동통

병력
출생 직후 고열로 인한 뇌성마비 1급 장애를 갖고 있으며, 경도의 정신지체도 동반하고 있어서 특수 교육을 받고 있다. 수일 전부터 상기 증상이 있어 진통제를 복용하였으나 나아지지 않아 타 의료기관에서 1차 처치를 받고 본원에 내원하였다.

구강소견
하악 우측 제 1대구치에 광범위한 와동이 형성되어 임시충전재로 마감되어 있으며, 다른 제 1대구치에도 중도의 치아우식증이 있었으나 환자가 별다른 증상을 느끼지는 못하고 있었다.

진단
급성 치근단 농양(하악 우측 제 1대구치)

치료계획

(1) 약물을 이용한 진정요법으로 환자의 협조도 유도
(2) 하악 우측 제 1대구치 근관치료 및 보철치료
(3) 기타 치아우식증 수복 치료

치료 및 경과

환자는 뇌성마비로 인한 근육의 불수의적인 강직과 불충분한 협조가 예상되어 의식하 진정요법을 사용하기로 하였으나 식후에 내원한 상태라 구토로 인한 기도폐쇄 등이 있을 수 있으므로 약물을 사용한 진정요법은 시행하지 못하고 단지 속박장치만을 사용하여 국소마취하의 발수 등 응급치과처치만을 시행하게 되었다. 이차 내원을 위하여서 보호자에게는 진정요법의 위험성을 설명하였고, 시술 전 금식을 권하였다. 또한 만일 호흡장애와 같은 응급상황이 발생하면 응급실로 후송될 수도 있음을 주지시킨 후 진료동의서에 서명을 받았다. 이차 내원시, 진정요법 전 생징후를 검사하고 진정요법을 위하여 Midazolam을 근육주사하고 10분 경과 후에 진정효과가 나타나서 시술을 시행하였으며, 시술 중에도 계속적으로 pulse oximeter를 이용하여 맥박수와 혈중산소포화도를 측정하였다. 또한 환자의 갑작스런 움직임으로 외상이 생기는 것을 방지하기 위하여 상지를 속박하는 장치를 사용하였으며, 국소마취를 위해 주사침을 자입할 때 환자가 갑작스럽게 움직일 수 있으므로 보호자와 치과위생사로 하여금 머리와 팔 다리 등을 가볍게 고정하게 하였다. 그러나 지나친 압박은 환자의 불수의적인 강직을 유도할 수 있기 때문에 주의를 하도록 하였다. 또한, 지나치게 목이 신장되거나 무리하게 입을 벌리게 하는 경우에 사지 근육의 강직을 유도할 수 있기 때문에 일반적인 진료 체위보다는 약간 세운 상태에서 진료를 시행하였다(그림 17-1). 또한 긴장하는 경우 호흡 부조화로 인해 구강내 이물질이 기도로 흡입될 위험이 있기 때문에 러버댐을 장착하였으며, 이 때 러버댐 클램프는 치실로 묶어서 러버댐 프레임에 걸어두었다. 환자의 스트레스를 최소화하기 위해서 불필요한 자극을 되도록 없애도록 했으며, 불빛에 민감하여 보호자가 눈을 가려주도록 하였다(그림 17-2). 환자가 비교적 협조가 잘 되어서 문제 치아의 근관치료를 완성하고자 하였으나, 치근단 병소가 심한 상태여서 근관 확대 후, 수산화칼슘을 주입하여 경과를 관찰하였으며, 이후에 최종적인 근관치료를 시행하고 보철치료를 완성하기로 하였다. 그 기간 동안 심한 이갈이로 인한 치아파절을 막기 위하여 기성 SS Crown을 장착하였다. 치료 시간은 약 한 시간 반정도 소요되었으며, 치료 후, 의식이 완전히 소생될 때까지 환기가 잘 되는 곳에서 환자를 쉬게 했다. 그리고 의식이 명료히 돌아오도록 찬 수건으로 이마와 얼굴, 손부위 등의 피부를 닦아주었으며, 약 30분 후 완전하게 각성되어 귀가하였다.

➕ 문제점 검토

환자의 협조를 유도하기 위하여 사용한 진정요법은 비교적 효과적이었으며, 환자의 불수의적 근육 강직도 거의 일어나지 않았다. 차후에 단계적인 치아우식증 처치와 근관치료 및 보철치료를 계획하였다.

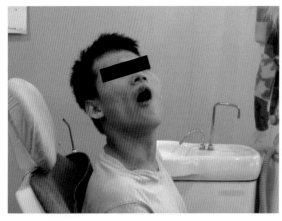

●●● 그림 17-1. 강직형 뇌성마비로 인해 사지와 안면 근육의 불수의적인 강직이 있다.

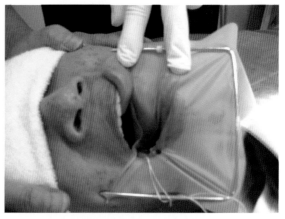

●●● 그림 17-2. 러버댐과 개구기를 장착한 모습
환자가 구호흡을 하여서 러버댐이 구강전체를 가리지 않도록 하였으며, 빛에 예민하여 눈을 가린 상태로 진료를 행하였다.

▐▐▐▐▐▐ 참고문헌

1. 재단법인 스마일(2008 행정안전부 민간단체 공익활동 지원사업) : 장애인 치과진료 가이드북, 개정판. 군자출판사, 2008, p.45-131.

2. Bloomquist DS, Egbert MA, Stiefel DJ : A self instructional series in rehabilitation dentistry, DECOD program. University of Washington, 1987, Module II & V.

3. Hunter B : Dental care for handicapped patients. Wright Bristol, 1987, p.14-48.

4. Little JW, Falace DA, Miller CS, Rhodus NL : Dental management of medically compromised patient, 6th ed. CV Mosby, 2002, p.439-477.

5. Reid JA, GradDip B, King PL, Kilpatrick NM : Desensitization of gag reflex in an adult with cerebral palsy. Special Care in Dentistry, 2000; 20(2): p.56-60.

6. Rutkaukas JS : Practical considerations in special patient care. Dental Clinic of North America, 1994; 38(4): p.483-498.

7. Thornton JB, Wright JT : Special and medically compromised patient in dentistry. PSG Publishing Co, 1989, p.10-48.

대한치과의사협회에서는 장애인 구강병 예방 및 치과진료를 위해 많은 노력을 하고 있습니다. 그 일환으로 장애인 구강보건과 관련한 인터넷 사이트를 개설하여 운영 중에 있습니다. 특히, 장애인 및 보호자가 이용 가능한 인근의 전문의료기관을 검색할 수 있도록 안내하고 있습니다.

www.dentalfriend.or.kr

Chapter 18

간질 환자인데,
치과치료를 받을 수 있나요

| 최길라 |

01 문제 제기
Dental Treatment
for Medically
Compromised Patients

'간질(epilepsy)'로 알려져 있는 경련성 장애는 치과치료와 같은 스트레스 상황에서 증상이 나타날 수 있지만, 대부분의 환자들은 치과치료와 자신의 병력이 무관하다고 생각하거나 사회적 편견으로 인한 불이익을 두려워하여 치과의사에게 말하기를 꺼린다. 이런 경우, 치과의사는 갑작스런 상황에서 대처할 방법을 찾지 못하여 위험한 상황이 될 수도 있다.

'간질'에 대해 치과적으로 고려할 점은 크게 두 가지이며, 이는 진료실에서 발작 시의 대처요령과 복용 중인 약물에 대한 파악이다.

02 기본적 이해
Dental Treatment
for Medically
Compromised Patients

'Epileptic'이라는 단어는 기절시키는 마력을 경험하거나 바닥에 누워서 발작을 일으킨 적이 있는 사람을 연상시킨다. Epilepsy 라는 단어는 넘어지는 병이라는 뜻의 라틴어로부터 유래되었다. 간질은 수세기 동안 정신병의 한 형태로 오인되어 귀신들림, 방사성 낙진, 잘못된 음식물 섭취 등에 의한다고 생각되었으며, 이러한 일반적인 고정관념 때문에 환자들과 보호자들은 질병을 숨기게 되는 경향이 있다. 하지만 우리는 치과전문가로서 이에 대해 보다 객관적인 사실을 정확하게 알고 적절하고 차별이 없는 진료를 행해야만 한다.

간질은 질병이 아니며 갑작스러운 대뇌피질의 이상 흥분상태에 의해 신체로 나타나는 여러가지 증세들을 간질성 발작이라고 한다. 이러한 간질성 발작이 특별한 이유없이 반복되고, 지속되는 만성질환을 간질이라고 한다. 뇌기능 장애의 증상이고, 가끔씩 재발하는 행동양상을 보이며 평형, 감지, 행동 및 의식에 장애가 있을 수 있다.

1) 발생빈도와 원인

간질에 대한 그릇된 인식으로 인해 누적된 자료를 얻기란 상당히 어렵지만, 최근 조사에 따르면 간질의 유병률은 1000명당 4~10명 정도라 하고, 매년 10만명당 20~70명이 새로이 발생하는 것으로 알려져 있고 특히, 소아기(0~9세)와 노년기(60세 이상)에서 많이 발생하는 것으로 되어있다. 발작은 중추신경계를 침범하는 모든 질환에서 나타날 수 있으며 연령에 따른 원인들의 차이는 표 18-1과 같다.

표 18-1. 연령에 따른 발작의 원인

연령	발작의 원인
출생 전~생후 6개월	감염, 분만손상, 뇌의 발달이상, 선천성 기형, 조산
6개월~2세	지속적 고열, 뇌의 발달이상, 중추신경계 감염, 약물 중독
2세~16세	특발성 뇌종양, 기생충 감염, 뇌의 발달이상, 중추신경계 감염
성인	두개강내 감염, 뇌종양, 뇌혈관질환

2) 분류와 증상들

간질은 크게 두 가지로 분류하며 각 유형은 20가지 이상의 복잡한 세부 분류로 나뉜다. 1981년 국제간질기구(International League Against Epilepsy: ILAE)에서 임상증상과 뇌파소견을 토대로 간질발작을 분류하였으며 크게 부분발작과 전신발작, 그리고 그 이외의 발작으로 구분되며, 부분발작은 대뇌피질의 일부 국소부위에서 기인한 발작을 의미하고, 전신발작은 대뇌의 광범위한 부위에서 동시에 양측이 대칭적으로 시작하는 것을 말한다.

(1) 부분발작(partial seizures)

① 단순부분발작(simple partial seizures)

이는 의식소실이 없는 부분발작으로서 침범된 뇌 영역에 따라 다양한 증상이 나타난다.

— 운동성 단순부분발작 : 한쪽 손이나 발, 얼굴 등 신체의 일부가 어느 한쪽으로 돌아가거나 일
  정한 속도로 반복적으로 까딱까딱하거나 입고리가 당기는 유형이다.

— 감각성 단순부분발작 : 신체의 일부에 감각소실이 있거나 이상감각(저릿거리는 것, 따끔거리
  는것, 환청, 환시등)이 나타나는 유형이다.

— 자율신경성 및 정신성 단순부분발작 : 조절되지 않는 구토, 안면창백, 안면열감, 발한, 동공
  확대 등 자율신경성 증상이나 실어증, 기억 이상증(꿈꾸는 느낌, 순간적인 과거 회상, 낯선 느
  낌, 친숙한 느낌) 등 정신질환의 증상을 보이는 경우, 그리고 심한 공포감, 절망감, 저항감 등
  정서장애 증세를 보이기도 한다.

② 복합부분발작(complex partial seizures)

이는 단순부분발작과는 달리 의식 변화나 소실이 나타나는 것이 특징적이다. 하던 행동을 멈추고
초점 없는 눈으로 한 곳을 멍하게 쳐다보는 증상이 대표적이며 비교적 흔하게, 입맛을 다시든가 씹는
동작을 반복하거나 물건을 만지작거리거나 옷을 잡았다 놓았다 하는 등의 의미 없는 행동을 반복하
는 경우를 볼 수 있는데 이를 자동증이라 한다. 이 발작이 나타나는 사람은 꿈꾸는 상태처럼 보인다.
이러한 발작은 30초에서 3분 정도 지속되며 발작 후 약간의 혼란과 두통이 동반되기도 한다.

③ 부분발작에서 기인하는 이차성 전신발작
  (partial seizure evolving to secondarily generalized seizures)

발작초기에는 부분발작의 형태를 보이다가 이상전위가 뇌반구의 양측으로 퍼지게 되면 강직-간대
성 발작과 같이 쓰러져서 전신이 강직 되고 안면청색증, 배뇨 등이 나타나고 혀를 깨무는 증세가 나
타나다 팔다리를 규칙적으로 떨게 되는 발작 형태이다.

(2) 전신발작(generalized seizures)

① 강직-강대성 발작(tonic-clonic seizures) 또는 대발작(grand mal seizures)

일반적으로 간질발작 증상으로 알려져 있는 뚜렷한 발작 유형으로 발작초기부터 갑자기 정신을 잃
고 호흡곤란, 청색증, 근육의 지속적인 수축이 나타난다. 대발작이 발현되면, 환자는 갑자기 모든 행
동이 정지되고 의식을 잃으며 서거나 앉은 상태로 뻣뻣하게 되어 넘어진다. 경련 초기에는 환자의 근
육이 수축하며 폐의 공기가 밖으로 밀려나온다. 이 때 성대를 통해 공기의 유출이 일어나며 이상한

소리가 나는데 이를 간질성 울음(epileptic cry)라고 한다. 의식을 잃은 후, 반복적인 강직성 근육경직과 간대성 근이완이 되풀이된다.

경련이 진행되는 동안 목이 뒤로 넘어가고, 안구의 흰자만 보이기도 하며 호흡이 거칠어지고 안면, 손톱, 입술 등이 청색조를 띤다. 환자는 심하게 땀을 흘리고 요실금으로 옷을 더럽히기도 한다. 의식상실과 근육의 반복적인 수축-이완 작용은 전형적으로 1~3분 지속된다. 경련 후에 환자는 의식을 찾고 당황하거나 경악하는 상태가 될 수 있다. 만일 경련이 2~4분 지속된다면 환자는 두통, 오심, 구토, 근육통, 언어장애, 정신혼란 등을 경험하게 된다. 때에 따라서는 경련 후 잠이 올 수도 있다. 수면은 수 분 또는 수 시간 지속되기도 하며, 경련 후 휴식기에 환자들은 정상적인 활동을 수행할 수 있다.

대발작의 빈도는 개인에 따라 다양하다. 어떤 경우는 1년에 한 번 정도인 반면에 하루에도 몇 번씩 하는 경우도 있다. 지속적인 경련은 영구적인 신경 손상을 야기할 수 있다. 'Status epilepticus'는 대발작 또는 5분 이상 지속되는 일련의 경련을 말하며, 이런 경우는 응급처치가 필요하다. 몸을 떠는 간대성 운동이 나타난다. 이 경련은 어떤 연령에서도 발생하며 '전조(aura)'라고 불리는 약간의 이상 감각 상태가 선행되기도 하는데, 이는 독특한 냄새, 이상한 소리, 구역질, 공포, 떨림 등의 감각 상태이다. 모든 사람이 대발작 전에 전조를 경험하는 것은 아니다.

② 결신발작(absence seizures) 또는 소발작(petit mal seizures)

이 경우에는 갑자기 하던 행동을 멈추고 5~10초간 자세가 흐트러지지 않은 상태로 응시(staring), 백주몽(day-dreaming) 또는 의식상실 등을 경험하곤 한다. 소발작은 수초 정도 짧게 진행되므로 이전 동작으로 순식간에 돌아가곤 한다. 가끔 눈주위나 입주위가 경미하게 떨리는 것도 관찰할 수 있다.

③ 근간대성 발작(myoclonic seizures)

근간대성 발작은 급작스럽게, 매우 짧은 기간 동안 쇼크와 같은 근육의 경축을 일으키는 것으로 전신 혹은 얼굴이나 몸통에 국한되기도 한다. 대개 잠이 들 때나 잠에서 깨어날 때 잘 나타난다. 깜짝 놀라듯 한 불규칙한 근수축이 양측으로 나타나는 발작으로 식사 중 숟가락을 떨어뜨리거나 양치질시 칫솔을 떨어뜨리거나 하는 것을 볼 수 있다

④ 무긴장발작(atonic seizures)

신체의 근긴장이 갑자기 소실되어 급작스럽게 쓰러지게 되는 형태로 머리를 반복적으로 땅에 떨어뜨리던지 길을 걷다 푹 쓰러지는 발작으로 인해 머리나 얼굴에 외상을 많이 입는 것이 특징이다. Lennox-Gastaut 증후군에서 많이 볼 수 있으며 이 경우는 예후가 썩 좋지 않다.

3) 치료

발작을 일으키는 질병으로는 간질이외에도 많은 원인들을 반드시 감별을 해야 하며 간질의 여러 유형에 따라 그 치료방법이나 사용 약물도 매우 다르기 때문에 간질의 진단은 자세한 병력청취와 뇌 파검사 및 MRI를 통해 이루어지게 되며 그 중에서 병력청취가 가장 중요하다.

정확한 진단 결과에 따라 수술여부와 약물의 종류를 선택하게 된다. 원칙적으로는 항경련제를 이 용한 약물치료가 우선이며 약물에 반응이 없는 경우에는 수술이 도움이 되기도 한다. 자주 사용되 는 항경련제는 카바마제핀, 페니토인, 발프로인산, 페노바르비탈, 프리미돈, 에토시메이트, 클로나제 팜 등 10여종이 있다. 최근엔 적절한 약물 사용으로 간질 환자의 80% 정도가 사회생활에 문제가 없 는 상태로 조절이 잘 되지만, 다른 요인으로 인하여 간질을 재발현 시킬 수 있음을 유의하여야 한다. 특히, 알콜, 수면부족, 불규칙한 식습관, 스트레스, 두부외상 등은 간질이 재발현되는 원인으로 작용 할 수 있다. 복용중인 항경련제의 적응증과 부작용은 표 18-2와 같다.

표 18-2. 흔히 처방되는 항경련제의 적응증과 부작용

약명(상품명)	적응증	부작용
Carbamazepine (카바마제핀, 카바제핀, 테그레톨)	복합부분발작, 강직-간대성 발작, 단순부분발작, 혼합형	시야장애, 홍조, 현기, 사고력저하, 오심 및 구토
Clonazepam(리보트릴)	결신발작, 근간대성발작	행동변화, 우울증, 현기, 불안, 사고력 저하
Valporic acid (오르필, 바렙톨, 발프로에이트, 발폰)	복합부분발작, 결신발작	현기, 탈모, 간손상, 오심, 체중증가, 떨림
Ethosuximide(자론틴)	결신발작	현기, 딸꾹질, 오심 및 구토, 혀의 팽창, 수면장애
Phenobarbitall (페노바비탈)	복합및 단순부분발작, 이차성 전신발작, 강직-간대성 발작	현기, 구강건조증, 두통, 피부발적, 불안
Phenytoin(다일란틴)	복합부분발작, 모든 전신발작	혼돈, 체모증가, 사고력저하, 언어장애, 치은비대, 운동실조

03 치과 진료실에서 대처하기

Dental Treatment
for Medically
Compromised Patients

치과시술 시의 잠재적인 문제점은 환자의 건강 문진에서부터 시작된다. 설문으로부터 얻어진 정보는 치료계획과 약속, 환자 관리, 예방적 관리 등에 도움이 된다. 이러한 정보는 복용 약물의 변화나 경련 상태의 변화에 따라 새로운 정보를 파악해야 한다. 환자와 보호자는 일반적으로 적절한 정보를 제공해야 한다. 만일 그렇지 않으면, 주치의사(내과, 신경과, 정신과, 소아과 등)에게 의뢰해야 한다. 간질과 연관된 표징으로 인해 많은 사람들은 자신이 간질이 있다고 나타내기를 꺼린다. 면밀한 건강문진과 치과치료와의 관련성을 알려줌으로써 환자가 보다 편안하게 자신의 상태를 드러낼 수 있다. 특별한 경우에는 환자의 기록과 진술에 대해 강조해서 확인할 필요가 있다. 또한, 치료 약속 전에 철저한 문진이 완성되도록 한다. 치료 직전에 예민한 질문을 하면 환자가 더 쉽게 경련이 일어나기도 한다.

치과에서 환자가 경련을 일으킬 가능성은 낮다. 그럼에도 불구하고 치과 팀은 모든 경련성 행동에 대해 예방하고 대비해야 하며, 다음과 같은 원칙들을 간질 환자 관리에 적용시키도록 한다.

① 일단 경련이 시작되면 어떤 방법으로도 멈출 수 없다.
② 경련이 진행되는 동안 물리적으로 속박을 하거나 붙잡는 것은 환자나 술자에게 신체적 손상을 야기할 수 있다.
③ 대부분의 경련은 5분 내에 사라진다.
④ 항상 환자에게 침착하게 대해준다. 대부분의 경련은 넘어져서 다치거나 5분을 초과하지 않으면 응급 상황으로 되지는 않는다.
⑤ 환자에게 자신의 장애로 인해 치과치료의 질이 떨어지거나 자신이 낮게 평가되지 않는다는 사실을 재확인시켜준다.
⑥ 어떤 경련성 행동도 주의 깊게 관찰하여야 하며 환자기록부에 남겨야 한다.
⑦ 만일 환자가 부모나 보호자와 함께 동행했다면, 경련의 발생과 어떻게 대처했는가를 알려 준다.

1) 경련의 행동 양상에 따른 고려

(1) 복합부분발작

이러한 유형은 매우 다양해서 세심한 병력 조사가 환자를 다루는데 매우 중요한 단서가 될 수 있다. 환자는 자신의 손이나 팔의 비정상적인 운동에 대해 불안정하거나 화를 내기도 한다. 자기 자신이나 다른 사람에게 손상을 주지 않도록 유지해야 한다. 경련이 끝나면 환자에게 재차 설명을 하고, 치료를 계속 받기를 원하는지를 확인해야 한다. 경련과 행동의 양상을 환자 기록부에 기록한다.

(2) 강직-간대성 발작/대발작

대발작 병력이 있는 환자는 정상적인 치료과정을 따라야 한다. 예를 들어, 정상 술식에서 러버댐을 사용해야 한다면, 대발작 병력이 있는 경우에도 사용한다. 그러나 기도흡인 방지를 위하여 클램프(clamp)에 치실을 묶어야 한다. 고무 개구기(rubber mouth prop) 사용 시에도 주의가 필요하고, 경련이 시작되면 재빨리 구강 내로부터 제거해야 한다. 만일 환자가 대기실이나 진료실에서 발작이 일어나면, 다음과 같은 원칙을 따른다.

① 침착하게 대처한다. 경련을 멈출 수 있는 방법은 없다. 경련은 2~4분 정도 지속될 것이다.

② 손상을 줄 수 있는 물건은 가까이 두지 않는다.

③ 환자가 치과의자에 앉아 있다면 바닥으로 굴러 떨어지지 않도록 의자를 낮추고 기울여서 누운 자세가 되도록 한다.

④ 환자가 aura 경험이 없는 경우에는 옷을 느슨하게 하고, 입이 다물리는 것을 막을 시간이 없을 것이다. 물건을 구강 내로 억지로 집어넣으려는 행동은 오히려 경련보다도 더 큰 손상을 초래할 수 있다.

⑤ 경련 도중 가능한 순간에 입안에 있는 기구를 모두 제거한다.

⑥ 만일 입안에 분비물이 많으면 플라스틱 흡인기를 사용하는 것이 바람직하다. 하지만 주의 깊게 사용하여야 한다.

⑦ 경련 후에 신체적 또는 구강내 손상이 있는지 환자를 검사한다. 만일 연조직 또는 경조직의 손상이 발견되면 적절한 조치가 필요하다. 만일 치아가 파절되면 파절된 조각이 흡인되지 않도록 제거하여야 한다.

⑧ 경련 중 또는 후에 혼자 두지 않아야 한다. 누군가가 환자에게 주위정황이나 경련이 있었다는 사실을 알려주어야 한다. 약속을 다시 잡기 전에 쉬도록 해야 한다. 만일 수복치료 도중이었다면 임시 수복을 해 주는 것이 필요하다.

⑨ 만일 환자가 요실금을 경험했다면 화장실을 알려 주어야 한다.

⑩ 만일 환자가 5분 이상 지속되는 심한 발작이라면 응급처치를 요청해야 한다.

(3) 결신발작/소발작

이런 종류의 발작은 주된 운동 근육에 경련이 일어나지 않는 이상 경련 행동이 인지되지 못한 채 지나치기도 한다. 응시 또는 백주몽은 치과적 술식을 방해하지 않는다. 그러나 환자는 질문에 답을 못하거나 지시를 따르지 못하기도 해서 의사소통에 문제가 생길 수 있다. 지금 무슨 일이 진행되고 있는지에 대해 환자의 이해정도를 확인하는 것이 필요하다.

2) 구강소견과 치료계획

두 가지 치료계획이 경련성 장애와 관련이 있다. 한 가지는 구강 안면손상이고, 또 다른 한 가지는 페니토인(phenytoin)과 같은 항경련성 약물을 계속적으로 투여함으로써 초래된 치은비대이다.

경련성 행동으로 인한 구강안면부 손상은 입술, 혀, 협점막 등을 포함한 연조직과 안면골, 턱뼈, 치아 등을 포함한 경조직에 생길 수 있다. 연조직 손상은 철저한 소독과 지혈, 그리고 봉합으로 처치한다. 감염의 멸균적 처치가 필요할 수도 있다. 연조직 손상은 임상적으로 방사선학적으로 관찰하여 골절과 같이 숨은 병소를 찾아내야 한다.

치아손상은 흔히 전치부에서 일어난다. 치아가 완전히 빠지거나 심하게 부러지거나 또는 부서질 수 있다. 치료는 경련 조절 정도와 환자의 협조도, 심미성, 경제상태 등에 따라 달라진다. 조절되지 않는 경련성 장애가 있을 경우에는 고정성 보철물이나 견고한 수복물이 선택되어야 한다. 수복물의 선택은 파절 가능성, 탈락 가능성 또는 흡인 가능성 등에 따라 달라진다. 복잡한 경우는 구강악안면 외과의, 보철의, 교정의, 일반치과의사, 치과위생사, 사회복지사, 그리고 다른 전문가들을 포함한 상호 합의가 필요하기도 하다.

치과위생사들은 환자가 수복물이나 보철물의 적절한 관리를 할 수 있도록 교육하는 중요한 역할을 담당하고 있다. 치실이나 치간 칫솔 사용을 지도하는 것은 매우 중요하다. 또한 교사나 보호자에게 구강위생관리법과 구강손상 대처요령 등을 알려주는 것도 도움이 된다. 머리보호를 위하여 헬멧을 사용하는 간질 환자는 헬멧에 부착된 구강 또는 턱뼈 보호 장치를 권하기도 한다.

페니토인으로 인한 치은비대를 관리하기 위한 추천법들이 미국 장애인 치과학회와 노스캐롤라이나 대학에 의해 소개되었다. 치은비대의 문제는 페니토인이 대발작 시 가장 선호되는 약물이기 때문에 구강건강에 있어서 매우 중요하다. 치은비대는 약물을 장기 복용하는 환자의 25~50%에서 발생한다. 다른 항경련성 약품은 이러한 치은 상태를 초래하지 않는 것으로 보인다. 몇 가지 특징적인 내용은 다음과 같다.

① 남녀 사이에는 차이가 없다.
② 나이가 많은 사람들보다는 젊은 사람에서 빈발한다.
③ 조직의 과성장 정도는 복용량과 투여기간과 관계가 있지만 명확하지는 않다.
④ 전치부와 협측에 더욱 현저하다.
⑤ 무치악의 경우에는 과성장이 일어나지 않는다.

연구에 따르면, 치태나 치은 자극물질이 과성장의 전 단계에 필수적이다. 치은의 저항성에 영향을 주는 요인 또한 관계가 있다. 페니토인에 의한 대사 결함이 치은의 저항성에 영향을 준다. 이러한 상황은 내과의사나 영양사가 엽산(folic acid) 결핍을 막는 처방을 함으로써 줄일 수 있다.

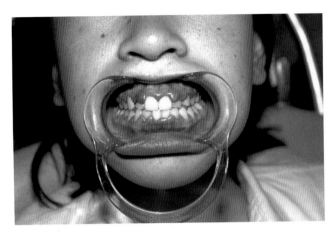

●●● 그림 18-1. 장기간의 페니토인(Di-lantin) 복용과 부적절한 구강위생관리로 인해 치은의 과증식을 보이는 환자로, 신경과 및 치주과의 자문이 요구된다.

과성장된 조직은 창백하고 분홍빛이며, 섬유성으로 치아 사이를 메우거나 치아 전체를 덮기도 한다(그림 18-1). 치아의 위치변형, 저작곤란, 심미적 결함 등을 초래할 수 있다. 종종 치은 염증이 치은 비대에 동반될 수 있다. 치은조직의 형태로 인하여 구강위생이 곤란하다. 치은 수술로 과성장 조직을 제거하거나 다듬지만 약물을 그대로 복용하고 구강위생이 부적절하면 다시 자라날 수 있다. 고무 장치(rubber appliance)를 이용하여 치은 압박을 가하면 과성장 정도가 어느 정도 감소될 수 있다. 이와 같은 장치는 하루 3시간 또는 밤새 착용한다. 이 효과는 칫솔질과 치실 사용으로 구강위생관리를 철저하게 함으로써 증강될 수 있다. 구강세척기(oral irrigator)를 사용하는 것도 과성장으로 깊어진 치은열구 내의 음식찌꺼기를 제거하는데 도움이 된다. 불소 사용은 치태를 감소시키고 치은 염증을 줄일 수 있다.

간질을 포함한 발작장애(seizure disorder)를 가진 환자의 치과적 관리 방침은(표 18-3)과 같다.

표 18-3. Seizure disorder 환자의 치과적 관리
1. 간질 발작의 조절이 안되고 1개월에 1회 이상 발작이 있는 환자는 치과치료가 금지됨
2. 중추신경 억제제인 Phenobarbital & Primidone 같은 약물 투여자에서 진통제는 비마약성 진통제인 NSAIDS를 사용하고, 부득이 마약성 진통제를 투여해야 되면 용량을 감소시킴
3. Phenytoin, Phenobarbital 같은 약제 투여자에서는 Tetracycline 사용시 분해가 촉진되므로 가능한 한 사용치 말 것
4. 치은 과다증식증의 관리원칙 준수 • 구강위생 관리와 철저한 국소적 치은 염증 조절 및 주기적 추적관리 • 치은 과다 증식으로 저작기능, 심미장애, 치조골 파괴 과도시는 외과적 절제와 성형 수술고려
5. 관련의학과(주치의)와 상의해 Phenytoin을 대체시킬 항전간제(간질약) 선택 등 상의
6. 급성 간질발작 장애시기에는 치과진료시 흡인(aspiration) 위험을 최소화 함(예를 들면 가철성 의치보다는 고정성 의치장착, 러버 댐과 clamp에 floss silk 감아둠, 구강내 이물과 출혈발생 최소화)

3) 예방적 관리

예방은 간질 환자의 관리에 중요하다. 경련성 장애가 진단되는 대로 부모와 환자교육이 시작되어야 한다. 개별화된 가정 프로그램을 개발하고 정기적인 검진을 시작한다. 의학과(주로 내과)적인 정보와 환자의 감정적 상태에 대한 정보 등을 파악하는 것도 필수적이다. 특히 청소년기에는 사회 심리적으로 협조를 유도하기가 어려울 수 있다. 구강위생관리의 향상은 긍정적인 자아상을 갖도록 하는 데 중요하다는 사실을 인지하고 노력하는 것이 필요하다. 또한 전신건강의 관리를 위해 관련 의학과(주로 신경내과, 소아과)와의 협진이 뒤따라야 한다.

증례 1 ┃ 10세, 남자

주소
친구들과 장난치다 상악 전치부에 손상을 입었다.

병력
어릴 때부터 간질 병력을 가지고 있어서 소아과와 신경(내)과 진료를 받아왔고, 최근 1년 사이에는 간질 발작의 증상은 없었다.

구강소견
초진 시 상악 좌·우측 중절치의 탈구와 치은 열창부 주위로 출혈과 염증소견을 보였다(그림 18-2).

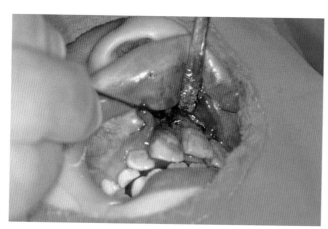

●●● **그림 18-2.** 내원 초기의 구강내 손상 모습

진단

(1) 외상성 치아탈구(#11, 21)

(2) 상악 전치부 치은열창

치료계획

(1) 손상부의 염증 감소를 위한 투약(항생제, 소염진통제 등)

(2) 관련의학과(소아과 또는 신경과) 자문

(3) 탈구치아의 정복, 고정술과 근관치료

(4) 치은열창 봉합술

치료 및 경과

내원 당일의 병력청취에서 간질 병력이 확인되어 우선 손상 부위의 감염방지를 위해 약물요법(penicillin 제제, aminoglycoside 항생제와 경구용 진통제 등)을 시행하였다. 서둘러 치과진료를 하다 간질 발작이 일어나면 더욱 손상위험이 높으므로 원칙적인 단계로서 먼저 관련의학과(환자는 최근까지 신경과 진료를 받아왔으므로 신경과 진료 필요)에 치과진료 시의 유의사항에 대해서 자문을 구했다. 인근 신경과 의원에 자문을 구한 결과, Ketamine이나 Valium 같은 수면진정제 등으로 진정을 시켜서 치과진료를 시행하면, 간질 발작의 우려는 거의 없을 것이란 회신이 있어 Ketamine 120mg(체중 30kg)을 근육주사 하고서 국소마취를 시행하였다. 탈구된 상악 좌·우측 중절치를 arch bar를 이용해 정복 고정시킨 다음에(그림 18-3), 탈구치아 치주인대의 염증을 감소시키고자 일차적인 근관치료(발수, 교합삭제 조정 및 근관확대)를 시행했고(그림 18-4), 치은열창 봉합술도 실시했다. 그 후 약 1주일에 1회씩 내원해 창상감염방지를 위한 드레싱을 시행했으며, 약 4주일 경과 후 arch bar를 제거하고서 근관치료를 계속해 약 6주째에 근관충전을 실시하고 방사선 사진검사로 그 적합성을 평가했다(그림 18-5). 그 후 2개월 간 추적 관찰한 결과 비교적 양호한 예후를 보였고, 간질 재발작의 소견은 나타나지 않았다.

문제점 검토

통상적으로 간질 환자에서 진솔한 병력청취는 어려운 면이 있으나, 이를 간과할 경우 스트레스가 과중되는 치과진료에서 간질의 발작 현상은 충분히 일어날 수 있으므로 간질의 병력을 미리 확인하는 것이 매우 중요하다. 본 환자의 경우는 간질 병력을 사전에 알았기에 관련의학과 자문도 구할 수 있었으며, 만약 간질이 발작되면 후처치를 어떻게 할 것인지를 미리 대비했던 점(간질 발작의 전 단계 증상을 보이면 진정제 같은 약제의 우선투여 및 신경과 전문의와 응급의학 전문의에게 직접 전화연락할 경우 즉시 출동할 태세를 갖춤 등)도 의미 있는 간질 환자 관리법으로 사료되었다. 다행히 손상 치아들의 예후도 비교적 양호하여 환자와 보호자 모두 만족했고, 그 후 모든 치과진료를 받을 수 있었다.

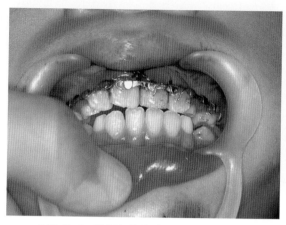

●●● **그림 18-3.** 탈구된 상악 좌·우측 중절치를 arch bar, wire & resin을 이용하여 정복 고정한 모습

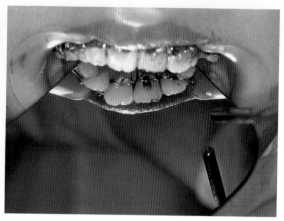

●●● **그림 18-4.** 탈구된 상악 좌·우측 중절치에 일차적인 근관치료를 시행한 모습으로, 근관이 배농로가 되므로, 급성 염증 치유 기간은 근관개방 상태를 유지한다.

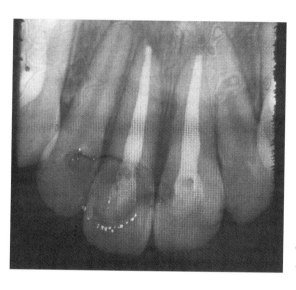

●●● **그림 18-5.** 손상 후 6주일 째, 근관치료를 완료한 방사선사진으로 특기할 치근흡수 소견은 보이지 않는다.

▨▨▨ **참고문헌**

1. Bloomquist DS, Egbert MA, Stiefel DJ : A self instructional series in rehabilitation dentistry, DECOD program. University of Washington, 1987, Module II & V.

2. Little JW, Falace DA, Miller CS, Rhodus NL : Dental management of medically compromised patient, 6th ed. CV Mosby, 2002, p.439-477.

3. Lange BM, Entwistle BM, Lipson LF : Dental management of the handicapped. Lea & Febiger, 1983, p.107-122.

4. Rutkaukas JS : Practical considerations in special patient care. Dental Clinic of North America, 1994; 38(4): p.483-498.

5. Thornton JB, Wright JT : Special and medically compromised patient in dentistry. PSG Publishing Co, 1989, p.10-48, p.134-148.

Chapter 19

장기이식을 받은 환자의
치과치료는 어떻게 하나요

| 박원서 |

01 문제 제기

Dental Treatment
for Medically
Compromised Patients

장기이식은 신장, 간, 폐, 심장, 골수 등 생명 유지에 중요한 역할을 하는 장기에 문제가 생겼을 경우, 최후의 치료로 선택되는 시술이다. 면역학적인 개념의 발전 외에도, 수술 기술과 약물 요법의 발전에 의해 장기이식 후 성공율도 높아졌으며, 생존율도 높아지고 있다. 이 장에서는 장기이식과 관련하여 장기이식 전, 장기이식 직후, 그리고 장기이식 후의 치과치료 시 주의해야 할 고려사항에 대하여 기술하고자 한다.

02 기본적 이해

Dental Treatment
for Medically
Compromised Patients

현대 의학에서 장기이식(조직 이식)은 더 이상 특수한 술식이 아니다. 신장, 간, 심장, 폐, 골수 등 생명유지에 필수적인 장기들이 기능을 하기 힘든 경우, 장기이식은 환자의 생명을 구하거나, 환자의 삶의 질을 향상시키는 데에 큰 역할을 한다. 심장, 간, 골수 이식을 받아야 하는 환자들은 이식수술을 받지 않으면 사망하게 된다. 이에 비해 말기 신장질환을 가진 환자에게 장기이식이 이루어 진다면, 투석에 의해서 영위하던 삶에서 벗어나게 되어 환자의 삶의 질 향상에 기여한다. 마찬가지로 심한 당뇨를 가진 환자에서는 매일 인슐린 주사를 맞아야 하는 불편함에서 벗어나게 하는 방법으로 장기이식이 고려될 수 있다.

1954년 노벨상 수상자인 Murray가 일란성 형제에게서 제공된 신장을 이용하여 최초의 성공적인 인간 장기이식을 시행한 이래, 1962년 사체로부터 신장이식이 성공적으로 시행되었다. 이후 신장이식술의 발전으로 인해 신장이식 환자의 1년 생존율은 90% 이상으로 알려져 있으며, 5년 생존율은 80% 이상이다. 1968년 102건의 심장 이식이 시행되었을 때만 해도 1년 생존율이 22%에 머물렀지만, 최근 1년 생존율은 80% 이상이며, 5년 생존율은 70%를 넘는 것으로 알려져 있다. 골수이식 역시 백혈병이나 재생불량성 빈혈 등을 치료하기 위해 시행된다. 초기 골수이식 환자에서는 치명적인 숙주 대 이식질환(GVHD)으로 인해 동종간 이식이 거의 성공하지 못했지만, 최근 조직 적합성 검사와 GVHD 치료 프로토콜의 개발, 면역억제제의 사용 등으로 인해 성공율이 증가하고 있으며, 1년 생존율은 약 50~90%, 5년 생존율은 약 30~70%로 알려져 있다. 이러한 장기 이식술의 발전은 몇 가지 의학 기술의 발전으로 이루어 졌는데, ① 효과적인 면역 억제제의 개발 ② 외과 술기의 향상 ③ 이식장기의 거부반응을 감시하기 위한 경피 생검을 포함한 조직 적합성 검사 ④ 그리고 잠재적인 공여자의 죽음으로 정의되는 "뇌사" 개념의 도입 등이다.

장기이식을 시행하게 되는 원인은 다양한데, 심장이식인 경우 심근병과 심한 관상동맥 질환, 간이식인 경우 간부전, 담낭 경화증, 만성 간염, 담도 폐쇄, 신장이식인 경우 양측성 말기 신장질환, 췌장이식인 경우 말기 신장질환으로 발전하는 심한 당뇨병 등이다. 신장이식을 준비하는 환자들인 경우 신장이식뿐만 아니라 췌장 이식도 좋은 적응증이 된다. 골수이식을 위한 적응증은 급성 및 만성 골수성 백혈병, 임파종, 재생불량성 빈혈, 면역 결핍증 등 이다. 환자의 시술 전 전신상태는 각 장기의 문제에 따라 다른데, 자세한 내용은 각 질병에 대한 장을 참고하기 바란다.

장기이식 환자가 사용하는 면역 억제제는 cyclosporine, azathioprine, mycophenolate mofetil, prednisone, tacrolimus, sorolimus, everolimus, 항림프구제 등이다. 가장 좋은 결과는 세 가지 약물 면역 억제 치료법으로, cyclosporine, prednisone과 azathioprine 혹은 mycophenolate mofetil(MMF)를 사용하는 것으로 알려져 있다. 항림프구 약물은 면역 억제 유도시기와 급성 거부기에 사용된다. 전신 방사선 요법은 골수이식 환자에서 많이 사용된다. Cyclophosphomide가 이식 전(4~5일 전) 면역억제기에 사용된다.

위와 같은 다양한 약물과 치료방법으로 인해 성공율이 증가하였지만, 장기이식의 합병증은 언제든지 발생할 수 있다. 장기이식과 관련된 합병증은 크게 외과적인 술식이 관련된 기술적인 문제, 면역 억제와 관련된 문제, 그리고 장기 이식부위에 특이적인 특수한 문제로 나눌 수 있다.

이식 면역억제는 감염의 위험성을 증가시키므로 주의해야 하며, 임상적으로는 기회감염과 종양이 발생하게 된다. 과도한 면역 억제의 증거가 발견되었을 때는, 면역억제제의 용량을 감소시켜야 한다. 그 외에 감염, 치유지연, 고혈압, 당뇨, Addison 반응 등이 과도한 면역억제의 징후로 생각된다.

거부반응은 장기 실패의 증상들이 나타나기 시작할 때 알 수 있으며, 생검을 통해 확진한다. 급성 거부반응의 징후가 발견되면, 일반적으로 면역억제제의 용량을 증가시킨다. 만성 거부반응인 경우 잠행성으로 발생하고 진행된다.

면역억제제 사용으로 인한 부작용도 존재한다. Azathioprine의 중요한 부작용은 백혈구 감소증, 혈소판 감소증, 빈혈 등이 발생하는 골수 억제이며, 이것으로 인해 감염과 출혈에 취약하게 된다. Cyclosporine은 골수억제가 비교적 덜 한 것으로 알려져 있지만, 고혈압, 출혈, 빈혈을 유도하는 신장과 간의 변화, 치은비대, 다모증, 남성형 유방, 그리고 피부와 자궁암 증가 등이 약물 부작용으로 알려져 있다. Prednisone은 고혈압, 당뇨, 골다공증, 치유 부전, 우울증, 감염의 위험성 등의 부작용이 있으며, 가장 치명적인 부신 억제의 원인이 될 수 있으므로 주의해야 한다.

면역억제된 환자에서 특정 암의 발생이 증가한다고 알려져 있는데, 림프종, 구순암, Kaposi 육종, 신장암, 외음부와 회음부암 등이 조금 더 많이 발생한다고 알려져 있다.

특수한 장기합병증으로는 심장과 골수에서 발생한다. 심장이식에서는 관상동맥질환이 문제가 되는데, 이식 후 5년째 약 36%에서 발생한다고 알려져 있다. 이러한 관상동맥 질환은 후기 사망의 약 60%의 원인이 된다.

숙주 대 이식질환(GVHD)은 동종 골수이식의 가장 중요한, 그리고 치명적인 합병증이다. 급성 GVHD는 이식 첫 2달 안에 일어나며, 피부, 간, 그리고 위장관에 주로 발생한다. 만성 GVHD는 늦게 발생하며 경피증과 비슷한 피부변화, 자가면역질환 발생 등으로 나타난다. 구강증상으로는 구강건조증, 백반증, 그리고 구순염에 의한 소구증 등이 발생할 수 있다.

03 치과 진료실에서 대처하기

Dental Treatment
for Medically
Compromised Patients

장기이식과 관련되어 치과의사의 역할은 잘 알려져 있다. 치과의사가 장기이식환자와 관련하여 고려해야 할 것은 크게 ① 장기이식 전 관리 ② 장기이식 후 관리로 나눌 수 있다.

1) 장기이식 전 환자의 치과치료 시 고려사항

이식을 계획중인 환자는 이식수술 전 치과 평가가 반드시 진행되어야 한다. 가장 크게 문제가 되는 것은 치주질환인데, 치주질환이 장기이식수술의 성공에 영향을 끼칠 수 있다는 많은 연구들이 보고되었기 때문이다. 그렇기 때문에 치주질환은 반드시 치료되어야 하고, 환자에게 구강위생관리의 중요성이 강조되어야 한다. 광범위한 치아우식증, 심한 치주질환이 있는 치아들은 이식수술 전에 발치하는 것이 추천된다. 실활치들은 근관치료를 시행하거나 발치해야 하고, 이후 잇솔질과 치실사용, 불소도포 등 적극적인 예방치과 술식이 병행되어야 한다.

이식 전 환자를 치료를 할 때 고려사항은 ① 이식될 장기의 기능이상 정도 ② 예방적 항생제의 사용 여부 ③ 치과치료를 견딜 수 있는 환자의 전신 상태 평가 등을 위해 주치의와 협진 하에 치료해야 한다. 즉 항생제의 용량 증가 또는 감소, 출혈 경향 감소를 위한 약물 투여 및 수혈 여부 등에 대해 주치의와 상의하여, 환자의 전신상태에 맞는 치과치료를 조기에 시행해야 한다. 그러므로 장기 이식 전 치과 평가는 빠르면 빠를수록 좋다.

2) 장기이식수술을 받은 환자의 치과적인 고려사항.

이식술을 받은 환자의 치과적인 관리는 이식수술 후 환자의 상태에 따라 달라지는데, ① 이식 직후 ② 이식수술 후 안정된 시기 ③ 만성 거부시기 또는 거부시기 또는 숙주 대 이식질환 발생시기로 나누어서 생각할 수 있다.

(1) 이식 직후

이식수술 직후의 가장 큰 관심사는 수술의 합병증을 예방하고, 급성 거부반응을 막는 것 이다. 그러므로 일반적인 치과치료의 적응증이 되지 않으므로, 응급 치과처치를 제외한 모든 치료는 행해져서는 안된다. 이러한 내용을 고려할 때, 이식수술 전 치과 평가가 중요하며, 단기간에 문제를 일으킬 수 있는 치아들은 모두 치료를 시행한 후 이식수술을 진행해야 한다.

(2) 이식수술 후 안정된 시기

이식된 조직이 치유되고, 거부반응이 발생하지 않게 되면, 환자는 안정기에 접어들었다고 판단할 수 있다. 이 때에는 주치의와 협진하여 환자의 장기 상태를 확인하고, 정상적인 범주에 있다고 판단될 경우 일반적인 치과치료를 시행해도 된다. 그러나 안정기라 하더라도 치과 시술 시에 몇 가지를 고려해야 하는데, ① 감염 위험성 ② 바이러스성 감염 ③ 과도한 출혈 ④ 스트레스에 대한 이상반응 ⑤ 고혈압 등의 위험성을 생각해야 한다.

감염의 위험성은 면역억제제를 사용하는 모든 환자에서 문제가 된다. 그러므로 환자의 전신상태에 맞는 예방적인 항생제를 반드시 투약하고 치과치료를 진행해야 한다. 또한 여러 번 반복하여 예방적 항생제를 사용하게 되면 항생제의 내성 등의 문제가 있기 때문에, 시술 후에도 면밀히 관찰해야 한다. 이식수술을 받은 환자에서 예방적 항생제 투약 방법은 감염성 심내막염의 예방을 위한 방법과 조금 다른데, 치과 시술 전 아목사실린 2g과 메트로니다졸 500mg을 복용하는 것이다. 그러나 항생제의 종류가 많고, 관련의학과 주치의의 의견도 있으므로 서로 협의진료를 통해서 항생제를 선택해 투여하는 것이 바람직하다.

이식수술을 받은 환자는 바이러스성 감염에 특별히 민감할 수 있는데, 가장 문제가 되는 바이러스는 CMV(Cytomegalo virus)이다. 효과적인 감염관리술식은 이식환자를 치료할 때 매우 중요한데, 만에 하나 발생할 수 있는 HBV(Hepatitis B virus), HCV(Hepatitis C virus), HIV(Human immunodeficiency virus) 감염을 막기 위해서이다. 과도하게 면역억제제를 투여하고 있는 경우 HSV(Herpes simplex virus), CMV, EBV(Epstain bar virus)를 의료진에게 옮길 수 있으므로, 격리실을 사용하고, 개인 보호기구를 착용하며, 보편적 감염관리 원칙(Standard Precaution)을 지키면서 치과 시술을 진행해야 한다.

과도한 출혈 역시 발생할 수 있는데, 혈전증을 예방하기 위해 항 혈소판 제제나 항 응고제를 복용할 수도 있기 때문이다. 항응고제를 사용하지 않는 환자들도 이식조직의 거부반응이나 GVHD, 심각한 기능 이상 등이 있는 경우 출혈 가능성이 있으므로, 기본적인 출혈성향 검사를 시행하고 관혈적 치과술식을 진행하도록 한다.

스트레스에 대한 이상반응은 스테로이드를 복용하는 이식환자에서, 부신기능 억제로 인해 발생한다. 급성부신위기를 예방하기 위해서는 외과적 술식 전과 후에 추가적인 스테로이드를 투여할 필요가 있는데, 이 용량을 정하기 위해서는 주치의와의 협진이 필수적이다.

고혈압은 cyclosporine의 주요한 부작용이며, prednisone 역시 고혈압을 유발할 수 있다. 그러므로 치과의사는 장기이식 환자가 내원하였을 때 반드시 고혈압 여부를 평가해야 하고, 환자의 기준 혈압을 자문을 통해 파악한 후, 치과에 내원시 매번 혈압을 측정하여 환자의 혈압 변동을 관찰하면서 치과치료를 진행해야 한다.

(3) 만성 거부시기 또는 숙주 대 이식질환 발생기

이 시기에는 치과치료를 주치의와 상의하여 진행해야 하며, 일반적으로 응급 치과치료나 간단한 치과치료만 시행하도록 한다.

증례 1 | 33세, 남자

주소

신장이식 후에 잇몸이 자라 올라와서 피가 난다.

병력

만성 신부전증으로 2003년 신장이식을 받았으며, 내원 당시 신장 기능은 정상이었다.

치과병력

특이사항 없다.

구강소견

전반적인 치은의 과증식이 관찰되었으며, 전체적으로 fibrotic한 양상을 보였으나, 치석이 침착된 부위는 국소적인 염증으로 인해 reddish하게 관찰되었다. 치은증식으로 인한 pseudopocket이 형성되었지만, 치조골의 소실은 관찰되지 않았다.

치료 및 경과

면역억제제 투여로 인한 치은증식으로 판단되어, 비외과적 치주처치를 우선 시행하여 치은 상태를 개선시킨 후, 치은 절제술 및 성형술을 계획하였다. 주치의와 협진을 통해 구강내 소수술을 시행할 수 있는 전신상태임을 확인하였으며, 3차례에 걸쳐 scaling을 시행하였다. scaling을 시행한 뒤 국소적인 염증은 줄어들었으나, 치은증식은 감소하지 않았다. 국소마취하에 blade로 치은을 절제하였으며, 다이아몬드 버와 고속 핸드피스로 치은 성형을 시행하였고, 마지막으로 diode laser를 이용하여 지혈하였다(그림 19-1). 시술 2주 후 증식된 치은은 관찰되지 않았으며, 구강위생상태도 호전되었다.

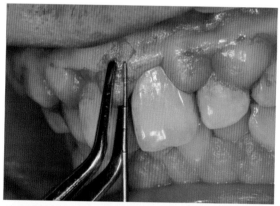
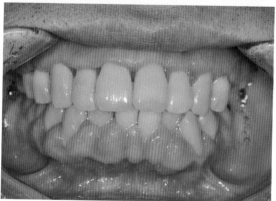

●●● **그림 19-1.** 신장이식 후 발생한 치은증식과 상악 치은 절제술을 시행한 모습. 치은 절제술 전에 scaling과 치태조절법을 교육하는 것이 추천된다.

문제점 검토

신장이식을 받은 환자에서 흔하게 나타나는 치은증식은 비교적 간단한 시술로 치료될 수 있다. 그러나 처음부터 치은 절제술 및 성형술을 시행하는 것 보다, 시술 전 scaling과 치태 조절법을 교육한 후 시술하는 것이, 치은 절제술시에 발생할 수 있는 출혈을 줄일 수 있다. 또한 절제된 조직은 반드시 조직검사를 시행하여 치은증식임을 확인해야 한다.

증례 2 | 36세, 여자

주소

혈액내과에서 구강점막 조직검사를 위해 의뢰되었다.

병력

한번씩 반복되는 tonsillitis를 치료하기 위해 tonsillectomy를 계획중이었던 환자로, 술 전 혈액검사에서 이상소견이 발견되어 혈액내과로 전원되어 AML(acute myeloid leukemia)로 진단 받았다. 이후 수 차례 항암치료 후 동종 조혈모세포 이식술(allogenic hematopoietic stem cell transplantation)을 시행받았다. 골수 이식 전 치과평가를 위해 외래로 내원하여 치석제거술 및 구강위생교육을 받았으나, 골수이식수술 후 간 수치 상승 및 구강점막에 white lesion이 관찰되어 GVHD 가진하에, 확진을 위해 구강점막 조직검사가 의뢰되었다.

치과병력

골수이식수술 전 치과 평가를 위해 내원하여 간단한 치석제거술과 구강위생교육을 받은 외에 특이사항 없다.

구강소견

협점막, 상악 및 하악 치은, 경구개, 혀 부위에 whitish plaque처럼 관찰되는 연조직 병소가 관찰되었으며, 병소는 면역억제제나 steroid를 투여하면 줄어든다고 하였다. 전반적인 구강건조증 소견도 관찰되었으며, 구각부에 scar tissue로 인해 소구증(microstomia) 소견이 관찰되었다.

치료 및 경과

혈액내과 주치의와 상의하여 항생제 전투약 후 excisional biopsy를 시행하였다. 환자의 전신상태가 썩 좋은 상태는 아니었기 때문에, laser를 이용하여 부분적으로 white lesion을 절제하였다. Laser를 이용하여 절제하였기 때문에 시술 후 과다한 출혈은 없었으며, 창상치유도 양호했다.

문제점 검토

골수이식 환자가 치과에 내원하는 경우는 1) 골수이식술 전에 구강내 감염원을 없애기 위한 목적으로 내원하거나 2) 이식 후 숙주 대 이식질환(graft versus host disease, GVHD)의 진단을 위해 내원하는 경우가 대부분이다. 골수이식 전 치과 평가를 위해 내원하는 경우 감염원으로 작용할 수 있는 치아는 반드시 치료해야 한다. 특히 치주질환이 있는 경우 골수이식을 포함한 장기이식수술의 예후에 영향을 끼칠 수 있기 때문에 scaling을 포함한 치주치료와 구강위생관리교육에 중점을 두어야 한다.

GVHD가 발생한 환자인 경우 치과에 내원하는 경우가 드문데, GVHD가 발생하게 되면 환자의 생존율이 현저하게 낮아지기 때문이다. GVHD의 구강내 특이소견은 연조직에 whitish plaque like lesion이 발생하는 것이 대부분인데, 주로 협점막, 치은에 발생하며, 혀, 경구개에 발생하기도 한다(그림 19-2).

이식 후 구강건조증이 발생하는 경우도 있으며, 구각부위에 염증을 동반한 ulceration이 발생하게 되고, 이것이 치유되는 과정에서 소구증(microstomia)이 발생하기 쉽기 때문에 치과치료를 포함한 일상 생활에서 불편감을 초래할 수 있다.

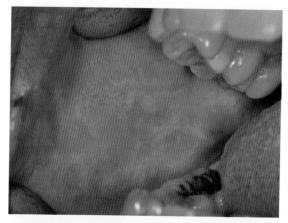
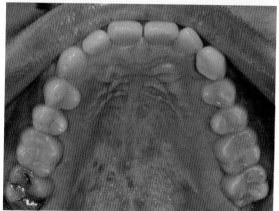
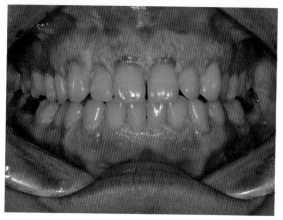

●●● **그림 19-2.** 숙주 대 이식질환으로 협점막, 혀, 구개부에 발생된 백색 병소들

참고문헌

1. U.S. Department of Health and Human Services. 2006 Annual Peport of the U.S : Organ Procurement and Transplantation Nework and the Scientific Registry for Transplant Recipients : Transplant data 2002-2005. Washington, DC, U.S. Department of Health and Human Services, 2006.

2. Rhdous NL, Little JW : Dental management of the renal transplant patient. Compendium, 1993; 14: 518-524, 526, 528 passim Quiz 532.

3. Rhodus NL, Little JW : Dental management of the bone marrow transplant patient. Compendium, 1992; 13: 1040, 1042-1050.

4. Little JW, Rhodus NL : Dental management of the heart transplant patient. Gen Dent, 1992; 49: 126-131.

5. Little JW, Rhodus NL : Dental treatment of the liver transplant patient. Oral Surg Oral Med Oral Pathol, 1992; 73: 419-426.

6. Guggenheimer J, Eghtesad B, Stock DJ : Dental Management of the(solid) organ transplant patient. Oral Surg Oral Med Oral Radiol Endod, 2003; 95: 383-389.

Chapter 20

골다공증 약이 치과에서 문제되나요

| 박원서 |

01 문제 제기

Dental Treatment for Medically Compromised Patients

골다공증(osteoporosis)은 지금까지 치과 질환과의 특별한 연관성이 없는 것으로 알려져 있어 치과의사들의 관심 밖에 있던 질환이었지만, 최근 골다공증 치료제, 특히 비스포스포네이트(bisphos-phonate) 제제와 관련된 악골괴사(bisphosphonate related osteonecrosis of the jaw, BRONJ)가 알려지면서 치과와 내과의 주목을 받고 있다. 이 장에서는 골다공증의 기본적인 이해, 치료방법, 그리고 BRONJ에 대해 알아보고, 마지막으로 골다공증을 가진 환자의 치과치료 시 주의해야 할 고려사항에 대하여 기술하고자 한다.

02 기본적 이해

Dental Treatment for Medically Compromised Patients

골다공증(osteoporosis)은 말 그대로 골조직에 공간이 생기는 질환으로 쉽게 이해할 수 있다. 이 질환은 여성에서 호발하며, 특히 폐경기가 지난 중년의 여성에서 호발하는 내분비계 질환이다. 2004년 보고에 따르면 미국에서 50세 이상의 인구 중 천만명이 골다공증에 이환되어 있으며, 3천 4백만

명이 골감소증에 이환되어 있다고 알려져 있다. 당뇨 다음으로 빈발하는 내분비계 질환으로 증상이 없이 진행되기 때문에 많은 환자들이 본인이 골다공증에 이환된 지 모르는 상태에서 골다공증의 합병증, 즉 골절로 인해 병원을 찾는 경우가 많다. 50세 이상의 백인 여성에서 10명 중 4명이 척추(spine), 골반(hip), 수근(wrist) 골절을 경험하였으며, 50세 이상 남성에게는 약 13%에서 발생하였다고 하였다. 이러한 골절위험(fracture risk)은 고령화 사회와 발맞추어 점차 증가할 것으로 예상되어, 2040년 미국에서의 고관절 골절(hip fracture) 비율은 2~3배 증가할 것으로 추측되고 있다. 고관절 골절 발생후 6개월 이내에 사망할 확률은 2.8~4.0배 높은 것으로 알려져 있다. 척추골절(spine fracture) 역시 20%정도의 mortality rate를 보이는데, 이것은 흉곽의 운동장애를 일으켜 폐렴을 유발할 가능성이 높기 때문이다.

골다공증은 두가지 기전으로 발생되는데, 피질골의 골내막면(endosteal surface)에서 골의 흡수, 그리고 골수(bone marrow)에서의 marrow pattern의 소실로 진행되게 되어 결국 뼈가 줄어들게 된다(reduction of bone mass). 이러한 골다공증의 합병증은 매우 심각한데 자세의 변화에서 시작하여 결국 병적 골절을 유발하게 된다. 이러한 병적 골절이 일어나는 부위가 다른 부위와 달리 척추, 장골, 대퇴골 등 생명과 사회활동에 큰 영향을 끼치는 부분이므로 그 심각성은 더하게 된다. 특히 이런 병적 골절의 형태가 일반적으로 발생하는 외상에 의한 골절과는 달리 무게에 못 이겨서 뼈가 무너지는, 즉 압박 골절(compression fracture)의 양상으로 이루어지기 때문에, 치료가 매우 어렵고, 생명을 위협하는 질환으로 알려져 있다.

골다공증의 진단은 DXA, 즉 dual energy x-ray absorptiometry를 통해 이루어 지게 된다. 이러한 방사선 진단을 통해 뼈가 치밀한 정도를 수치로 평가하여 진단과 치료의 지표로 삼게 된다. DXA

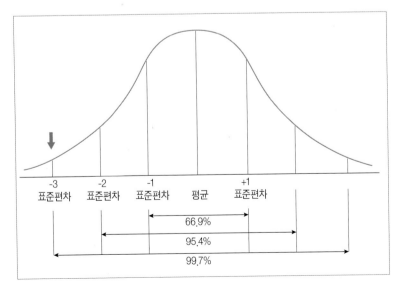

●●● **그림 20-1. 골밀도 검사 결과 나오는 수치의 이해**

T-score는 젊은 사람들의 골밀도 평균과 표준편차를 표준정규분포로 전환하였을 때, 환자의 골밀도가 어느 정도 위치에 있는지를 나타낸다.

예를 들어, 환자의 T-score가 -30이라면, 골밀도의 정규분포표 상에서 화살표 위치의 골밀도 상태라는 것이다. 이것은 하위 1% 이하의 골밀도라는 의미이기 때문에 주의해야 한다. -1, -2, -30이 산술적인 "1"의 차이가 아니며 임상적인 관점에서도 골절 등 합병증이 발생할 가능성이 급격히 증가하므로 주의해야 한다.

검사에서 알 수 있는 지표에는 크게 2가지로, T-score와 Z-score이다. T-score는 젊은 나이의 환자 골 밀도에 비해서, Z-score는 비슷한 연령의 골밀도 평균에 비해 환자의 골밀도 양을 정규분포로 변환하였을 때의 값을 나타낸다. 임상 진단에는 주로 T-score가 이용되게 되는데, 세계보건기구(WHO)의 분류에 따르면 −1.0~−2.5까지를 골다공증의 전단계인 골감소증(osteopenia)으로 진단하고, −2.5이하인 경우 골다공증으로 진단하게 된다. 그리고 −3.0보다 낮은 경우 반드시 치료가 필요한 정도의 골다공증으로 인식되어, 단순한 운동요법과 식이요법 외에 약제를 이용한 치료가 필요하다.

기존의 골다공증의 치료는 보존적, 그리고 대증적으로 이루어져왔다. 즉, 적당한 운동과 칼슘이 많이 함유된 음식의 섭취, 적당한 일광욕과 금주, 금연 등 생활습관 조절에 의한 예방이 기본이다. 골다공증 치료약물로는 호르몬제제, 칼슘제제, 비타민 D, SERM(selective estrogen receptor modulator), 부갑상선 호르몬 등이 사용되고 있는데, 이중 가장 대표적인 약물은 Bisphosphonate 이다(그림 20-3). 90년대 후반, bisphosphonate 제제가 파골세포(osteoclast)의 기능을 억제시키는 데 효과가 있다고 알려지면서, 골다공증에 사용하기 시작하였고, 좋은 임상경과를 나타내었다.

Anti-Resorptive Drug
·Bisphosphonate ·Denosumab ·Selective Estrogen Receptor Modulator(SERM) ·Hormone Replacement Therapy(HRT) ·Calcitonin

Anabolic Drug(Bone forming agent)
·Teriparatide

●●● 그림 20-2

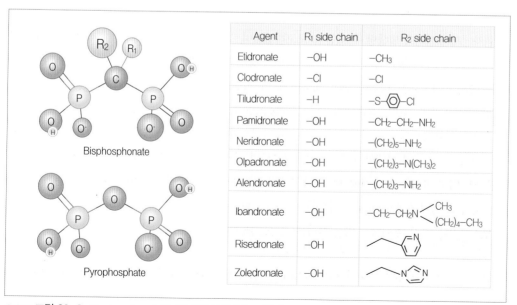

Agent	R₁ side chain	R₂ side chain
Etidronate	−OH	−CH$_3$
Clodronate	−Cl	−Cl
Tiludronate	−H	−S−◯−Cl
Pamidronate	−OH	−CH$_2$−CH$_2$−NH$_2$
Neridronate	−OH	−(CH$_2$)$_5$−NH$_2$
Olpadronate	−OH	−(CH$_2$)$_3$−N(CH$_3$)$_2$
Alendronate	−OH	−(CH$_2$)$_3$−NH$_2$
Ibandronate	−OH	−CH$_2$−CH$_2$N⟨CH$_3$ / (CH$_2$)$_4$−CH$_3$
Risedronate	−OH	
Zoledronate	−OH	

●●● 그림 20-3. Bisphosphonate의 기본적인 구조와 그 형태

Generic name	Trade name(KOREA)	Administration route	Nitrogen containing	Potency ratings
Etidronate	DINOL	Oral	No	1
Clodronate	OSTAC	Oral	No	10
Pamidronate	PANORIN	Oral & IV	Yes	100
Alendronate	FOSAMAX, AIBONE, ALENMAX, MARVIL	Oral	Yes	500~1,000
Ibandronate	BONVIVA	Oral & IV	Yes	1,000
Risedronate	ACTONEL	Oral	Yes	2,000~5,000
Zoledronate	ACLASTA ZOMETA	IV	Yes	10,000

●●● **그림 20-4.** 국내에 시판중인 약의 상품명과 성분명

Bisphosphonate 제제는 osteoclast의 골흡수를 방해하는 기전을 가지고 있어 초기에는 multiple myeloma, Paget's disease, metastatic bone disease를 치료하는데 주로 사용되었으나, 골다공증 환자에서 투여한 결과 합병증이 획기적으로 줄어들게 되어 골다공증 치료의 일차적인 약제로 세계적인 주목을 받기 시작했다. Pamidronate를 1세대로 하여 2세대인 zoledronate, 그리고 최근에 가장 많이 사용되는 3세대 alendronate 등 약제의 발전으로 인해 기존의 정맥주사(IV) 제제에서 경구제제로, 그리고 매일 복용에서 주 1회, 또는 월 1회 투여 등 효과를 발전시킨 약제들이 사용되고 있다(그림 20-4).

그러나 골다공증을 치료하기 위해 bisphosphonate를 사용한 환자들에서 예상하지 못한 부작용이 발생하게 되었는데, 그것이 바로 악골의 골괴사이다. 2003년 Marx는 처음으로 이 약제를 투여중인 환자에서 골괴사가 발생할 수 있음을 보고하였으며, 그 이후 많은 임상가들이 원인이 뚜렷하지 않은 환자에서의 골괴사가 bisphosphonate 를 투약중인 환자에서 발생한다는 것을 보고하였다. 미국 구강악안면외과학회를 비롯한 많은 학회에서 이 질병의 증가를 유의깊게 관찰하였고, 2007년과 2009년 이 약제와 관련된 학회의 입장 논문(position paper)과 지침서(guideline)를 발표하였다. 그러나 아직까지도 이 약제의 사용에 관해서는 내과의사와 치과의사의 견해 차이가 있는데, 즉 이 약제를 사용하면 골괴사가 발생할 수도 있지만, 경구투여 시에 발생빈도는 비교적 낮기 때문에, 이 약제를 사용하지 않아 골다공증이 진행되어 골다공증의 합병증이 발생하도록 방치하는 것 역시 문제이기 때문이다. 결국 환자에게 어떤 것이 적절한 치료인지, 환자에게 도움이 되는지를 정확히 평가하여 약제를 투여하거나, 혹은 투여하지 않는 어려운 결정을 내려야 하는 것은 임상가의 몫으로 남아있다.

악골괴사에 관한 논란은 최근까지도 계속되고 있는데, 가장 중요한 논점은 과연 경구용 비스포스포네이트 제제가 악골괴사를 일으킬 만큼 위험한 약제인지에 관한 것이었다. 2003년 Marx가 보고한

바와 같이 주로 정맥 주사용 비스포스포네이트 제제, 즉 zoledronate와 pamidromate에 의한 악골 괴사는 대부분의 의사들도 인정하고 있다. 하지만 현재 많은 환자에서 투여하고 있는 경구용 제제에서의 발생에 대해서는 아직까지 논란이 되고있다. 2008년 내과의사들과 종양내과의사들은 경구용 비스포스포네이트 제제를 투여받은 사람들을 대상으로 한 대규모 표본조사(survey)를 통해 경구용 비스포스포네이트제제를 복용한 사람과 그렇지 않은 사람의 악골괴사 비율이 큰 차이가 없음을 보고하였다. 이러한 결과들을 인용하여 급진적인 의사들은 경구용 투여는 골괴사와 관계없음을 주장하고, 치과의사들이 너무 예민하게 반응하여 골다공증의 치료에 문제가 있으면 안된다는 주장도 제기하였다. 그러나 Marx 등은 경구용 제제를 투여한 사람에서 많은 증례의 골괴사를 보고하면서 경구용 제제를 투여받은 사람에서도 골괴사 가능성이 있음을 보고하는 등 아직까지도 논란거리로 남아있다.

2007년과 2009년 미국구강악안면외과학회에서는 비스포스포네이트와 관련된 악골괴사를 정의하여 기존의 골수염 등과 다른 질병으로 기술하였다. 이 정의는 ① 기존에, 혹은 현재 비스포스포네이트 치료를 받고 있으며 ② 8주 이상 악골부위에 노출된 골조직이 관찰되며 ③악골에 방사선 치료를 받은 병력이 없음으로 정의하였다. 그러나 최근에는 골조직이 뚜렷하게 노출되지 않았더라도 정확한 원인이 없는 골수염 등의 증상을 보일때는 BRONJ에 준하여 진단하고 치료하는 것(stage 0)이 추세이다. BRONJ의 위험요소를 정확하게 이해하는 것이 진단과 치료계획을 수립할 때 아주 중요하다. 이러한 위험요소는 약제관련 요인(drug related factor), 인구통계학적 요인(demographic factor), 국소적 요인(local factor) 등으로 나눌 수 있다.

Drug related factor로는 기술한 바와 같이 경구용 제제를 투여받은 사람에서 보다 정맥주사용 제제를 투여한 사람에서 더욱 많이 발생한다는 것이다. 즉 alendronate 제제보다 zoledronate나 pamidronate제제를 투여받은 사람에서 더욱 주의해야 한다. 또한 경구용 제제라고 하더라도 3년 이상 투여한 환자에서는 위험성이 증가하게 되는데, 이것은 이 약제의 축적효과(cumulative effect)에 기인한 것으로 생각된다.

Demographic factor로 가장 큰 것은 나이와 성별로 알려져 있다. 골다공증이 여성에게 호발하듯이 이 치료를 받는 성별도 당연히 여성이며, 이에 관련된 악골괴사도 여성에서 많이 발생하게 된다. 또한 연령도 큰 역할을 하여 대부분의 악골괴사 발생연령은 65세 이상인 경우가 대부분이다. 다른 위험요소는 스테로이드(steroid) 제제를 투여받은 환자로서, 관절염을 앓았던 환자에서 많이 발생하며, 그외에 장기이식 후에 면역억제를 위해 투여받은 경우도 발생할 수 있다. 그외의 위험요소로는 당뇨, 빈혈, 비만 등이나 아직까지 이러한 원인요소들과 악골괴사의 뚜렷한 인과관계는 아직 밝혀지지 않았다.

Local factor는 치과수술에 관련된 것이 많다. 가장 많이 연관된 것은 치조골 수술(dentoalveolar surgery)로서 발치, 임플란트, 치근단 수술, 골삭제를 동반한 치주수술 등이 관련된 것으로 알려져 있다. 이중 가장 많은 발생빈도를 보이는 것은 발치로서 발치 후 발치창이 낫지 않고 골이 노출되어 감염증상을 보이는 경우 반드시 BRONJ를 감별하여야 한다. 다른 local factor로는 틀니에 의한 것인데, 기존의 틀니가 잘 맞지 않거나 기존의 융기(torus) 등의 날카로운 부분이 있는 경우 이것에 의해 골이 노출되고, 장기간 동안 노출된 상태로 유지되는 경우 부분적으로 감염과 골괴사가 이루어지게 된다. 이것은 추측컨데 비스포스포네이트제제가 골조직 뿐만이 아니라 연조직 창상 치유과정에도 관여하기 때문으로 알려 있으나, 아직까지 뚜렷한 원인은 밝혀지지 않았다.

03 치과 진료실에서 대처하기

Dental Treatment
for Medically
Compromised Patients

앞에서 기술한 바와 같이 비스포스포네이트 제제는 골다공증, 전이성 악성 골질환(metastatic malignant bone disease), 다발성 골수종(multiple myeloma) 등 많은 골질환에 효과적으로 사용되고 있다. 이러한 병력을 가진 환자를 치료할 때 치과의사가 고려해야 할 사항은 다음과 같다.

1) 환자의 그룹화 및 이에 따른 치료 변경

(1) 경구용 제제를 투여 예정인 환자

골다공증 등으로 경구용 제제를 투여예정인 사람은 통상의 환자와 동일하게 치과치료를 진행하면 된다. 단, 추후에 발치될 가능성이 높은 치아가 있는 경우, 가능성은 매우 낮지만 악골괴사가 발생할 수 있음을 고지해야 하며, 치료 전에 감염을 일으킬 수 있는 치아는 치료하는 것이 추천된다.

(2) 경구용 제제를 투여받은 또는 투여받고 있는 환자

경구용 제제를 투여받는 환자인 경우 악골괴사의 가능성은 낮은것으로 알려져 있으나, 언제든지 발생가능할 수 있으므로 이를 사전에 통보하고 외과적인 시술을 시행해야 한다. 경구용제제를 복용한다 하더라도, 다른 원인요소, 즉 나이가 많거나, 복용기간이 길거나, 스테로이드를 투여받았거나, 당뇨가 있거나 하는 등 다른 원인요소가 같이 있는 경우에는 경구용 제제를 투여받더라도 발생이 가능하므로 주의해야 한다. 관혈적인 시술 전에 항생제 투여가 추천되며, 시술 전에 CTx(C-terminal telepeptide)검사를 시행하여 100~150 이상인 것을 확인하고 시술하면 악골괴사의 가능성을 조금 줄일 수 있다고 알려져 있다. 만일 다른 원인요소가 존재하고, CTx값이 100 이하인 경우 drug holiday를 갖는 것이 추천된다. 즉, 가능하다면 2~3개월간 경구용 약제를 잠시 중단하고 관혈적인 시술을 하는 것이다. 물론 이 약제를 중단하기 위해서는 환자의 전신적인 상태, 즉 골다공증이 심각한 정도에 따라 중단여부를 결정해야 하므로 내과의사와의 협진이 필수적이다. 중단한 경우 관혈적인 치료 후 골치유(bone healing)가 된 후 다시 투여한다.

(3) 정맥주사용 제제를 투여 예정인 환자

악성종양 치료 등을 목적으로 정맥주사용 제제를 투여예정인 환자인 경우, 적극적으로 약제 투약 전에 치과치료를 진행해야 한다. 즉, 정맥주사를 투여받고 나면 발치 등 관혈적인 치료가 불가능 하므로, 방사선 치료 전 치과치료와 비슷하게 적극적인 치과치료를 받아야 한다. 모든 좋지 않은 치아는 발치되어야 하며, 장기적으로 유지하기 힘든 치아도 발치가 추천된다. 적극적인 치주치료를 받아야 하며, 맞지 않는 틀니 등은 다시 제작하여 BRONJ가 발생할 수 있는 원인을 모두 제거해야만 한다.

(4) 정맥주사용 제제를 투여받은 또는 투여받고 있는 환자

Zoledronate, pamidronate 등을 투여받은 환자의 치과치료는 매우 주의해야 한다. 즉, 악골괴사 발생가능성이 다른 환자보다 매우 크므로 모든 관혈적인 치료는 하면 안되며, 전문의에게 의뢰해야만 한다. 틀니는 항상 잘 조절되어 있어야 하며, 감염이 발생하는 경우 적극적으로 치료하되 비외과적인 치료를 위주로, 즉 항생제 요법, 구강양치액 사용 등 대증적인 요법을 주로 시행한다. 필요에 따라 악골 절제후 재건술이 필요할 수도 있다.

2) 주의해야 할 치과질환

비스포스포네이트 제제를 투여중인 환자에서 주의해야 할 치료는 관혈적 치과 소수술, 보철치료, 그리고 교정치료이다. 관혈적인 치과치료 중 발치가 가장 많이 악골괴사와 관련되어 있으므로 매우 주의해야 한다. 최근 임플란트와 악골괴사와의 관련에 대해서는 뚜렷하게 알려진 바는 없으나, 최근 정맥주사용 제제를 투여받은 환자에서의 골괴사 증례가 보고되는 등 증가할 것으로 예상된다. 또한 보철치료는 잘 맞도록 제작되어야만 혹시라도 발생 가능한 골괴사를 예방할 수 있다.

또한, 치아 교정 치료도 주의해야 하는데, 치아 교정은 치아에 힘을 전달하여 부분적인 골흡수와 침착에 의해 치아가 움직이는 효과를 나타내는 것인데, 이 약제를 투여받는 경우 파골세포(osteo-clast)의 기능이 떨어지게 되므로, 치아의 움직임이 일어나는 것이 아니라 과도한 동요도만 유발하게 될 수 있으므로 주의해야 한다.

증례 1 | 70세, 여자

주소

보철물 한 곳에 염증이 생겼다(2008년 11월).

병력

천식으로 알레르기 내과에서 흡입제를 처방받은 경력이 있으며, 고혈압약을 복용중이었음 (예방적 아스피린 포함). 손떨림 때문에 파킨슨병 가진하에 약물치료 중이었으며, 골다공증 치료를 위해 정형외과에서 1주일에 1회 alendronate를 약 3년간 복용 중임.

치과병력

상악 우측 측절치의 우식을 동반한 치근파절을 주소로 본과에 2008년 여름에 내원하여 해당치아 발치(2008년 8월)를 시행받고, 이후 9월에 고정성 보철물로 수복하였다. 발치 후 2개월이 지나 보철한 부위, 특히 발치한 부분에 염증이 발생하여 내원하였다.

구강소견

상악 측절치 발치부위의 협측 치은부위에 누관(fistula)이 관찰되었다. 방사선사진 검사 결과 3개월이 지나도록 발치와 부위의 치조백선(lamina dura)이 소실되지 않은 상태로 남아있었다 (그림 20-5).

치료 및 경과

보철물을 제거하고 조직검사를 포함한 국소적인 소파술을 시행하였다. 발치와는 발치 후 3개월이 지난 상태였지만, 전혀 골 형성이 되지 않은 상태였다(그림 20-6). 골다공증 약제는 일시적으로 중단하였으며, 이후 임시치아를 장착한 상태에서 방사선 평가를 한 결과 약 3개월 후 정상적인 골 형성이 일어나는 것을 확인하였다(그림 20-7). 최종적으로 골 형성이 양호하게 된 상태의 CTx값은 261로 측정되었다. 골형성을 확인한 후 다시 고정성 보철물을 제작하였다.

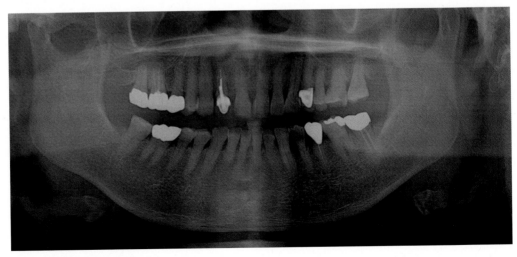

●●● **그림 20-5.** 초진 내원 사진

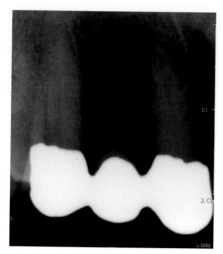

●●● **그림 20-6.** 발치 후 3개월이 지나 내원시 방사선 사진으로, 3개월이 지난 상태에서도 발치와 치유가 일어나지 않고, lamina dura가 뚜렷하게 남아있다.

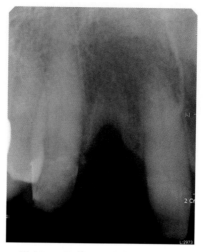

●●● **그림 20-7.** 골다공증 약제를 중단하고 발치와 재소파술을 시행한 후 3개월 후의 방사선 사진으로, 정상적인 발치와 치유가 일어나고 있다.

문제점 검토

전형적인 BRONJ의 양상, 즉 8주 이상의 골노출 소견을 보이지는 않으나, 최근의 classification의 stage 0(골노출이 없이 염증의 소견으로 나타남)의 전형적인 증례이다. 상악 전치부위의 단순발치 후에도 3개월 이상 발치와가 전혀 치유(healing)가 되지 않았다. 발치 후 감염이 통상적인 시기에 발병하지 않고, 특별한 감염원인이 없는 경우 골다공증 제제에 의한 것임을 감별진단할 필요가 있는 증례였다.

증례 2 | 72세, 여자

주소

왼쪽 아래 씌운 어금니가 아프다. 붓고 잠을 못자게 아프다.

병력

1990년 breast cancer 진단하에 수술 및 항암치료를 받았으며, 2001년 재발하여 2005년부터 39회 zoledronate 주사를 정주받았다(전이-뼈, 폐, 임파절). 2005년부터 내분비내과에서 당뇨 치료를 받고 있다.

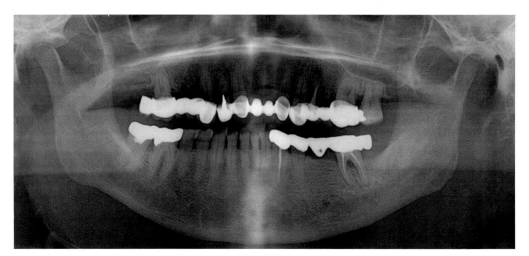

●●● **그림 20-8.** 하악 좌측 제 1대구치의 치근막 widening과 apical periodontits 소견이 관찰된다.

구강소견

하악 좌측 제 1대구치 부위의 apical periodontitis가 관찰되었으며, 촉진시에 극심한 통증을 호소하였다(그림 20-8).

치료 및 경과

항생제 전투약후 보철물을 제거한 결과 동요도가 관찰되어 발치를 결정하였다. 발치 직후 잔존 치조골이 검게 보이는 부골양상을 띠었으며, 심한 악취를 동반하였다. Zoledronate 투여와 관련된 BRONJ로 진단하고 follow up중 3개월 후 발치와가 치유되지 않고 골이 노출되어 CT를 촬영한 결과, 부골이 관찰되는 등 전형적인 골수염 양상을 보였다(그림 20-9, 10). 발치 6개월 후 전신마취 하에 sequestrectomy를 시행하였으나 시술 후에도 지속적으로 pus discharge되는 등 호전 양상은 없었다. 발치 1년 뒤 외과 추적관찰 결과 암 전이가 의심되어 zoledronate의 추가 투약이 필요하다고 판단되어 BRONJ가 악화될 가능성을 설명하고 추가로 zoledronate를 투약하였다.

문제점 검토

Zoledronate와 관련된 골괴사로 발치 후 골노출이 초기 증상이 아니라 급성골수염으로 인한 통증이 첫 주소로 발견된 증례였다. 암전이를 막기 위해 zoledronate를 사용해야 하는 상황과 악골의 골수염을 막기 위해 중단해야 하는 두 가지 딜레마에 부딪힌 증례로, zoledronate치료 전에 치과적인 평가를 통해 좋지 않은 치아를 미리 치료받았을 경우, 이러한 상황을 예방할 수도 있었을 것으로 추정되었다.

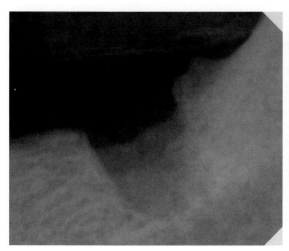

●●● **그림 20-9.** 발치 3개월 후의 방사선 사진으로 발치와의 치유가 지연되고 있다.

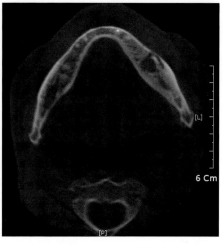

●●● **그림 20-10.** CT영상으로 부골이 관찰되며, 주변의 골경화증(osteosclerosis)이 관찰된다.

증례 3 ㅣ 73세, 여자

주소
이 뺀곳에서 피고름이 난다.

병력
Rheumatoid arthritis, hypertension, cushing syndrome
2007년 8월부터 2010년 3월까지 alendronate를 복용하였다. CTx level은 74로 관찰되었다.

치과병력
3개월 전 개인병원에서 상악 양측 구치부 발치했고, 발치 1달 후 국소의치 제작했으나, 상악 우측 구치부 발치와에서 지속적으로 피고름이 나와 이비인후과 내원평가 후에, 잔존치근 의심되어 치과에 재내원, 잔존치근 발치했다. 이후 발치와가 아물지 않고 피고름이 계속 나오며, 통증은 심하지 않은 상태이다.

구강소견

양측 상악구치 부위에 발치와가 낫지 않고 골이 노출된 모습이 관찰된다(그림 20-11).

방사선 사진에서 발치한 양측 상악구치부 치아부분에 치조백선(lamina dura)이 관찰되며, 발치와

의 골개형(bone remodeling)이 관찰되지 않는다(그림 20-12, 13).

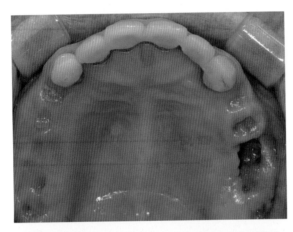

●●● **그림 20-11.** 구강내 소견. 양측 발치부위가 낫지않고 하방의 치조골이 노출된 상태로 남아있음. 우측에는 과도한 식편압입으로 국소적인 염증이 동반되어 있다.

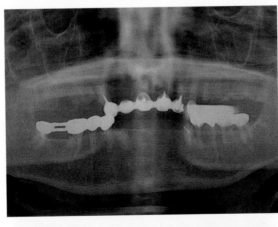

●●● **그림 20-12.** 초진 파노라마 방사선 사진

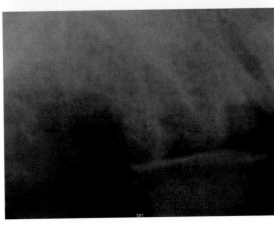

●●● **그림 20-13.** 우측 구치부 치근단 사진

치료 및 경과

Alendronate 복용과 관련된 BRONJ로 진단하였다.

치료 내용에 대해 설명하였으나 환자 거주지 관계로 지방에서 치료받기로 하였다

문제점 검토

고령, Cushing's syndrome, steroid 투약 history 등 BRONJ의 위험요소를 가진 환자에서 충분한 사전평가 없이 발생한 증례이다. 언급한 위험요소가 있을 경우 경구 투약한 bisphos-phonate 제제라 하더라도 BRONJ를 유발할 수 있으므로, CTx 값을 확인하고 진행하는 것이 추천된다.

■■■■■■ **참고문헌**

1. 대한내분비학회, 대한골다공증학회, 대한구강악안면외과학회 : Bisphosphonate Related Osteonecrosis of the Jaw(BRONJ) -Position Statement of Korea-2009, 6, 25.

2. Marx RE : Pamidronate(Aredia) and zoledronate(Zometa) induced avascular necrosis of the jaws : a growing epidemic. J Oral Maxillofac Surg, 2003; 61(9): 1115-1117.

3. American Association of Oral and Maxillofacial Surgeons position paper on bisphosphonate-related osteonecrosis of the jaws. J Oral Maxillofac Surg, 2007; 65(3): 369-376.

4. Ruggiero SL, Fantasia J, Carlson E : Bisphosphonate-related osteonecrosis of the jaw: background and guidelines for diagnosis, staging and management. Oral Surg Oral Med Oral Pathol Oral Radiol Endod, 2006; 102(4): 433-441.

5. Dental management of patients receiving oral bisphosphonate therapy : expert panel recommendations. J Am Dent Assoc, 2006; 137(8): 1144-1150.

6. Gutta R, Louis PJ : Bisphosphonates and osteonecrosis of the jaws : science and rationale. Oral Surg Oral Med Oral Pathol Oral Radiol Endod, 2007; 104(2): 186-193.

The Guideline of Dental Treatment for Medically Compromised Patients

Chapter 21

임산부는 치과치료를 받을 때 무엇을 주의해야 하나요

| 정원균 |

01 문제 제기

Dental Treatment
for Medically
Compromised Patients

임신을 한 여성이 치과에 내원하는 때가 있다. 치과의사는 임신부의 모체 뿐 아니라 발육하고 있는 태아의 건강을 함께 고려해야 하기 때문에 치과진료에 신중을 기해야 한다. 또한 임신 초기에는 여성 자신도 그 사실을 모를 수 있으므로 치과의사는 이를 미리 확인해야 한다. 임신부를 진료할 때에는 모체와 태아의 안전에 영향을 미칠 수 있는 잠재적 위험요소(스트레스, 내과병력, 치과치료의 기본지침과 시기, 환자의 자세, 약물 투여, 방사선사진촬영 등)를 감안하여 사전에 이를 피하거나 최소화해야 한다.

출산 후에 모유 수유를 하고 있는 산모(수유모)에게는 통상적인 치과치료를 시행할 수 있지만 투약을 하는 경우에 한해서는 주의를 해야 한다. 일부의 약물이 모유를 통하여 신생아에게 전달될 수 있으므로 이를 고려하여 약물을 선택해야 한다.

02 기본적 이해

Dental Treatment
for Medically
Compromised Patients

1) 임신

(1) 임신부의 생리적 변화와 의과적 합병증

여성이 임신을 하면 모체에 다양한 생리적 변화가 나타난다. 이 가운데 내분비계의 변화(모체 및 태반 호르몬의 증가)가 가장 주요하게 나타나며, 이외에도 심혈관계의 변화(혈액량 및 심박출량의 증가, 철분결핍성 빈혈, 적혈구용적률의 감소, 앙와위 저혈압 증후군), 신경성 변화(피로, 실신, 입덧), 호흡기계의 변화(빠른 호흡, 호흡 곤란), 대사기능의 변화(체중 증가, 영양 불균형), 감각기능의 변화(식욕 증가, 미각 변화, 오심과 구토) 등이 나타난다.

임신부가 건강하고 산전관리를 적절히 받고 있다면 임신에 따른 합병증은 흔하지 않다. 하지만 임신부가 흡연자 또는 보균자일 경우에는 합병증이 더 많이 발생할 수 있다. 임신의 일반적인 합병증에는 감염, 염증반응, 혈당 이상(임신부의 2~6%에서 임신성 당뇨, gestational diabetes mellitus), 고혈압(자간전증, preeclampsia) 등이 있다. 임신부에게 이러한 합병증이 발생하면 조산이나 사산, 선천성 기형아를 출산할 위험이 크다. 태아의 성장과 관련하여 또 하나 문제가 되는 것은 자연유산이다. 하지만 치과진료 때문에 자연유산이 일어날 가능성은 거의 없다. 하지만 발열성 질환이나 패혈증은 자연유산을 초래할 수 있으므로 치성 감염이나 치주염은 서둘러 치료하는 것이 바람직하다.

(2) 임신부의 치과적 합병증

임신부의 모체는 내분비계의 호르몬 변화로 인하여 치면세균막이나 치석 등의 국소적인 자극에 대한 염증반응이 평소보다 증폭되어 나타난다. 아울러 임신부는 입덧 등의 이유로 구강위생을 청결하게 관리하지 못할 수 있기 때문에 이러한 염증반응이 더욱 문제가 된다. 임신부에게 가장 흔히 나타나는 구강의 합병증은 임신성 치은염(pregnancy gingivitis)이다(그림 21-1). 임신성 치은염은 일반적으로 임신 2개월경부터 나타나기 시작한다. 또한 이러한 염증이 악화되어 임신부의 약 1% 가량에서 국소적인 치은증식이 나타나기도 하는데, 이를 임신성 종양(pregnancy tumor) 또는 화농성 육아종(pyogenic granuloma)이라고 한다(그림 21-2). 임신성 종양도 임신 2개월경부터 치간유두의 순면 등의 부위에 주로 나타나고, 증상은 없지만 칫솔질이나 저작 등의 외상으로 치은출혈이 일어날 수 있다. 임신성 치은염과 임신성 종양은 임신 중에 적절한 구강건강관리(치면세균막관리, 구강위생지도, 치석제거, 교합조정술 등)를 하면 대부분 완화되어 정상으로 회복될 수 있다.

임신부는 심한 입덧과 구토반사로 인하여 위산이 역류하여 구취나 치아산식증이 발생할 수 있다. 따라서 치과의사는 임신부가 구토를 한 후에는 반드시 물 양치를 하여 위산을 희석하도록 지도해야 한다.

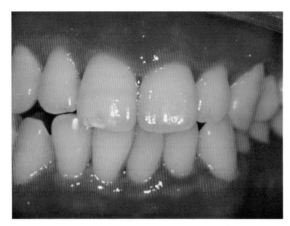

●●● **그림 21-1.** 임신부의 임신성 치은염으로 적절한 구강건강 관리로 정상으로 치유되었다.

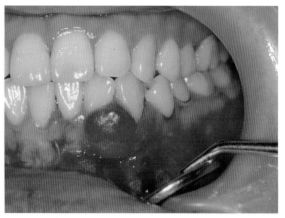

●●● **그림 21-2.** 임신부의 임신성 종양으로 임신기간 중 구강건강 관리로 증상 감소되었고, 출산후 정상으로 치유되었다.

2) 모유 수유

모유 수유를 하는 산모가 치과진료 과정에서 약물을 복용하면 그 일부가 모유를 통해서 분비되어 갓난아이에게 악영향을 미칠 수 있다. 그간의 연구결과에 따르면, 산모가 복용한 약물의 1~2% 정도만이 모유로 분비되는 것으로 알려져 있어 대부분의 약물은 신생아에게 미치는 영향이 매우 작다. 하지만 특정한 약물은 모유를 수유하는 산모에게 처방하지 않아야 한다.

03 치과 진료실에서 대처하기

Dental Treatment for Medically Compromised Patients

1) 임신

(1) 치과진료의 기본 지침과 시기

임신부는 태아의 안전과 건강 문제에 대단히 민감할 수밖에 없다. 따라서 치과의사가 임신부를 진료할 때에는 신뢰관계를 바탕으로 환자를 안정시키고, 치과진료 과정에서 임신부에게 미칠 수 있는 스트레스를 최소화하도록 치료계획을 세워야 한다. 아울러 치과의사는 임신부 환자에게 치료내용에 대해 상세히 설명을 하고, 환자가 이를 스스로 선택하도록 환자의 자기결정권을 존중해야 한다. 또한

표 21-1. 임신부 치과진료의 기본지침 108
1. 환자의 임신기간과 건강상태(생명징후, 내과병력 등)를 평가한다.
2. 환자가 병원에서 산전관리를 적절히 받고 있는지 확인한다.
3. 치주관리와 구강위생지도를 시행한다.
4. 환자에게 치면세균막관리의 중요성과 불소 활용의 이점에 대해 교육한다.
5. 방사선사진의 촬영을 최소화한다.
6. 약물의 사용을 최소화한다.
7. 앙와위 저혈압을 감안하여 오랜 시간이 걸리는 치과진료는 피한다.
8. 불가피한 치과진료는 상대적으로 안전한 임신 제 2삼분기에 시행한다.

이 과정에서 필요한 경우에는 산부인과의사의 자문을 받는 것이 바람직하다(표 21-1).

임신부에게는 시간이 오래 걸리고 광범위한 보철치료나 외과치료 등은 분만 이후로 미루어야 한다. 특히, 임신 제 1삼분기와 제 3삼분기 중반 이후에는 응급처치를 제외한 일반적인 치과진료는 모두 피해야 한다. 따라서 임신부에게 일반적인 치과진료가 필요한 경우에는 태아가 가장 안정된 임신 제 2삼분기에 시행해야 한다(표 21-2).

(2) 치과방사선사진촬영

임신부에게 치과방사선촬영을 할 때 기본적인 방사선방호의 원칙과 방법(납방어복 착용, 고감광도 필름의 사용, 방사선발생장치 및 방사선차폐시설의 법적 안전관리 등)을 준수하면 태아나 배아에 조사되는

표 21-2. 임신기간의 치과진료		
임신 제 1삼분기 (The 1st trimester)	임신 제 2삼분기 (The 2nd trimester)	임신 제 3삼분기 (The 3rd trimester)
• 치면세균막관리 • 구강위생지도 • 치석제거 및 치근활택술 • 일반적인 치과진료 금기 (응급처치에 한함)	• 치면세균막관리 • 구강위생지도 • 치석제거 및 치근활택술 • 일반적인 치과진료 가능	• 치면세균막관리 • 구강위생지도 • 치석제거 및 치근활택술 • 제 3삼분기의 초반에는 일반적인 치과진료 가능(단, 제 3삼분기의 중반 이후에는 응급처치에 한함)

방사선의 양은 무시할 만큼 매우 적다. 미국치과의사협회와 미국식품의약품안전국에서 제정한 치과
방사선사진의 처방지침에 따르면, 임신 때문에 치과방사선사진촬영을 다르게 교체할 필요는 없다. 하
지만 치과의사가 환자의 우려 때문에 방사선사진촬영을 주저하거나 환자가 이를 거부하는 경우가 오
히려 많다. 치과엑스선이 임산부나 태아에게 미치는 위험은 거의 무시할 수 있는 수준이다. 그러나
임신 기간에는 'ALARA'의 원칙을 바탕으로 방사선사진촬영을 최소한으로 선택적으로 시행해야 한
다. 따라서 임신 제 1삼분기에는 치과방사선사진촬영을 되도록 피하고, 이후 기간에도 방사선사진촬
영을 최소화해야 한다.

(3) 약물 투여

치과진료 과정에서 임신부에게 약물을 투여하면 그 일부가 태반을 통과하여 태아에게 악영향(독
작용, 기형유발)을 끼칠 수 있다. 따라서 임신 기간 중에는 어떤 약물도 투여하지 않는 것이 가장 바
람직하며, 특히 임신 제 1삼분기에는 그렇다. 하지만 임신부에게 약물을 투여해야만 하는 불가피한 경
우가 있기 때문에 이때에는 안전한 약물을 선택적으로 처방해야 한다(표 21-3). 치과에서 일반적으로
사용하는 약물은 비교적 안전하지만, 임신부 주치의(주로 산부인과의사)의 자문을 구하는 것이 좋다.

표 21-3. 임신부 및 모유 수유모에 대한 치과약물의 선택

	약물	임신부 투약	모유 수유모 투약
국소마취제	리도카인	가능	가능
진통제	아세트아미노펜	가능	가능
	아스피린	주의, 제 3삼분기에는 금지	금지
	이부프로펜	주의, 제 3삼분기에는 금지	가능
	메페나믹산	주의, 제 3삼분기에는 금지	금지
항생제	페니실린	가능	가능
	세팔로스포린	가능	가능
	클린다마이신	가능	가능
	메트로니다졸	가능	가능
	테트라사이클린	금지	금지
항진균제	니스타틴	가능	가능
스테로이드 제제	프레드니손	가능	가능
진정제·수면제	바비튜레이트	금지	금지
	벤조다이아제핀	금지	금지

(4) 환자의 자세

임신부가 출산이 임박한 제 3삼분기의 중반 이후에 치과진료대에 똑바로 누워있으면 앙와위 저혈압(supine hypotension)이 발생하여 실신이나 호흡곤란 등이 일어날 수 있다. 이는 태아와 자궁의 무게 때문에 하대정맥이 눌려 정맥환류(venous return)에 장애가 일어나기 때문이다. 따라서 이런 시기의 임신부는 반쯤 누운 자세에서 비스듬히 왼쪽으로 눕히고, 진료시간도 되도록 짧게 해야 한다.

2) 모유 수유

일부 약물은 모유를 수유하는 산모에게 투약하지 않아야 한다(표 21-3). 또한 비록 안전한 약물이라도 산모가 모유를 수유한 직후에 복용을 하고 이후에 적어도 4시간 정도가 지나고 수유를 하는 것이 좋다.

모유를 수유하는 산모에게는 신경정신과 약물인 리튬(lithium), 일부의 항암제, 방사성 약물, 항응고제인 페닌디온(phenindione) 등을 절대로 투약하지 말아야 하며, 흔히 사용하는 약물 가운데 아스피린(aspirin)과 메페나믹산(mefenamic acid), 테트라사이클린(tetracycline), 벤조다이아제핀계의 약물(다이아제팜 등) 등도 피해야 한다.

증례 1 | 30세, 여자

주소

임신 중인데, 오른쪽 아래 사랑니가 아파서 왔다(그림 21-3).

병력

임신 전부터 충치가 있었지만 아프지 않아서 그냥 지냈다.

전신소견

임신 5개월 경으로 산부인과에서 전신검사상 이상소견 없었다.

구강소견

하악 우측 제 2대구치의 진행성 충치와 제 3대구치의 부분매복 상태가 방사선 사진검사상 관찰된다(그림 21-4).

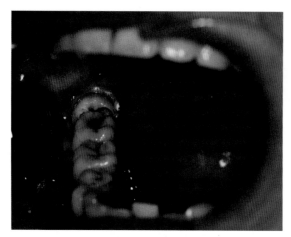

●●● **그림 21-3.** 진행성 치아우식증 치수염 (#47)과 매복지치 치주염 (#48) 모습

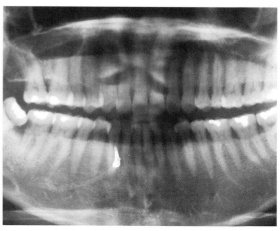

●●● **그림 21-4.** Panoramic view 치주염 (#48)과 (#47) 원심부 진행성 치아우식증 과도소견

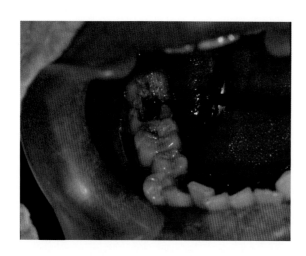

●●● **그림 21-5.** 급성 치수염 치아(#47)의 1차 근관치료 모습(치근관 개방유지)

 진단

(1) 진행성 치아우식증에 의한 치수염(#47)

(2) 매복지치의 치주염과 중등도 충치(#48)

 치료계획

(1) 약물요법(임신부 고려해 산부인과 상의)

(2) 주치의와 상의해 치과진료(국소마취하 근관치료, 발치 등) 가능여부 확인 후 단계적인 치료

치료 및 경과

치과외래로 보호자(남편)동반해 내원했고, 우선 치통을 감소시키기 위해 주치의 병원(개원 산부인과의원)과 전화통화로 안전한 항생제(Cephalexin)와 소염진통제(Tyrenol) 처방을 했고 다음 날 경과를 보기로 했다. 다음날 치통이 감소되어 국소마취 시행하에 과도한 치수염을 보인(#47)치아의 1차 근관치료(발수, 교합삭제조정, 근관 개방유지)를 시행했다(그림 5). 그날 저녁에 환자의 집으로 전화를 한 결과 치통이 감소되었고, 3일후부터 계속적인 (#47) 근관치료와 (#48)충치치료를 했고, (#48)발치는 출산 후에 시행키로 했다.

문제점 검토

임신부에서 치통이 있을 경우 우선은 투약과 물리치료(icebag 적용 등) 및 구강위생 관리, 전신 면역성 증진위한 노력이 중요한데, 임 신부나 보호자들이 안전한 약물임에도 불구하고 투약을 주저하는 경향이 있어, 산부인과 주치의와 상의해 반드시 투약을 초기에 단기간 시행해 급성 치통을 완화시킴이 긴요하다. 본 환자에서도 투약을 꺼려했으나 초기 감염증에 투약을 빨리 시행치 않으면 급성 염증이 완화되기 어렵고 만약 악화되면 많은 양의 항생제와 소염진통제를 장기간 투여해야 되고, 심지어 수액 약물요법을 위해 종합병원에 입원진료까지 해야되는 상황이 오므로, 반드시 초기에 단기간(본 환자는 3일간) 안전한 항생제와 소염진통제를 경구투여할 것을 추천했고, 이를 실천한 것이 도움이 되었다. 그리고 하악 매복지치 발치같은 출혈과 2차적 감염의 우려가 있는 외과적 처치는 출산 후 3개월 정도 경과되어 전신상태 회복 후 시행함이 바람직하다.

참고문헌

1. 의학계열 교수 27인 공역 : 의학 생리학. 도서출판 정담, 2002, p.87-107, 483-495.

2. 대한산부인과학회 : 산과학, 제4판. 군자출판사, 2007, p.82-1123.

3. 대한구강내과학회 편저: 전신질환자 및 노인, 장애환자의 치과치료. 신흥인터내셔날, 2007, p.237-248.

4. Briggs GG, Freeman, Yaffe SJ. Drugs in Pregnancy and Lactation : A Reference Guide to Fetal and Neonatal Risk, 5th ed. Baltimore, Williams & Wilkins, 1998.

5. Drug information for the health care professional, 2nd ed. Rockville, Md, United States Pharmacopeial Convention, 2000.

6. Iannucci JM, Howerton LJ : Dental radiography, 3rd ed. WB Saunders, 2006, p.52-62, 150-154.

7. Little JW, Falace DA, Miller CS, Rhodus NL : Dental management of the medically compromised patient, 7th ed. Mosby, 2008, p.268-278.

8. Moore PA : Selecting drugs for the pregnant dental patients J. Am Dent Assoc, 1998; 129: 1281-1286.

GUIDELINE OF DENTAL TREATMENT FOR MEDICALLY COMPROMISED PATIENTS

INDEX